Wolfgang de Grahl
Papageien in Haus und Garten

Wolfgang de Grahl

Papageien in Haus und Garten

Sittiche, Kakadus, Unzertrennliche, Sperlingspapageien, Araras, Amazonen, Graupapageien und andere mehr

Dritte, durchgesehene Auflage
14 Farbfotos, 2 Farbseiten mit 18 Amazonenköpfen
69 Schwarzweißfotos und 4 Zeichnungen

Verlag Eugen Ulmer Stuttgart

Ulmers Tierbuchreihe
Herausgegeben von Prof. Dr. Reinhard Fangauf, Wahlstedt

ISBN 3-8001-7126-0

Printed in Germany
Einbandgestaltung: H. G. Lechler, Stuttgart
unter Verwendung eines Farbfotos von Wolfgang de Grahl
Satz: Ungeheuer + Ulmer KG, Ludwigsburg
Druck: Sulzberg-Druck GmbH, Sulzberg im Allgäu

Vorwort

Schon seit sehr langer Zeit sind Papageien beliebte Haus- und Gartenvögel, denn sowohl die Römer wie auch die alten Indianerstämme hielten diese Vögel. Damals war es vor allen Dingen ihre Anhänglichkeit an den Menschen, die sie zum Haustier machte. Heute kommt noch der große Reiz des Züchtens bei vielen Arten hinzu, zumal sich viele, schon hier geborene Vögel, völlig unserem Klima angepaßt haben.
Diese Gegegebenheiten sind der Grund dafür, daß in den letzten Jahren ein ungeheurer Aufschwung der Papageienliebhaberei begonnen hat. Da die Einzelhaltung und Zucht im Haus und im Garten ganz unterschiedliche Dinge sind, wurden die betreffenden Anleitungen unter diesen Gesichtspunkten aufgeteilt, damit der Leser auf einen Blick seine Interessen herausfindet. Das Federkleid wurde nicht bis in jede Einzelheit beschrieben; nur so weit, daß der Vogel klar zu bestimmen ist. Auf die Geschlechtsunterschiede, die Erkennung der Jungvögel sowie auf den Brutverlauf wurde besonderer Wert gelegt; diese Aufzeichnungen sind in vielen Jahren gesammelt worden.
Aus eigenen Erfahrungen und denen zahlreicher europäischer Papageienfreunde soll dieses Buch allen Freunden der Krummschnäbel mit Rat und Tat zur Seite stehen und sie bewahren, Fehler zu machen, die das Schöne dieser Liebhaberei verdunkeln könnten.
Vierzehn Farb- und viele Schwarzweiß-Fotos zeigen alle wichtigen Arten. Auf zwei Farbseiten wurden 18 Amazonenköpfe dargestellt, um die oft schwierige Bestimmung zu erleichtern. Für diese naturgetreu gemalten Amazonenköpfe sei Herrn Walter Papenfuß besonders gedankt, aber auch den vielen Liebhabern und Züchtern für ihre freundlichen Hinweise und die Erlaubnis zu fotografieren.
Seit dem Erscheinen der zweiten Auflage sind wieder nur drei Jahre vergangen. Die hiermit herausgegebene dritte Auflage konnte im wesentlichen unverändert bleiben; die Preistafel auf Seite 232 wurde den heutigen Gegebenheiten angepaßt.

Hamburg, Januar 1975 Wolfgang de Grahl

Inhalt

Was unsere Papageien so interessant macht

In verschiedener Hinsicht kann uns ein Papagei erfreuen: durch sein besonderes *Wesen,* seine *Farben* und seine zum Teil gute *Züchtbarkeit.* Diese drei Eigenschaften bringen der Papageienfamilie einen erstaunlich großen Liebhaberkreis, der von Jahr zu Jahr größer wird. Die „Klugheit" der Krummschnäbel ist nicht unbegründet, denn in der Vogelklasse haben sie die relativ höchsten Hirngewichte; je größer der Vogel, desto größer ist im Verhältnis sein Hirn, so zeigt z. B. ein Graupapagei mehr Intelligenz als ein Sperlingspapagei.

Die Papageien entwickeln außergewöhnliche Fähigkeiten, insbesondere ihr Assoziationsvermögen – vor allem bei den großen Arten – wirkt auf uns Menschen anziehend. Weitere Besonderheiten liegen in ihrem Wesen. Viele haben die Begabung, Gehörtes nachzuahmen, einerlei ob es sich um Worte, Melodien oder andere Geräusche handelt. Diese Imitation geht so weit, daß einige Papageien mit einem bestimmten Ruf eine bestimmte Absicht oder einen Sinn verbinden. Schon dieser Nachahmungstrieb kann so viel Unterhaltung und Freude bringen, daß ein solcher Vogel eine Art Familienmitglied wird. Aber auch das Turnen im Gezweig, wo sie dem Zuschauer die originellsten Kunststücke zeigen, tragen zu ihrer Beliebtheit bei. Die starken Greiffüße (Handfüßler), zwei Zehen nach vorne und zwei nach hinten, die kräftige Beugemuskulatur und die große Beweglichkeit der Gelenke befähigen sie zu akrobatischen Leistungen. So kann ein Papagei mit einer Zehe an der Käfigdecke hängen und sich dabei in aller Ruhe sein Gefieder putzen – als sei dies eine sehr bequeme Haltung. Auf dem Erdboden allerdings wirken die Vögel oft sehr komisch, denn ihre Fortbewegung erinnert mehr an das Watscheln einer Ente. Durch den kurzen Lauf und den schweren Körper sind die Proportionen bei vielen Arten hierfür ungünstig, wodurch dieser eigenartige Gang entsteht.

Auch das Einnehmen der Mahlzeit wirkt bei vielen Papageien belustigend, da sie ihren Fuß als Hand gebrauchen. Kein anderer Vogel nimmt ein Stück Apfel, Möhre oder Nuß in den Fuß, um ihn zum Schnabel zu führen.

Ein Molukkenkakadu bot mir einmal die Krone der Komik und Intelligenz. Er griff mit halb geschlossenem Fuß in einen Napf mit Sonnenblumenkernen und „löffelte“ eine große Anzahl Kerne heraus, welche nun auf seinem Fußballen lagen, um dann den Fuß zum Schnabel zu führen und die Kerne einzeln aufzufressen. So ersparte er sich das wiederholte Bücken nach jedem einzelnen Kern.
Ein weiblicher Unzertrennlicher (*Agapornis personata nigrigenis*) hatte unglaubliche Freude daran, eine Dose Spieltaler zu leeren. Einzeln holte er mit dem Schnabel die bunten Taler heraus und tat eine Reihe davon wieder in die Dose hinein. Oft aber lief dieser kleine Papagei zur Tischkante und warf sein Spielzeug auf den Fußboden. Mit sichtlichem Genuß sah er dieses zur Erde fallen, um sich dann einen neuen Taler zu holen.
Die verhältnismäßig leicht zu erreichende *Zahmheit* ist ein weiterer anziehender Charakterzug dieser Vogelgruppe. Selbst ältere Vögel können oft noch mit Geschick und Geduld ruhig und anhänglich werden, wenn sie einzeln gekäfigt sind. Sie warten auf Unterhaltung und zeigen ihren spielerischen Trieb. So gibt es Arten, die sich sogar zu kleinen Kunststücken abrichten lassen und sich gern dieser Beschäftigung hingeben. Einige Originalanzeigentexte aus einer Vogelzeitung unterstreichen nur noch die Sonderstellung der Papageien:

Achtung Seltenheit! Hellroter Ara, jung, handzahm, spricht, lacht, sehr intelligent und gelehrig, spielt gerne mit Kindern, einmalig im Gefieder, sitzt frei im Garten, kommt sofort beim Rufen auf den Arm, fährt gerne frei auf der Lenkstange vom Fahrrad spazieren, sehr geeignet als Reklame für ein Geschäft. Mit verchromtem Ständer auf Mehrangebot umständehalber zu verkaufen.

Papagei von Fernsehen und Presse gesucht, gut sprechend. Bitte nur Spitzentier anbieten.

Junge, zahme Gelbstirnamazone, lachen, weinen, husten, sprechen usw. . .

Graupapagei, zahm, kein Rupfer und Schreier, mit bestem Gefieder, guter Sprecher, *anbieten* mit Preisangabe und . . .

Papageien verstehen es, durch alle möglichen Gebärden, Laute oder Bewegungen auf sich aufmerksam zu machen. Der Mensch ist ihnen zum Gefährten geworden; alleine ist solch ein Vogel höchst ungern. Ein Arara, Kakadu, Fächerpapagei oder irgendein anderer Papagei nimmt die unmöglichste Haltung ein, damit auch ja jede Stelle des

Kopfes zum Kraulen erreichbar ist. Keine Verrenkung wird ihnen zuviel, wenn sie sich bei halbgeschlossenen Augen diesem Genuß hingeben.

Ein weiterer Anziehungspunkt sind die herrlichen *Farben* der meisten Papageienarten. Das Gefieder kann rot, grün, blau, gelb und in allen Zwischenfarben leuchten. Die Natur hat hier in üppiger Weise ihre Farbtöpfe ausgeschüttet, wenn auch als Hauptgrundfarbe das Grün in den verschiedenen Nuancen vorherrschend ist. In den langen und dunklen Wintertagen und dem bei uns manchmal so wenig sonnigen Sommer wirkt unser farbiger Freund wie ein „blumiger" Trost. Das Gefieder eines gesunden und richtig gehaltenen Papageien wird von Jahr zu Jahr schöner und intensiver in den Farben.

Viele Arten lassen sich gut *züchten*, vor allem die australischen Sittiche, mit dem Wellensittich an der Spitze. Man kann die Papageienzucht auch im Garten in Freivolieren betreiben. Durch die Nachzucht hat man immer Gelegenheit zum Tausch oder Verkauf. So trägt sich diese Liebhaberei finanziell ganz oder zum Teil selbst. Ferner hat man damit die Gelegenheit, junge Vögel von Anfang an besser zähmen zu können.

Ein weiterer interessanter Reiz besteht darin, bisher noch gar nicht oder nur wenig gezüchtete Arten zum Bruterfolg zu bringen. Zum Teil waren es Liebhaber und Züchter, die der Wissenschaft neue Erkenntnisse übermitteln konnten, denn viele Papageien sind im dichtesten Urwald zu Hause, wo ihr Leben und Treiben wenig erforscht werden kann.

Bei den Wellen- und anderen Sittichen sowie auch bei den Unzertrennlichen spielen die verschiedenen Farbenspielarten eine große Rolle. Mit Geschick und Ausdauer kann der Züchter die Vererbung in dieser Hinsicht speziell beeinflussen. Jede neue Nachkommenschaft erwartet er mit Spannung und erhofft sich immer schönere Vögel, um sie vielleicht auch auf Ausstellungen bewerten und prämiieren zu lassen. Durch Zufall können sich auch neue Mutationen ergeben, mit denen der Vogelhalter nicht gerechnet hat.

Dies alles sind die Eigenschaften, die unsere Krummschnäbel allen anderen Vogelfamilien voraus haben. Es ist darum eigentlich gar kein Wunder, daß sie so gern als Hausgenossen gehalten werden. Schon die alten Römer haben sich mit zahmen Papageien beschäftigt, wobei der folgende Ausruf aus jener Zeit dem Papageienfreund heute ein überlegenes Schmunzeln entlocken wird: „O unglückliches Rom, in welche Zeit sind wir verschlagen, da die Weiber Hunde auf dem Schoß ernähren und die Männer Papageien auf der Hand tragen!"

Anschaffung und Art der Haltung

1 Wichtige Vorfragen

Der Kauf eines Papageis soll gut überlegt sein – mehr als bei jeder anderen Vogelgruppe. Je gewissenhafter man sich mit allen entscheidenden Fragen vor der Anschaffung des Vogels beschäftigt, desto mehr Freude und weniger Ärger hat man in späterer Zeit. Vor allem zahme und sehr anhängliche Krummschnäbel, welche sich der Familie angeschlossen haben, können nicht „mal eben" wieder fortgegeben werden.

a Preis und besondere Eigenschaften des Vogels

Zu einer wichtigen Überlegung gehört natürlich der *Anschaffungspreis des Vogels*. Es wurde aus diesem Grund eine Tabelle aufgestellt (s. Seite 232), aus der die ungefähren Richtpreise zu ersehen sind. Bei züchtbaren Arten können diese allerdings sehr schwanken. Die größten *Nachahmungstalente* besitzen Graupapageien, Amazonen und einige Sittiche. Den liebenswertesten *Charakter* haben die Kakadus, und sie erlernen so manche *Kunststücke*. Die besten *Zuchtvögel* dagegen finden wir bei den australischen Sittichen, den Unzertrennlichen, den Sperlingspapageien und noch einigen anderen.
Bei den papageienartigen Vögeln muß die *Stimme* einkalkuliert werden, die bei manchen Arten unauffällig, aber bei anderen recht kräftig sein kann. Es gibt auch Arten, die nur ein singvogelartiges Gezwitscher hören lassen.
Der zukünftige Pfleger muß wissen, an welchen Eigenschaften ihm am meisten gelegen ist. Ein einzeln gehaltener Vogel wird am schnellsten ruhig, zahm und nachahmungsfreudig.

b Haltung im Haus oder im Garten?

Für die *Haltung im Haus* sind die Platzverhältnisse sorgfältig zu überdenken, denn nicht jede beliebige Ecke ist als Käfigstandort geeignet: keine sommerliche Mittagssonne, nicht an der Heizung, keine Zugluft. Auf den Fernsehapparat darf kein Vogelkäfig gestellt werden, da die Schwingungsempfindlichkeit der Vögel erstaunlich groß ist; jedes in Betrieb befindliche Gerät vibriert ständig. Obgleich bis heute die Strahlungsbiologen noch keine direkte Schädigung durch Fernsehröhren bei Tieren festgestellt haben, wird doch der Vermutung nicht widersprochen, daß ein Übermaß eventuell ungesund sein könnte. Man sollte darum den Vogel nicht in die unmittelbare Nähe eines Fernsehers stellen.

Der Platz des Käfigs muß immer der gleiche sein, da sich der Vogel sehr an diesen gewöhnt und jede Umstellung etwas Neues für ihn bedeutet. Zahme Papageien können manchmal eine solche Umstellung mit wochenlangem Schweigen beantworten, bis sie sich wieder eingelebt haben.

Auch an die Temperatur muß vor der Anschaffung gedacht werden. Frisch importierte Vögel sollten die erste Zeit bei Zimmertemperatur gehalten werden, aber keinesfalls direkt am Ofen.

Großpapageienkäfige sind nicht billig; in gebrauchtem Zustand sind sie aber oft bei zoologischen Händlern oder über Fachzeitschriften günstiger zu bekommen.

Bei der *Haltung im Garten* vergesse man nicht, daß in den Sommermonaten der Tag sehr früh beginnt. Nicht jeder Nachbar ist ein Vogelfreund und ergötzt sich an den Stimmen der Papageien.

Wenn man im Frühjahr oder Sommer seine Freivolieren baut, dann sollte man vor allem gleich überlegen, ob der Schutzraum im Winter beheizt werden soll oder nicht. Hiernach muß sich die Anschaffung der Vögel richten. Nicht alle Papageien sind gegen Frost gefeit, da Federstruktur und Füße dies nicht bei allen Arten zulassen. Die australischen Sittiche können durchweg starken Frost vertragen, zumal sie auch schon in vielen Generationen hier gezüchtet wurden und sich völlig an unsere klimatischen Verhältnisse gewöhnt haben.

Eine aus Holz gebaute Voliere kann nur mit Arten besetzt werden, welche das Holz nicht zerstören. Manche Papageienschnäbel entwikkeln eine große Kraft, und es ist eine Kleinigkeit für sie, eine Dachlatte durchzunagen. Für solche Vögel kann nur zu einer Eisenkonstruktion geraten werden, wenn man sich dauernden Ärger ersparen will.

Nicht immer muß ein großer Vogel auch eine große Voliere haben. Es gibt Arten, welche nur wenig oder kaum von ihren Flügeln Gebrauch machen, diese benötigen dagegen Kletterbäume (Amazonen, Araras, Edelpapageien u. a. m.).

2 Unterbringungsmöglichkeiten

a Käfige

Nicht jeder fertiggekaufte Käfig ist als gut und praktisch zu bezeichnen, denn oft werden diese nicht aus eigenen Erfahrungen heraus entworfen. Auch die Mode hat hier die Hand im Spiel; so kann man z. B. Käfige auf Rädern sehen, die eine Postkutsche (sog. Schmuckkäfige) imitieren sollen. Sie kosten viel Geld und sind äußerst unpraktisch.

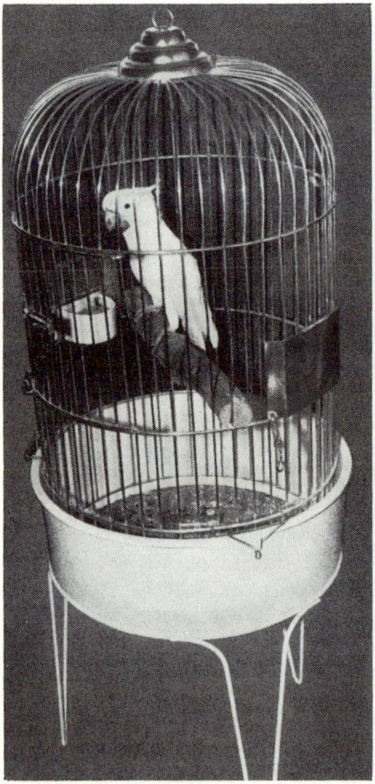

Abb. 2. Ein Rundkäfig ist nicht ideal.

Abb. 3. Abnehmbarer Bügel.

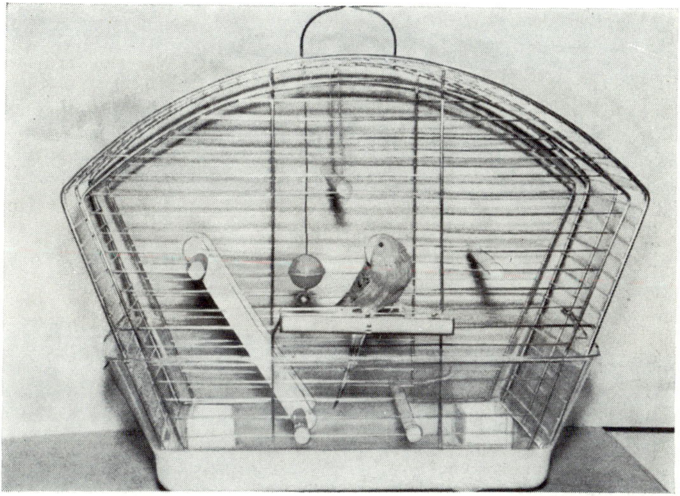

Abb. 4. Wellensittichkäfig mit querlaufenden Kletterstäben. Der obere Teil dieses praktischen Käfigs kann zum Säubern des Bodens, der Sitzstangen, der Futternäpfe usw. leicht aus der etwa in $^{1}/_{3}$ Höhe umgebenden, durchsichtigen Plastikschale herausgehoben werden.

Runde Käfigformen (Abb. 2) sind nicht ideal, da manche Papageien in solch einem Behälter zur sogenannten Drehkrankheit neigen. Auch bieten diese Unterkünfte keine gute Klettermöglichkeit. Zahme Papageien, die oft herausgelassen werden, können einen runden Käfig eher bewohnen. Ungünstig ist es auch dann, wenn ein runder Käfig aus dicken, weißen Stäben besteht, so daß der Vogel von innen nur noch „weiß" sieht. Leider werden solche Behausungen von Unwissenden gekauft, weil sie so freundlich und modern aussehen.
Es ist von großem Nutzen, wenn ein Papageienkäfig querlaufende Käfigstäbe hat (Abb. 4). Fast jeder Papagei klettert mit Hilfe seines Schnabels viel und kann sich an senkrecht verlaufenden Käfigstäben schlecht festhalten.
Die Wohnung unseres Pfleglings kann nie groß genug, aber leicht zu klein sein. Jeder Vogel muß Bewegungsfreiheit haben, sich putzen und seine Flügel ausschlagen können. Papageien mit langen Schwanzfedern würden in einem kleinen Käfig schnell unansehnlich anzuschauen sein.

Bei Großpapageienkäfigen ist besonders auf einen gesicherten Verschluß und festsitzende Freßnäpfe zu achten. Es ist unglaublich, mit wieviel Geduld und Geschick ein anscheinend schwer zu öffnender Verschluß letztlich doch aufgeriegelt wird. Auch die Näpfe müssen aus sehr starkem Porzellan sein.
Ein Bodenrost ist in der Regel nicht zu empfehlen, da die meisten Papageien darauf nicht laufen können und die Exkremente sich doch auf den Roststäben festsetzen. Eine Sandschicht ist nicht nur aus hygienischen, sondern auch aus diätetischen Gründen notwendig. Die kleinen Sandkörner werden in frischem Zustand gefressen, sie enthalten Mineralien, die der Organismus benötigt.
Vermessingte Käfige werden weitaus am meisten im Handel gekauft; verchromte Käfige sind recht teuer.
Als neues Material hat sich der Kunststoff in der Käfigindustrie eingebürgert. Hiermit werden die Drahtstäbe überzogen. Auch die Käfigwannen und Schubladen sind aus Kunststoff. Es gibt heute kaum noch Käfige, die nicht eine Plastikwanne besitzen, sie haben voll und ganz den Markt erobert. Eine Verschmutzung des Zimmers wird durch diese Wanne weitestgehend verhindert. Das Material ist leicht und kann gut gesäubert werden; keine Glasscheiben, die leicht zerspringen, kein trübe aussehendes, schweres Zinkblech. Nur die Großpapageienkäfige haben bisher dieses Material noch nicht, da der kräftige Schnabel es in dieser Form schnell zerbeißen würde.
Für die Zucht oder die Gemeinschaftshaltung kleinerer Papageienarten gibt es Kunststoffkäfige bis zu einer Größe von 70 Zentimetern. Auch sie haben eine Plastikwanne; die Drahtstäbe sind vermessingt.

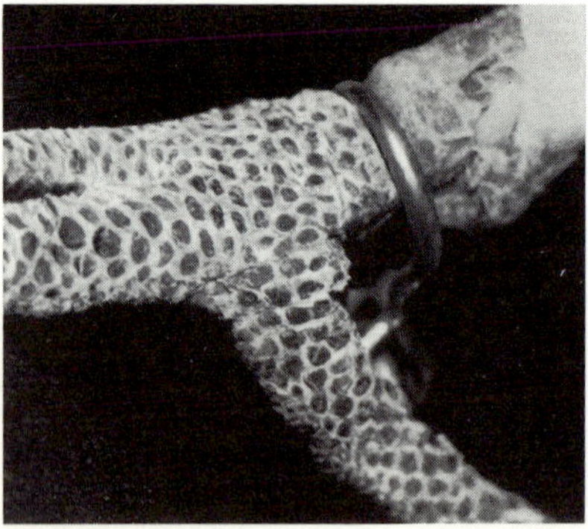

Abb. 5. Von einer Fußkette ist abzuraten, da sie das Bein einschnüren kann.

b Ständer, Bügel und Kletterbaum

Ein *Ständer* kommt für alle zahmen, größeren Papageien in Frage; vor allem für Araras, Kakadus, Amazonen, Edelpapageien und Mohrenköpfe. Dieser Aufenthaltsort wird den Vögeln vor allem am Tage gewährt, während sie sich des Nachts im Käfig befinden. Nicht jeder neue Papagei ist schon reif für den Ständer; bei manchen kann es Monate dauern, und es wird sicher auch Wildlinge geben, die nie dafür geeignet sind. Es ist Gefühlssache des Pflegers, den richtigen Zeitpunkt solcher Tagesunterbringung festzustellen.

Obgleich die Ankettung für die Liebhaberhaltung nicht zu empfehlen ist, soll sie doch erwähnt werden. Man kann den Vogel mit einer Kette an den Ständer fesseln, so wie dies auch oft in den Zoos gemacht wird. Die Kette hat ein oder zwei sogenannte Wirbel, damit sie sich nicht aufdrehen kann. Das eine Ende wird an der Sitzstange des Ständers und das andere an einem Fuß des Papageis befestigt. Ist die Kette zu dünn, wird sie von einem starken Vogel durchgebissen, ist sie zu dick, belastet sie das Tier schwer und wird zu einer Quälerei. Der Kettenfuß muß außerdem in Abständen von einigen Monaten gewechselt werden, um das Bein zu entlasten, sonst sieht es nachher so aus, wie Abb. 5 es zeigt.

Es gibt Ständer aus Metall, die natürlich am praktischsten sind und auch vom kräftigsten Krummschnabel nicht zerbissen werden können. Holzständer kann man sich auch leicht selber basteln.

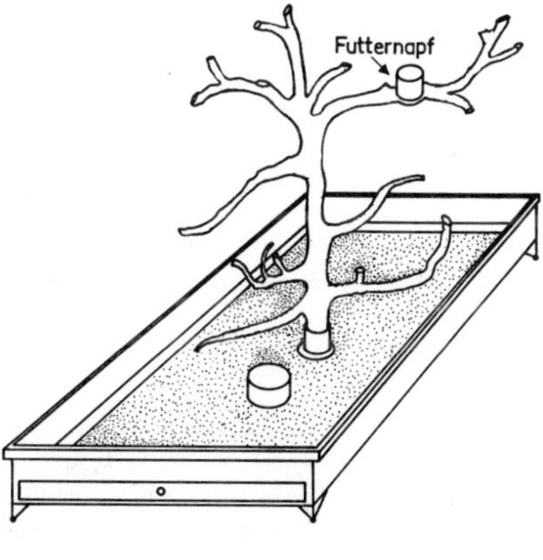

Abb. 6. Einen derartigen Kletterbaum kann sich jeder bauen. Durch geschickte Halterung (in der Skizze nicht eingezeichnet) sorgt man dafür, daß sich die Schublade jederzeit frei aus dem Bodenrahmen ziehen läßt.

Ein *Kletterbaum* wird fest auf ein Brett montiert; Größe und Höhe nach Wunsch. Selbstverständlich wird der Papagei seine Freude daran haben, die Rinde restlos abzuschälen und eventuell auch die Äste abzunagen. Das kann nur gesund sein. Nach einigen Wochen oder Monaten wird dann der Kletterbaum erneuert (Abb. 6).
Vor allem in den zoologischen Gärten sieht man die sog. *Bügel* (Abb. 3). Diese können ausgehakt und die Tiere zur Nacht im Innenraum wieder „eingehängt" werden. Die meisten Tiere sind auch hier an der Kette, aber man sieht auch Papageien, welche ohne Kette auf dem Bügel sitzen und ihren Platz nicht verlassen. Oft ist in diesem Fall ein Flügel beschnitten.

c Vogelstube

Eine Räumlichkeit im Hause, sei es ein Dachzimmer, eine Abstellkammer oder Veranda, kann man sich zur Vogelstube herrichten. Wichtig ist das Tageslicht, damit auch die Sonne ihre Strahlen in den Raum werfen kann. Ein Fenster wird mit einem Drahtrahmen versehen, damit gelüftet werden kann, ohne daß Vögel entfliegen können. Die Wände sollten weiß gehalten werden, damit das Licht um so mehr reflektiert wird. Abwaschbare Farbe wäre zur leichteren Reinigung am günstigsten. Aus diesem Grund sollte auch der Fußboden ohne Ritzen und Spalten sein, damit der Sand gut und sauber ausgefegt und erneuert werden kann.
Man überlege sich vor der Einrichtung die Vogelbesetzung, denn hiernach müssen Zweige, Äste oder Kletterbäume besorgt werden. Bei sehr nagelustigen Papageienarten sind Fensterbänke oder anderes hervorstehendes Holz zu verkleiden (mit Eternit, Drahtgeflecht oder Kunststoffplatten). Zur Zucht oder als Schlafkästen müssen Bruthöhlen angebracht werden. Auch darf ein entsprechendes Badegefäß, je nach Größe der Vögel, nicht fehlen.
Eine Vogelstube kann ein äußerst schönes und interessantes Papageienzimmer sein. Werden die richtigen Vögel ausgesucht, so kann auch eine Gemeinschaft mehrerer Arten in die Vogelstube einziehen.

d Dachboden

Das Hauptproblem bei der Unterbringung auf einem Dachboden ist meist die Lichtfrage. Es gibt aber heute Dachfenster aller Größen, die ohne Schwierigkeiten zwischen den Dachpfannen eingebaut werden können und auch für eine gute Lüftung sorgen. So mancher Papageienfreund hält mit großer Zufriedenheit seine Papageienarten (meist Sittiche) auf dem Dachboden und züchtet sie dort auch mit bestem Erfolg. Gegen Wind und Wetter sind diese Tiere geschützt; Katzen, Eulen und andere Nachttiere können keinen Schaden anrichten; die Vögel haben völlige Ruhe. Je nach Art der Besetzung und Kälteempfindlichkeit der Papageien kann das Dach nach innen isoliert und verschalt werden. Auch hier muß für holzzerstörende Papageienarten das Material entsprechend richtig gewählt werden.

e Balkon

Ein günstig gelegener Balkon kann eine gute Unterkunft für unsere Pfleglinge sein. Von Vorteil ist die Südlage, aber auch nach Osten oder Westen gibt es Möglichkeiten.
Zunächst müssen Wind oder Zugluft weitgehend unterbunden werden, was durch Glas, Kunststoffplatten u. a. m. erreicht werden kann. Gegen Regen wird ein Teil des Balkons abgedeckt. Die Tür des Käfigs oder der Voliere muß so eingerichtet sein, daß die Vögel nicht entfliegen können. Eine kleine Tür oder besser ein Windfang wird dies verhindern. Man geht erst in den Vorraum und schließt hinter sich die Tür, um dann erst die Voliere zu betreten.
Ideal ist es, wenn der Vogel durch eine Klappe oder ein Fenster in den Innenraum gelangen kann, so daß er zur Nacht und im Winter geschützt und geborgen ist. Man kann den Vogel abends hereinlocken, indem man im Innenraum eine Beleuchtung einschaltet.

f Freivoliere und Schutzraum im Garten

Eine ideale Haltungsart für viele papageienartige Vögel ist die Flug- oder Freivoliere, die aber immer mit einem Innenraum oder einem offenen Schutzraum Verbindung haben sollte. Da gern der höchstgelegene Platz aufgesucht wird, ist es günstig, den Innenraum (Abb. 7, 8) etwas höher als die Voliere anzulegen. Manche Krummschnäbel benötigen in der kalten Jahreszeit eine leichte Erwärmung oder sogar Zimmertemperatur, andere fühlen sich selbst bei großer Kälte wohl, wenn ihnen ein Schutzraum geboten wird. Ein Einflugloch in das Wohnhaus wäre eine ideale Möglichkeit.
Die meisten Papageienfreunde bauen sich ein Vogelhaus mit anschließenden Freivolieren (Abb. 9). Die Bauweise hängt von der Papageienart und vom Geldbeutel ab, denn es kann verschiedenes Baumaterial Verwendung finden: Steine, Holz, Eternit usw. Je sorgfältiger die

Abb. 7. Freivolieren für Großsittiche mit angebautem Schutzraum. Das Fundament besteht aus Mauersteinen; die Volieren sind mit Holz verarbeitet und mit sechseckigem Geflecht bezogen.

Abb. 8. Der Innenraum dieser Freivoliere liegt im Wohnhaus.

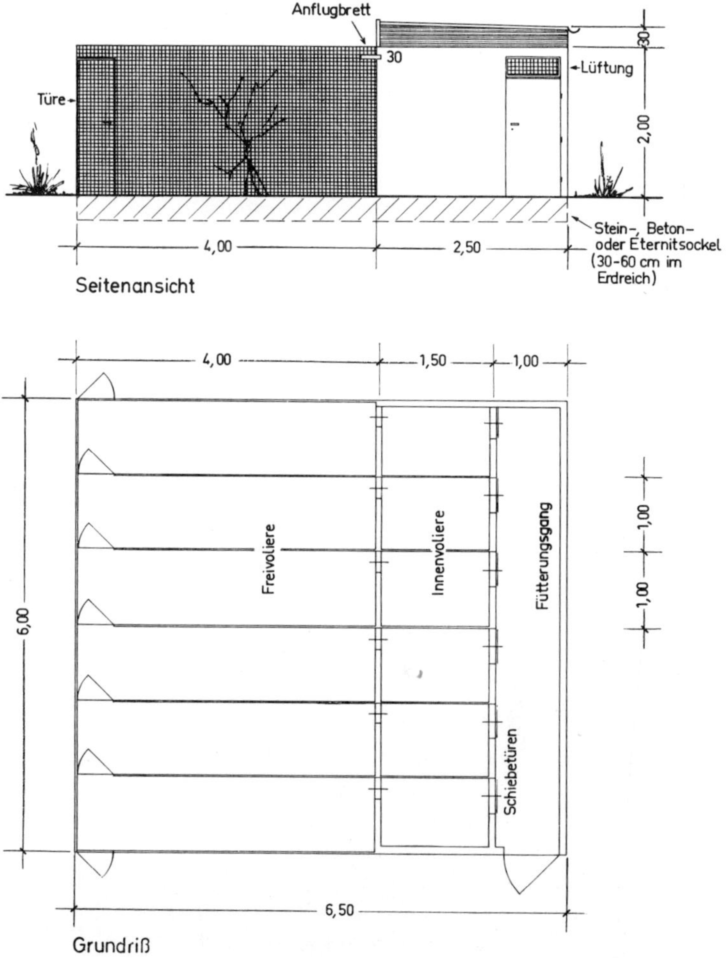

Abb. 9. Bauplan für eine mehrteilige Freivoliere mit Vogelhaus.

Isolierung, desto besser. Man sollte vor allem an die Mäuse denken, die sich fast immer über kurz oder lang einfinden. Es besteht natürlich die Möglichkeit, ein Holzhaus von innen mit Eternit zu verkleiden und damit zugleich zu isolieren, besonders wenn Glaswolle oder Styropor den Zwischenraum ausfüllen. Die Fenster sollten recht groß sein, denn es kann nicht genug Licht in den Innenraum gelangen, zumal die Vögel eventuell auch in der Winterzeit darin gehalten werden. Eine doppelte Verglasung, Thermopane, Kunststoffglas oder Glasbausteine gewährleisten Licht und eine gute Isolierung. Im oberen Drittel befindet sich das Ausflugloch, welches nicht zu groß sein sollte. Manche Vogelhalter nehmen die Glasfenster im Sommer ganz heraus, um eine Überhitzung durch die Sonne zu vermeiden. Eine Durchlüftung irgendeiner Art muß gegeben sein, wenn die Glasfront gen Süden gerichtet ist.
Der Fußboden wird am besten mit einer dicken Zementschicht ausgefüllt, um Ratten, Mäuse und anderes Getier fernzuhalten.
Die Freivoliere muß zunächst einen Zementsockel bekommen, der etwa 20 cm über die Erde und 50 cm in die Erde reicht, damit sich

Abb. 10. Betonfundament, Eisenkonstruktion und starkes Viereckgeflecht kennzeichnen diese Papageienvoliere.

kein Raubzeug hindurchwühlen kann. Es können auch Eternit- oder Gehsteigplatten Verwendung finden. Die anschließende Außenvoliere kann mit Holz oder mit Eisen verarbeitet werden. Ersteres ist leichter und mit weniger Kosten verbunden, während Eisen dauerhafter, aber kostspieliger ist. Hinzu kommt, daß kein Krummschnabel einer Eisenkonstruktion etwas anhaben kann. Es könnten verzinkte Wasserleitungsrohre (1$^1/_2$ Zoll) Verwendung finden. Die Eckverbindungen werden mit Fittingen verschraubt (Abb. 10).

Das Holzgerüst wird vielfach aus Dachlatten gebaut, welche nach dem Aufbau einen Witterungsschutzanstrich bekommen müssen (Karbolineum, Xylamon). Nach dem Trocknen des Gerüstes wird das *am Stück verzinkte* Maschengeflecht mit Krampen aufgenagelt. Es gibt verschiedenen Maschenweiten, die in Zoll angegeben sind. Die Abb. 11 und 12 zeigen die in Frage kommenden Maschenformen und -weiten in natürlicher Größe. Mauswiesel- und mäusesicher ist nur Maschengeflecht von $^3/_8$ Zoll oder Vierecknetz von 12,5 mm Weite. Bei mehreren Volieren nebeneinander können die Trennwände eine größere Maschenweite haben. Eine normale Drahtrolle hat 25 lfd. Meter, die Normalbreiten beim Maschengeflecht sind 50 und 100 cm.

In der Haltbarkeit des Maschengeflechts spielt vor allem die Drahtstärke eine Rolle, normal ist 0,7 mm. Es gibt auch punktgeschweißtes, viereckiges Netzgewebe, welches leichter zu verarbeiten und haltbarer ist, aber auch höher im Preis steht (Breite 60, 80 und 100 cm). Das Geflecht sollte mit einem Schutzanstrich versehen werden. Am besten eignet sich Bitumenlack, der für wenig Geld beim Klempner zu bekommen ist. Er hat die Eigenschaft schnell zu trocknen, aber springt nicht wie Eisenlack leicht ab, da er immer geschmeidig bleibt, ohne weich zu werden. Das Geflecht darf nicht sofort mit Bitumen übergerollt werden, da es erst einige Wochen oxydieren muß und die Farbe dann besser haftet. Farbrollen, welche es in verschiedenen Breiten und Materialien gibt, erleichtern das Anstreichen sehr. Nach dem Gebrauch werden die Rollen am besten mit Petroleum gereinigt. Wenn man mindestens alle zwei Jahre auf diese Weise das Maschengeflecht behandelt, hält es lange Zeit.

Freivolieren, welche viel unter Katzenbesuch zu leiden haben, können mit einem Elektrozaun (Weidezaungerät) versehen werden. Die Schreckimpulse werden die Katzen abhalten; der Stromverbrauch ist äußerst gering.

Im Innenraum ist in den Wintermonaten eine Beleuchtung zu empfehlen, um die lange Dunkelheit zu verkürzen. Sehr praktisch ist eine Schaltuhr (elektrisch oder mit Handaufzug); sie kann z. B. auf mor-

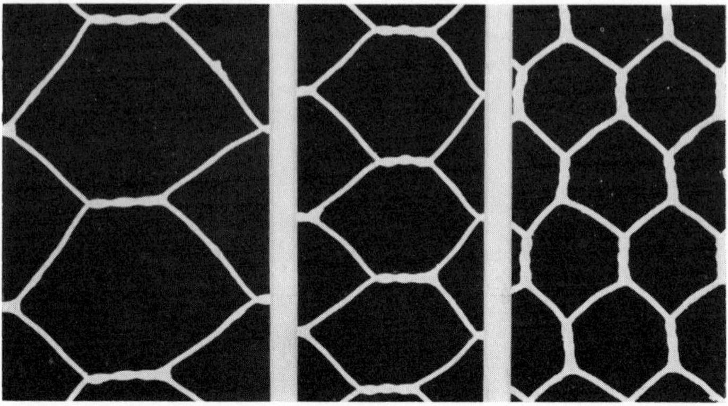

Abb. 11. Sechseckiges Maschengeflecht: links $^3/_4$ Zoll, Mitte $^1/_2$ Zoll, rechts $^3/_8$ Zoll (nat. Größe).

Abb. 12. Viereckiges Netzgewebe: links oben 12,5 mm, rechts oben 16 mm, links unten 19 mm, rechts unten 25 mm Maschenweite (nat. Gr.).

Abb. 13. Das Wasser kann nie einfrieren, wenn das Gefäß auf eine Heizplatte gestellt wird. Der Stromverbrauch ist äußerst gering. Das Baden ist in solch einem Wasserbehälter nicht möglich. Abb. 14. Ohne Wärmespender ist es bei Frost am besten, wenn man als Wassergefäße biegsame Kunststoffschalen benutzt, da aus diesen der Eisblock sofort herausfällt.

gens 4 Uhr eingestellt werden, so daß alle Vögel „früher" aufstehen, aber normal schlafengehen.

Eine *Bepflanzung* der Voliere von innen ist nicht ratsam, da sie von fast allen Papageienarten früher oder später zerbissen wird. Für die Tiere sind allerdings frische Büsche oder Zweige, die man abgeschnitten immer neu darbietet, von großem Wert, da die Rinde ernährungsphysiologisch wichtige Stoffe enthält (s. Seite 31).

Es kann empfohlen werden, die Volieren von außen zu bepflanzen, damit diese nicht so einen kahlen Eindruck machen. Man hüte sich aber, zuviel des Guten zu tun, denn wenn Volieren völlig zugepflanzt sind und die Vögel den Menschen kaum noch zu Gesicht bekommen, werden sie ihm gegenüber immer scheuer. Man kann immer wieder feststellen, daß Volierenvögel im Winter ungebärdiger auf dem Menschen reagieren als im Sommer, weil man sich in der warmen Jahreszeit mehr im Garten aufhält. Zur Außenbepflanzung eignen sich Rosen recht gut. An die Ecken der Voliere können Strauchrosen gesetzt werden oder chinesisches Riesenschilfgras oder echter, immergrüner Bambus. Auch die rankende Clematis (Waldrebe) eignet sich gut mit ihrer reichen Blüte. Dazwischen können nach Belieben niedrige Sommerblumen, z. B. Knollenbegonien, Lobelien, Tagetes oder Salvien gesetzt werden. Es gibt viele Möglichkeiten, eine Freivoliere auch von außen bunt und schön zu gestalten.

Der natürliche Erdboden sollte in der Außenvoliere ruhig bleiben wie er ist. Das Futter wird hin und wieder, vor allem zur Brutzeit in die Erde eingeharkt; die Sämereien fangen dann rasch an zu keimen. Dieses frische Keimfutter ist besonders für die Aufzucht von großer Wichtigkeit. Jeden Monat kann man den Boden zur Erneuerung umgraben und wird dann erleben, daß alle Vögel sofort auf den Boden gehen, um sich Erdkörner zu holen, die wichtige Mineralstoffe enthalten.

Ernährung, Pflege und Zucht

1 Ernährung der papageienartigen Vögel

a Allgemeines über Futter und Fütterung

Die *sachgemäße* Fütterung ist von größter Bedeutung für das Wohlbefinden unserer Krummschnäbel. In der Natur sucht sich der Vogel instinktiv die Stoffe, die sein Körper unbedingt benötigt: Roheiweiß, Kohlenhydrate, Rohfett, Mineralstoffe usw. Je nach Jahreszeit, Mauser oder Familiennachwuchs ist der Bedarf an diesen Nährstoffen verschieden.

Es ist darum für den Pfleger in der Regel sehr schwer, die jeweiligen Ansprüche des Tieres zu erkennen. Deshalb wird er seinem Pflegling täglich eine möglichst vielseitige Futtermischung bieten. Dazu muß man ungefähr wissen, welche für die Papageienarten in Betracht kommenden Futterstoffe sich im Aufbau ähneln und was sie enthalten.

Mehlreiche Samenarten sind Kanariensaat, Hirse, Hafer, Weizen und Mais. Sie alle sind fettarm und haben etwa nur einen Rohfettgehalt bis 5 %, aber bis 70 % Kohlenhydrate und bis 16 % Roheiweiß.

Ölhaltige Samen sind Sonnenblumenkerne, Hanf (in unreifem, hellgrünem Zustand mit schädlichen Wirkungen), Leinsamen und Negersaat. Sie haben einen Rohfettgehalt bis etwa 32 %, Kohlenhydrate bis höchstens 20 % und Roheiweiß ebenfalls bis ungefähr 20 %.

Bei den Großpapageien (Amazonen, Kakadus, Graupapageien, Mohrenköpfen, Araras usw.) besteht das Grundfutter zu 60 bis 70 % aus Sonnenblumenkernen, der Rest aus Weizen, Hafer, Nüssen und Obst. Bei den Sittichen geht der Anteil der Sonnenblumenkerne auf 50 bis 60 % zurück, da zusätzlich Kanariensaat, Hirsearten, Negersaat, Leinsamen, Hafer, Weizen und Obst gefüttert werden. Eine genaue Norm läßt sich nicht aufstellen. Es gibt Zeiten, zu denen eine Art mehr Sonnenblumenkerne frißt, um später vor allem Kanariensaat oder anderes Futter zu nehmen. Dies richtet sich nach der Jahreszeit, der Mauser, den Jungen usw. Die Hauptsache bleibt die Vielfalt der Fütterung.

Sonnenblumenkerne werden besser in einer besonderen Schale gereicht, während die kleinen Sämereien gemischt sein können. Man wird beim Abpusten der leeren Hülsen schnell feststellen, welcher Futterbestandteil im Moment am liebsten genommen wird. Es ist nicht richtig, dem Vogel nur das zu reichen, was er am liebsten nimmt. Er wird sich stets zuerst seine Leckerbissen heraussuchen; das ist nicht zu vermeiden. Aus diesem Grund sind Futterautomaten nicht sehr zweckmäßig. Der Automat wird bald geleert sein, und auf dem Boden liegt dann das weniger geschätzte Futter. Durch tägliche oder jedenfalls zweitägige Fütterung ist eine Zuteilung, eine Dosierung besser möglich. Haben die Vögel Hunger, so gehen sie leichter an weniger beliebtes Futter heran. Man sollte nicht gleich aufgeben; manchmal dauert es eine Woche oder länger, bis sich ein Papagei an ein neues Futter gewöhnt hat. Selbstverständlich ist der Vogel gut zu beobachten. Sitzt er mit eingezogenem Kopf und aufgeplustert da, muß man gewarnt sein. Es gibt Vögel, die eher verhungern, als ein bestimmtes Futter anzunehmen. Jeder Vogelpfleger muß ein gewisses Gefühl haben, wie weit er gehen darf, ohne den Vogel zu quälen.

Keinesfalls dürfen papageienartige Vögel *menschliche Kost* bekommen, wobei Fleisch besonders gefährlich ist und das Federrupfen auslösen kann.

Es gibt einige Futterarten, die in einer *Tiefkühltruhe gelagert* werden können, so daß auch im Winter ein reichhaltiges und vielseitiges Futter zur Verfügung steht. So kann man z. B. halbreifen Mais, noch nicht ausgereifte Sonnenblumen- und Haferkerne in Plastikbeutel einfrieren (nur die Kerne). Auch Hagebutten-, Ebereschen- und Weißdornbeeren sind geeignet.

Am Abend vorher wird der Bedarf für den nächsten Tag herausgenommen. Keinesfalls darf noch durchfrorenes Futter verabreicht werden, es würde sofort zu Darmstörungen führen.

b Grünfutter

Im Grünfutter sind u. a. Jod, Mangan, Kochsalz und vor allem Vitamine enthalten, die dieses Futter so wichtig machen.

An erster Stelle steht zweifellos die *Vogelmiere (Stellaria media)*, die auch oft *Hühnerschwarm* genannt wird (nicht zu verwechseln mit der in Gärten häufigen Sonnen-Wolfsmilch, *Euphorbia helioscopia*, beim Brechen der Stengel kenntlich am Milchsaft). Dieses bekannte Unkraut wächst gern an Komposthaufen, in Gärten, auf Äckern, an Gräben und vielen anderen Stellen. Frische, einwandfreie Vogelmiere kann gar nicht genug gefüttert werden, zumal wenn sich Nachwuchs eingestellt hat. Es werden nicht nur die Blätter, sondern noch lieber die kleinen Samenkapseln gefressen; vor allem, wenn diese noch in weißem, halbreifen Zustand sind. Die Vogelmiere findet man fast das ganze Jahr über, wenn nicht zu starker Frost (ohne Schnee) das Kraut zunichte machte. Es gibt verschiedene Arten der Miere, und nicht alle werden gleich gern gefressen. Unkräuter, die der Miere ähnlich sehen, aber behaarte Blätter oder auch blaue Blüten haben, dürfen nicht gefüttert werden. Die echte Vogelmiere hat glatte Blätter und kleine, weiße Blüten.

Vom *Löwenzahn (Taraxacum officinale)* werden sowohl die Blätter wie auch die Fruchtstände sehr gern gefressen. Diese Pflanze enthält u. a. Vitamine, Spurenelemente und Kalk. *Mangold, Spinat* und *Salat* sind ebenfalls als Grünfutter geeignet. Mit gekauftem Salat muß man vorsichtig sein, da er gespritzt sein kann. Ein Zuviel an Salat kann Darmstörungen oder andere unerwünschte Wirkungen haben, zumal wenn er nicht ganz frisch ist. Es ist darum besser, sich den Salat im Garten selbst anzupflanzen. Vor allem Schnittsalat kann bei großem Bedarf eine gute Hilfe sein.

Die *Doldenriesche, Tradescantia* genannt, ist ein gut zu fütterndes Zimmerrankgewächs. Sie wächst außerordentlich schnell, so daß ein nicht zu großer Bedarf durchaus hiermit gedeckt werden kann. Es kommen nur Tradeskantien mit grünen Blättern in Frage.

c Gekeimte Körner und halbreife Unkrautsämereien

Frisch gekeimte Samen stellen, wie schon erwähnt (Seite 26) eine vorzügliche Unterstützung insbesondere der Aufzuchtfütterung dar.

Am einfachsten baut man sich ein oder mehrere Holzrahmen mit kleinen Füßen und bezieht diese mit einer Kunststoffgaze (Fliegengitter). In diesen Rahmen kommt eine Schicht Hafer, Sonnenblumen oder andere Saat und wird in die Badewanne, in den Keller oder in den Garten gestellt. Mindestens morgens und abends werden die Samen übergossen; sie müssen immer feucht sein und dürfen nicht zu kalt stehen. Nach einigen Tagen keimen sie und können dann verfüttert werden. Läßt man die Keime zu lang werden, nehmen viele Vögel sie nicht mehr an. Wer einen großen Vogelbestand hat, kann entsprechend viele Rahmen bauen, die sich übereinander setzen lassen. Die Hauptsache ist, daß Luft rundherum Zugang hat. Das Aufstellen im Garten hat Nachteile, da oft Wildvögel oder auch Mäuse daran gehen. Die Futterrahmen müßten also geschützt aufgestellt werden.

Ein weiteres gutes, naturgemäßes Futter finden wir in einer ganzen Reihe von *Unkrautsämereien,* die möglichst halbreif gefüttert werden sollten. Es seien nur diejenigen Unkräuter aufgezählt, die überall reichlich zu finden sind.
Die Samenkapseln der *Vogelmiere* und die Fruchtstände des *Löwenzahns* wurden schon im Abschnitt über Grünfutter erwähnt. Fast alle Sittiche, vor allem die Grassitticharten, fressen sie sehr gern. Genauso verhält es sich mit *Hirtentäschelkraut (Capsella bursa-pastoris), Flohknöterich (Polygonum persicaria), Kornblume (Centaurea cyanus), Melde (Atriplex), Wegerich (Plantago), Wegwarte (Cichorium intybus)* und den Samen der Gräser. Auch *Vergißmeinnicht- (Myosotis)* und *Stiefmütterchensamen (Viola tricolor)* werden gern gefressen.

d Obst, Beeren, Möhren

Außer im Grünfutter sind in Obst, Beeren und Möhren Vitamine enthalten, die unsere Papageien benötigen. Beim Obst sind *Äpfel* besonders hervorzuheben, da es sie zu jeder Jahreszeit günstig zu kaufen gibt. Von den Wildbeeren seien vor allem die Früchte der Heckenrose, die *Hagebutten* genannt. Fast alle papageienartige Vögel fressen ihr Fruchtfleisch und die Kerne. Man kann die Hagebutten vom Spätsommer bis fast zum Frühjahr sammeln, da sie sich auch bei Frost gut halten. Auch die *Ebereschenfrüchte* (scharlachrote Doldenrispen) und *Weißdornbeeren,* die Anfang August reifen, werden von vielen Krummschnäbeln gern gefressen. Sie müssen zur Verfütterung vollreif sein und können auch in diesem Zustand getrocknet werden. Auch von diesen Beeren werden fast nur die Samen gefressen. Getrocknete Früchte können wieder geweicht werden. Mit *Holunderbeeren* habe ich bei meinen Tieren nie Glück gehabt, sie wurden trotz vieler Versuche nicht angenommen. Es wäre aber denkbar, daß hin und wieder die eine oder andere Papageienart Geschmack an Holunderbeeren findet, die ja von vielen heimischen Vögeln gefressen werden.
Möhren (Wurzeln), enthalten Karotin (Provitamin A), die Vorstufe des Vitamin A. Dieses Vitamin ist ein wichtiger Fruchtbarkeitsfaktor. Fast jeder Krummschnabel frißt Möhren mit großer Leidenschaft, wenn sie frisch und saftig sind.

e Zusätzliches Futter zur Zuchtzeit

In der Natur nehmen fast alle Vögel mehr oder weniger Eiweißstoffe auf, die auch tierischer Herkunft sein können. Vor und während der Zuchtzeit ist hart *gekochtes Hühnerei* (10 Min. kochen) eine die Brut fördernde Zusatzkost. Das kleingehackte Ei kann mit Zwiebackmehl gestreckt werden. 100 g Ei enthalten 14 g Eiweiß, 11 g Fett, 0,6 g Kohlenhydrate, 74 g Wasser + Salze sowie 1,19 mg Vitamin A; ferner Vitamin D, Eisen u. a. m. Vor der Zucht genügen Gaben von einem flachen Teelöffel pro Kopf; zur Aufzucht kann entsprechend mehr gefüttert werden.

Es gibt Vögel, die dieses Futter nicht annehmen. In diesem Fall kann man es mit dem käuflichen *Weichfresserfutter* versuchen. Hierin befinden sich getrocknete Ameisenpuppen und Insekten. Dieses eiweißhaltige Futter wird angefeuchtet und zu einer krümeligen Masse verarbeitet. Es gibt aber auch Weichfuttersorten, die durch geringe Fettzusätze schon in krümeliger Form vorliegen, so daß bei diesen eine Anfeuchtung entfällt.

Auch *Weizenbrot* ist oft ein beliebtes, gern gefressenes Weichfutter zur Aufzucht der Jungvögel. Weißbrot oder Brötchen *müssen* möglichst alt und hart sein, bevor sie Verwendung finden. Vor Gebrauch wird es kurz eingeweicht, ausgedrückt und zu einer lockeren Masse auseinandergepflückt. Keinesfalls darf es in einem matschigen und klitschigen Zustand sein.

Die zusätzliche Fütterung von Grünfutter, Obst, Beeren, Möhren, Hühnerei, Weichfresserfutter, gekeimten Körnern und Unkrautsämereien halten unsere Vögel und ihr Gefieder gesund. Die Zucht wird leichter gelingen und der Nachwuchs groß und kräftig.

f Spurenelemente, Mineralstoffe, Vitamine

Das Benagen von Holz ist nicht immer Spieltrieb oder ein Zeichen von Langeweile, sondern oft auch Ausdruck eines *Wirkstoffmangels.* Holz enthält außer Zellulose noch wichtige Aufbaustoffe wie Eisen, Kupfer, Magnesium, Phosphor, Soda, Jod, Silizium; ferner organische Bestandteile wie Saponin, Tannin, Pektin, Zucker, Salizylsäure und Vitamine. Es werden Obst-, Weiden- und Ahornzweige bevorzugt. Ein schlechtes Federkleid kann einen Mangel an diesen Aufbaustoffen als Ursache haben und manchmal durch Darbietung frischer Zweige behoben werden.

Ferner sind *Mineralstoffe* im richtig gewählten Vogelsand oder in der Gartenerde des Volierenraums enthalten. Nicht jeder käufliche Sand ist für den Vogel in dieser Hinsicht geeignet. Der ganz feine, weiße Sand taugt nicht viel, da der größte Teil aus Quarz besteht. In einem reinen, guten Flußsand finden die Vögel die Substanzen, die sie be-

nötigen; außerdem ist er staubfrei. Wer reinen Lehm-, Ton- oder Moorboden als Grund hat, sollte den Volierenboden mit einer dicken Schicht Flußsand auffüllen.
Gaben von zerstoßenen Eierschalen, Sepia (Schulp der Tintenfische) oder den sogenannten Gritsteinen sind für die Mineralstoffversorgung von großem Nutzen. Einige Firmen stellen solche Grit- oder Mineralsteine in zusammengesetzter fester Form her; diese Steine enthalten Kalk, zerriebene Muscheln u. a. m. Schalen von ungekochten Eiern haben im übrigen den Vorteil, daß das anhaftende Roheiweiß mit aufgenommen wird. Man darf in diesem Fall aber nur die Eierschalen gesunder Hühner verfüttern, da sonst die Gefahr einer Krankheitsübertragung besteht.
Vielseitig gefütterte Krummschnäbel benötigen höchstens im Winter kleine *Vitaminzugaben.* Eine Überdosierung ist nicht zuträglich und kann schnell eine Mauser hervorrufen, so daß der Vogel aus seinem Befiederungsrhythmus kommt.
Die Aufnahme der Multivitaminpräparate wird oft verweigert, da das Vitamin B einen starken Geruch ausströmt. Nur auf den Leckerbissen sollte darum einmal in der Woche eine Spur dieser Multivitamine verteilt werden. Die Dosis ist schwer anzugeben, da sie sich nach der Größe des Vogels richtet. Ein gesunder Wellensittich bekommt 1 bis 2 Tropfen in der Woche, Großpapageien etwas mehr.
Da sich diese Vitamine (Multibionta, Protovit usw.) im Wasser nicht auflösen, sind wasserlösliche Präparate zu empfehlen. Es gibt sie in kleinen Plastikkissen; sie sind geruchlos und werden über das Trinkwasser von jedem Vogel aufgenommen.

20 ml dieser Lösung enthalten:

500 000 IE Vitamin A
100 000 IE Vitamin D 3
20 mg Vitamin E Acetat
25 mcg Vitamin B 1
34,2 mcg Riboflavin-5'-Natriumphosphat
50 mcg Vitamin K·3 Natriumbisulfit
20 mcg Folsäure

Diese Vitaminkissen sind nur in kleiner Größe zu bekommen, da sie im geöffneten Zustand baldigst verwertet sein sollten. Viele Vitamine verflüchtigen sich und werden unwirksam, wenn sie längere Zeit der Luft ausgesetzt sind.

2 Hinweise für die Pflege

Zur Gesunderhaltung der Papageien müssen einige grundsätzliche Dinge beachtet werden.
Vor allem Großpapageien reagieren sehr empfindlich auf verbrauchte, *sauerstoffarme Luft*. Sie lassen die Köpfe hängen, kneifen die Augen zu und atmen vielleicht sogar mit geöffnetem Schnabel. Je höher die Temperatur, desto weniger sauerstoffhaltig ist die Luft. Man sollte darum auf *normale Temperaturen*, gut gelüftete, aber zugfreie Räume achten. Nur ein frisch aus dem Heimatland importierter Vogel benötigt – anfangs – eine erhöhte Zimmertemperatur.
Ein Zimmerpapagei sollte jede Woche mit ganz leicht temperiertem Wasser *abgebraust* werden, um den lästigen Federstaub loszuwerden. Für diesen Zweck ist eine Blumenspritze gut geeignet. Bei Tieren mit krankem Gefieder oder schlecht durchgemausertem Federkleid kann dem Wasser etwas Rum oder Cognac zugesetzt werden. Der Kopf ist beim Absprühen zu schützen! Eine Spur (!) Alkohol regt den Federwuchs an und macht das Gefieder schön. Große Papageien spritzt man am besten auf dem Ständer oder im Garten ab, sofern der Vogel genügend zahm ist. Bei noch nicht zahmen Vögeln kann man den ganzen Käfig in die leere Badewanne stellen, nachdem man vorher die Schublade und die Futtergefäße entfernt hat.
Auch auf *verschmutzte Füße* sollte geachtet werden, da angetrockneter Kot Entzündungen hervorrufen kann. Die *Sauberkeit des Käfigs* ist darum erstes Gebot.

Abb. 15. Vorsicht beim Kürzen der Krallen!

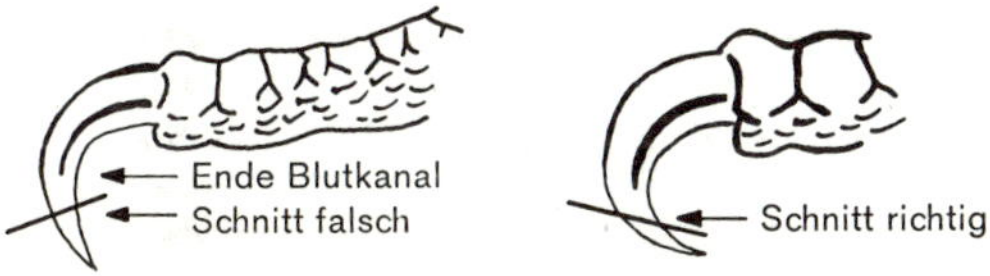

Die *Krallen* dürfen nur dann *geschnitten* werden, wenn der Vogel tatsächlich am Gitter hängen bleibt und auf diese Weise zu Schaden kommen könnte. Dies ist oft dann der Fall, wenn die Kralle übernormal sichelartig gebogen ist. Der zoologische Fachhändler wird seinem Kunden gern zur Seite stehen; auch Tierärzte übernehmen solche Fälle. Wer Erfahrung und Geschick hat, kann die Krallen auch selbst kürzen. Sie müssen schräg geschnitten werden, wie es Abb. 15 zeigt. Da jede Kralle einen Blutkanal hat, darf nicht zuviel gekürzt werden. Bei hellen Krallen kann man, gegen das Licht gehalten, den Blutkanal erkennen.

3 Allgemeines über die Zucht

a Vorbereitung zur Zucht

Zur Zucht werden nur solche Vögel schreiten, die sich in bester Kondition befinden. Ein mehr oder weniger willkürlich zusammengefügtes Paar ist noch lange kein *Zuchtpaar*. Nur diejenigen Paare, welche mit vollem Erfolg schon eigene Junge großgezogen haben, können als Zuchtpaare bezeichnet werden.

Die Geschlechter bzw. das Geschlechterverhältnis gibt man in der Zuchtpraxis mit zwei Zahlen und einem Komma an, und zwar steht immer die Ziffer vor dem Komma für das männliche und die Ziffer hinter dem Komma für das weibliche Geschlecht. So bedeutet z. B.: 3,6 = 3 Männchen und 6 Weibchen; oder: 0,3 = 3 Weibchen; oder: 1,1 = 1 Männchen und 1 Weibchen.

Es gibt viele Papageienarten, bei denen die *Geschlechtsbestimmung* auf Schwierigkeiten stößt. Ein Züchter muß sich bei jungen Tieren manchmal längere Zeit gedulden, bis er das Geschlecht sicher erkennen kann. Oft ist es auch Erfahrungssache, und man muß sich auf die Angaben und die Ehrlichkeit des Verkäufers verlassen oder den Kauf nach Möglichkeit mit Geschlechtsgarantie abschließen. Auch ein erfahrener Papageienkenner und -züchter kann sich einmal irren. Ausnahmen bestätigen die Regel. So besaß ich ein Glanzsittichweibchen mit einigen roten Federn auf der Brust, ein Schönsittichweibchen mit einigen roten Federn im Flügelschild und einen wunderbar gekennzeichneten Prachtrosellahahn mit einem ganz typisch kleinen Weibchenkopf. Diese „Fehltritte“ der Natur bleiben aber seltene Einzelfälle.

Die *Zuchtreife* ist bei den Papageienarten sehr verschieden. Sie kann schon mit einem guten halben Jahr bei den kleinen Arten, bei den Großpapageien aber auch erst nach 4–6 Jahren eintreten. Die völlige Ausfärbung des Gefieders ist kein Zeichen der Zuchtreife. Umgekehrt können noch nicht ausgefärbte Vögel erfolgreich züchten (z. B. noch grüne Pennantsittiche).

Es ist immer vorteilhaft, wenn ein jüngeres Weibchen ein älteres Männchen bekommt. Bei einer neuen *Paarzusammenstellung* müssen diese Vögel gut beobachtet werden, da ein zuchtreifes Männchen sein Weibchen bis zur völligen Erschöpfung treiben kann. In diesem Fall wäre eine einseitige kleine Flügelbeschneidung des Männchens ratsam, um ihm eine geringe Flugbeschränkung aufzuerlegen.

In der Natur ist die *Brutlust* vor allem von Temperatur und Licht abhängig, so daß die Vögel auf diese Weise natürliche Ruhezeit haben.

In geheizten Räumen oder auch in Vogelhäusern ist das meist nicht der Fall. Die Paare befinden sich unter den künstlichen Bedingungen fortan in Bruststimmung, züchten dann oft weiter, werden schwach und können sogar sterben. Auch die Nachkommenschaft wird kümmerlicher und zeigt nicht mehr die Vitalität wie „Normalgeborene". Man kann dem entgegentreten, indem man vor allem rechtzeitig die Temperatur herabsetzt, die Brutkästen abhängt bzw. die Einfluglöcher versperrt oder die Geschlechter trennt. Ferner ist jede stimulierende Fütterungsweise zu vermeiden, d. h. kein Hanf, wenig gekeimtes Futter und ganz wenig tierische Eiweißstoffe (Hartei usw).
Eine *Zuchtpause* von Oktober bis März kann sich nur günstig auf die neue Brutperiode auswirken. Ausgenommen sind natürlich die ausgesprochenen Winterbrüter (z. B. Hoodedsittich, Brownssittich, Pflaumenkopfsittich usw.).
Ein *verfetteter* Vogel wird keine Brutlust zeigen, sondern nur träge in einer Ecke hocken. Manche Vögel neigen mehr, andere weniger zur Verfettung. Größere Volieren verhindern dies weitgehend, während bei einer Käfigzucht eher die Möglichkeit einer Verfettung gegeben ist; oft hilft es schon, wenn man weniger ölhaltige Samen gibt.

Bei *mehreren Volieren* nebeneinander muß auf richtige *nachbarliche Besetzung* geachtet werden. Sind Vögel der gleichen Art oder Gattung in unmittelbarer Nachbarschaft untergebracht, so verhindert dies oft eine reibungslose Zucht. So sollten z. B. möglichst die Arten der Rosellagruppe nicht benachbart werden, sondern jeweils eine andere Gattung die Nebenvoliere besetzen (Prachtrosella, Nymphensittich, Blaßkopfrosella, Singsittich, Stanleysittich, Bourkesittich usw.). Der Paarungswille eines Prachtrosellamännchens kann nicht zum Weibchen eines Blaßkopfrosellas neigen, wenn zwischen beiden die Nymphensittiche untergebracht sind. Bei dieser Art der Verteilung ist ein doppeltes Drahtgeflecht überflüssig, da keine Beißereien vorkommen können.
Nur bei dem Gefühl völliger Sicherheit und des Geborgenseins werden die Vögel zur Paarung und Brut schreiten.

b Nistgelegenheiten

Papageien sind Höhlenbrüter (von den in diesem Buch beschriebenen Arten machen nur die Mönchssittiche eine Ausnahme, brüten aber in Gefangenschaft auch in Bruthöhlen). Manche Arten nisten lieber in kleinen Höhlen, andere in großen; aber auch individuell ist dies bei manchen Papageien verschieden. Darum sollte der Züchter einem

Abb. 16. Pennantsittich vor einer Bruthöhle aus Naturbaumstämmen. Abb. 17. Der hinten geöffnete Brutkasten zeigt das Nest eines Schwarzköpfchens *(A. personata personata)*. Diese Art baut ein überwölbtes Nest aus abgeschälter Baumrinde.

Zuchtpaar mindestens zwei unterschiedliche *Brutgelegenheiten zur Wahl* anbieten. Die Vögel werden sich bald für eine Nistgelegenheit entscheiden, die dann immer am gleichen Platz stehenbleiben sollte. Die übrigen Brutgelegenheiten können dann entfernt werden. Jeder Krummschnabel wird seiner Größe entsprechend auch die *Brutkastengröße* wählen. Darauf ist auch der Durchmesser des *Einflugloches* abzustimmen. Keinesfalls sollten die Brutkobel zu groß sein. Größere und etwas unbeholfenere Arten bevorzugen eine *Anflugstange* vor dem Einflugloch. Von ganz großer Wichtigkeit ist die *Öffnungsmöglichkeit des Brutkastens,* damit man stets das Gelege oder die Jungen kontrollieren kann (Abb. 17).
Es gibt heute einige Firmen, die aus *Naturbaumstämmen* Bruthöhlen jeder gewünschten Größe anfertigen. Diese sind den natürlichen Verhältnissen am besten angepaßt und werden darum von vielen Arten bevorzugt bzw. leichter angenommen. Sie haben ferner den Vorteil der Dickwandigkeit, so daß Holzzerstörer nicht übermäßig viel anrichten können, zumal wenn es sich um Eichen- oder Buchenstämme handelt. Auch die Innentemperatur eines solchen Kastens ist stets

sehr ausgeglichen. Empfindliche Arten fühlen sich hier bestens geborgen, da die Laute der Außenwelt durch die dicken Wände gedämpft werden (Abb. 16).
Schräges Anbringen eines *Langkastens* verhindert das mögliche Zertreten des Geleges (wichtig z. B. bei dem Princess-of-Wales-Sittich). Aus diesen Kästen kommen auch die Jungvögel besser heraus. Ist ein Langkasten sehr steil und glattwandig, muß der Aufstieg erleichtert werden. Dies kann durch Anbringen von Maschengeflecht, Großkrampen oder Harthölzern (leiterartig) erreicht werden.
Nistgelegenheiten müssen *wasserdicht* und *vor Mäusen geschützt* sein. Bei Bruten, die eine *gewisse Feuchtigkeit* benötigen, werden die Nistkästen in die Erde eingelassen, so daß etwas Feuchtigkeit hochziehen kann. Der Nistkastenboden wird mit Maschengeflecht vor Mäusen geschützt. In *Kurzkästen* muß dem Torfmull hin und wieder Feuchtigkeit zugeführt werden, was natürlich nicht übertrieben werden darf. Die *Nistunterlage* eines Brutkastens besteht am besten aus einer Mischung von Torf, Erde und Holzmulm. Eine *Nistmulde* ist immer von Vorteil, damit die Eier nicht auseinanderrollen können.

c Brut und Aufzucht

Viele Papageienarten lassen sich durch eine *Brutkontrolle* nicht stören; andere Arten nehmen sie übel und verlassen ihr Gelege. Der Vorteil einer Kontrolle ist, daß unbefruchtete Eier nach etwa einer guten Woche entfernt werden können. Gegen das Licht gehalten, sehen diese ganz klar aus. Befruchtete Eier dagegen zeigen zunächst einige rote Adern; später wird das Ei dunkel und undurchsichtig. Nur am oberen, stumpfen Ende bleibt es durch die Luftblase hell.
Tote Jungvögel müssen schnell aus dem Brutkasten entfernt werden. Die Eier nichtbrütender Weibchen können anderen Arten untergelegt werden. Oft gelingt die Aufzucht aber nur dann, wenn die Vogelarten sich verwandtschaftlich nahestehen. Als *Ammen* werden bei den Sittichen gern Singsittiche genommen, um ihnen Eier oder Junge sogenannter Problemvögel anzuvertrauen. Auch bei dieser Methode gibt es Enttäuschungen.
Junge Vögel, die einen leeren Kropf haben, werden am Abend noch einmal kontrolliert. Sollte der Kropf auch dann keinen Inhalt zeigen, so muß der Pfleger eingreifen, um das Tier zu retten. Das *Einspritzen von Futter* direkt in den Kropf ist eine Übungssache und kann schnell erledigt werden. Hierzu ist eine sogenannte „Einmalspritze“ zu empfehlen, die in Apotheken für einige Groschen zu be-

kommen ist. Statt der Kanüle wird ein 3–5 cm langer Schlauch (Fahrradventilgummi) auf die Spritze gezogen und dieser Schlauch dem Vogel in den Kropf geführt. Keinesfalls darf der Kropf zu prall gefüllt werden; er muß seine weiche Beschaffenheit behalten.

Der *Futterbrei* kann aus Maisgrieß, Haferschmelzflocken und etwas Traubenzucker bestehen. Jeden 2. Tag wird ein Vitamintropfen beigemischt.

Ein Jungvogel ohne Federn muß zur Tageszeit alle zwei Stunden gefüttert sein. Später kann diese Fütterung auf alle drei oder vier Stunden ausgedehnt werden, je nach Größe und Art des Papageis.

Nach jeder Brut ist der Nistkasten gründlich zu reinigen, insbesonder muß auf Milben geachtet werden. Danach wird eine neue Nistunterlage in den Kasten eingebracht.

Krankheiten

Papageien haben im Vergleich zu anderen Vögeln eine geringe Krankheitsanfälligkeit. Ein krank erscheinender Papagei muß, falls man nicht selbst über die Ursache und Behandlung einer *leichten* Erkrankung genauestens Bescheid weiß, umgehend dem Tierarzt vorgestellt werden. Es sollen darum vor allem die wichtigsten Krankheitssymptome dargelegt werden, die man bei einem sich nicht wohl fühlenden Vogel beobachten kann. Akute Krankheiten sind leichter als schleichende zu erkennen. Letztere machen sich meist nur durch Abmagerung und Freßunlust bemerkbar. Der Vogel sitzt aufgeplustert und still da, die Flügel hängen etwas, und der Kopf wird am Tage öfter unter die Federn gesteckt. Teilnahmslose, apathische Augen deuten schon auf einen fortgeschrittenen Krankheitsgrad hin. Schleimige Absonderungen aus den Nasenlöchern, verbunden mit einem Kopfschütteln, entzündete Augen, starkes, andauerndes Zittern sind Symptome, die das sofortige Eingreifen des Tierarztes notwendig machen. Auch Geräusche beim Atmen, Kurzatmigkeit oder unregelmäßiges Atmen sind nicht normal. Bei dünnflüssigen oder farblich anormalen Entleerungen, zugleich unsauberen Afterfedern, muß unverzüglich eine Behandlung durchgeführt werden.

1 Erkrankungen durch Parasiten

a Würmer

Ein erst seit einigen Jahren immer stärker auftretendes Übel ist das Überhandnehmen der Würmer. Immer wieder werden Todesfälle gemeldet, die auf starke Verwurmung zurückzuführen sind. Oft merkt man den Tieren gar nichts an, sie sitzen unlustig und trübsinnig da, um plötzlich eines Morgens tot in der Voliere zu liegen. Solange zwischen dem Wirt und dem Parasiten ein gewisses Gleichgewicht besteht, zeigt der Vogel kaum deutliche Krankheitssymptome. Eine Kleinigkeit aber (Vitaminmangel, Erkältung usw.) kann die Situation schlagartig ändern, so daß der Organismus des Vogels nicht mehr genug Kräfte besitzt, den Parasiten in Schach zu halten.

Es handelt sich vor allem um bestimmte *Spulwürmer (Ascaridia), Haarwürmer* (*Capillaria*) und Pfriemenschwänze (*Heterakis*). Erstere können bis 6 cm lang werden und halten sich im Dünndarm auf. Die Haarwürmer leben im Mitteldarm, kommen aber auch in der Speiseröhre und im Kropf vor. Sie sind sehr dünn und nur etwa 2 cm lang. Sie saugen sich mit dem Kopf in der Darmschleimhaut fest. Infolge einer hierdurch verursachten Blutung kann der Kot des Vogels eine bräunliche Färbung bekommen.

Bei einer 100fachen Vergrößerung sind im Kot die Wurmeier zu erkennen (die Eier befinden sich nicht im weißen Teil des Kotes). Eine einwandfreie Diagnose ergibt sich aber erst bei einer 200- bis 300fachen Vergrößerung. Eine Spur Kot wird in Wasser aufgelöst, auf einen Objektträger (Glasplättchen) aufgestrichen, darauf ein Deckglas gegeben und dann unter dem Mikroskop betrachtet. Spulwurmeier haben eine längliche Form mit einer doppelten Wandung und zeigen innen Zickzacklinien. Haarwurmeier sind etwa nur halb so groß, noch länglicher und zeigen an den beiden Enden eine sogenannte Polkappe. Die Eier haben eine doppelte Umhüllung.

Nicht in jedem Kotballen (zur Untersuchung immer frisch!) müssen unbedingt Eier gefunden werden, andererseits können bei einem sehr stark befallenen Vogel in einer Kotprobe auch ungeheuer viel Eier vorhanden sein. Die Eier entwickeln sich nur bei feuchtem und warmem Wetter und sind sehr widerstandsfähig. Wenn ein solches reifes Ei vom Vogel aufgenommen wird, schlüpft im Darm daraus eine Larve, die dann zum geschlechtsreifen Wurm heranwächst. Bei den Spulwürmern dauert diese Entwicklung etwa 2 Monate, bei den Haarwürmern nur ca. 3 Wochen.

Gegenmittel: Spulwürmer können mit Hilfe von Piperazinpräparaten, die man dem Trinkwasser beimischt, vertrieben werden. Die Dosierung ist nach Größe und Trinkbedürfnis der einzelnen Arten verschieden. Man sollte auch hier einen Tierarzt befragen. Die Kur ist mehrmals zu wiederholen, etwa dreimal in Abständen von 3 Wochen. Die Witterung muß trocken sein; den betroffenen Vögeln entzieht man einen halben Tag vorher das Wasser. Auf Grund eigener Erfahrung sei das Mittel "Tasnon" (Troponwerke) genannt. Eine Dosierung von 40 ml auf 8 Liter Wasser wurde vom Sperlingspapagei bis zum Kakadu gut vertragen. Oder man nimmt 100 g "Uvilon" (Bayer) auf 25 Liter Wasser (3 Tage in den Volieren belassen). Gegen Haarwürmer und Pfriemenschwänze wird ferner "Dekelmin" emp-

fohlen. Auf 2,5 ml kommt 1 Liter Wasser. Diese Lösung wird 24 Stunden in die Voliere gestellt.
Das süße Wurmpulver "Concurat" von Bayer ist zu empfehlen. Es werden 9 ccm (6 g) mit 500 ccm (1/2 l) Wasser verdünnt und 8 Tage lang zum Trinken gereicht.
Der Volierenboden ist bei starkem Befall selbstverständlich mit Eiern verseucht, und es ist schwierig, auf einfache Art diese Eier loszuwerden. Am sichersten gelingt dies noch mit Hilfe eines Hochleistungsbrenners, mit dem der Boden abgebrannt wird (bei kleinerer Voliere mit Lötlampe). Schwieriger und aufwendiger ist es, die obere Erdschicht abzutragen und zu erneuern. Es gibt auch Flüssigkeiten ("Eimeran", 1 Liter mit 20 Liter Wasser verdünnen), die Parasiteneier, Kokzidien, Bakterien, Viren, Milben usw. vernichten. Jede Voliere sollte öfter tief umgegraben werden. Wurmkuren müssen jedes Jahr wiederholt werden, zumal wenn Neulinge in den vorhandenen Bestand aufgenommen wurden.

b Milben und Federlinge

Es kommen verschiedene Milbenarten in Frage. Am bekanntesten ist die *Rote Vogelmilbe* (*Dermanyssus avium*), welche ihr Wirtstier nur nachts zur Nahrungsaufnahme (Saugen) aufsucht, um tagsüber wieder in Ritzen und Spalten jeglicher Art zu verschwinden. Die Vögel werden bei starkem Befall schnell blutarm; vor allem Jungvögel können dann leicht eingehen.
Käfig, Sitzstangen und Brutkästen müssen mehrmals mit Kontaktinsektiziden behandelt werden, da bei einmaligem Verstäuben die vorhandenen Eier nicht mit vernichtet werden. Auch der Vogel selbst ist mit Insektizidpuder einzustäuben (z. B. "Glutox").
Die *Räudemilbe* (*Cnemidocoptes*), hat sich in neuerer Zeit stärker ausgebreitet. Eine Art befällt die Füße und verursacht die sogenannten „Kalkbeine". Diese kalkartigen Wucherungen sind leicht zu beseitigen, indem man sie öfters mit Olivenöl einreibt. Ein weiteres vorzügliches Mittel ist "Odylen" (Bayer).
Eine andere Milbenart verursacht die *Schnabelräude*; aber auch die Beine und die Kloakengegend können befallen werden. Vor allem im Schnabelwinkel und unter den Augen breitet sich ein gräulicher Überzug aus, der aber, rechtzeitig erkannt, schnell behoben werden kann (auch mit "Odylen" oder Olivenöl). Läßt man diese Milben allerdings gewähren, so kann es zu Schnabeldeformationen kommen. Vor allem die Jungen werden leicht bei der Fütterung durch die

Eltern angesteckt. Beim Wellensittich tritt diese Milbe häufig auf, aber auch die Laufsittiche scheinen besonders anfällig zu sein. Merkwürdigerweise kommen diese Plagegeister hauptsächlich bei den Weibchen vor.
Auch die *Federlinge* (*Mallophaga*), welche sich stets auf dem Vogel aufhalten, können mit verschiedenen insektiziden Mitteln bekämpft werden. Diese Schmarotzer ernähren sich von den Federn und den Hautschuppen der Vögel. Bei starkem Befall sind die Nissen (Eier) am Schaft der kleinen Federn zu erkennen.
Ein neues vorzügliches Mittel ist "Mafu Strip" (Bayer), gegen sämtliches Ungeziefer geeignet. Es wird (in Streifen) nur im Raum aufgehängt und hat eine Wirksamkeit von etwa 4 Monaten.

2 Erkrankungen durch Pilze

Äußerst gefährlich sind Pilzerkrankungen, welche in letzter Zeit häufiger beobachtet und sicher meist gar nicht als solche erkannt werden. Das Ansteigen dieser Erkrankungen wird auf die oft wahllosen Gaben von Antibiotika-Präparaten, aber auch auf höhere Anfälligkeit infolge von Parasitenbefall u. a. schwächenden Krankheiten zurückgeführt.

a Aspergillose

Aspergillus fumigatus ist ein Vertreter dieser Gruppe. Durch Einatmen können die Pilzsporen in die Atmungswege gelangen. Die Einschleppung ist z. B. durch verdorbenes Futter möglich. Man hat diesen Pilz auch schon auf der Kolbenhirse festgestellt. Leider ist es nicht möglich, ihn mit dem bloßen Auge zu erkennen.
Oft atmen befallene Vögel mit offenem Schnabel; in anderen Fällen sterben sie ohne sichtbare Merkmale. In den Atmungsorganen finden sich dann kleinste oder auch größere grünlichgelbe Pilzherde, die den Tod herbeiführen. Der Tierarzt kann im ersten Anfangsstadium noch helfen.

b Soor

Candida albicans ist ein weiterer Pilz, der am Futter haften kann. Dieser Sproßpilz setzt sich vor allem im Kropf, in der Speiseröhre, im Rachen und innerhalb des Schnabels fest. Die befallenen Körperteile sind geschwollen und zeigen einen grauen Belag. Auch hier kann nur in einem frühen Stadium der Tierarzt etwas ausrichten.

3 Sonstige krankhafte Erscheinungen

a Rupfen

Vor allem bei Großpapageien, aber auch bei allen anderen Arten kommt es u. U. vor, daß sie sich ihre Federn rupfen. Eine sehr üble Erscheinung, deren Ursache bis heute noch nicht restlos geklärt ist. Höchstwahrscheinlich sind es mehrere Faktoren, die das Rupfen heraufbeschwören können: 1. Mangel an bestimmten Nährstoffen, 2. falsche Ernährung (Fleisch, Gewürz), 3. Langeweile.

Es gibt Vögel, die sich bis zur völligen Nacktheit rupfen, andere wieder beißen ihre Federn ab. Leider muß gesagt werden, daß solchen Rupfern selten geholfen werden kann. Richtige Ernährung mit viel Vitaminen, Mineralstoffen und eiweißhaltigem Futter, dazu laufend frische Zweige, Möhren, Äpfel und andere Dinge, die vielleicht auch für Ablenkung sorgen, könnten helfen. Besonders bei Großpapageien ist das „Sich-um-den-Vogel-Kümmern" von großer Wichtigkeit. Fleisch, Schokolade oder gewürzte menschliche Nahrung können Juckreize verursachen, die den Vogel langsam zum Rupfer werden lassen. Manchmal nützt auch eine Umstellung, ein anderer Käfig oder eine Voliere an einem anderen Ort. Auch das Einpinseln mit einer bitteren Flüssigkeit (Aloetinktur, Bärentraubenblättertee) hat manchmal Erfolg. Jedenfalls sollte man bei den ersten Anzeichen nicht lange warten, sondern die genannten Hinweise beherzigen und sofort danach handeln.

b Legenot

Bei den papageienartigen Vögeln tritt Legenot recht selten auf, wenn sie nicht brutmäßig überfordert werden. Durch feuchte Wärme, vorsichtige Öleinreibung und leichte Massage vom Bauch zum Kloakenausgang kann man den Abgang des Eis sehr fördern.

Je eher die Legenot erkannt wird, desto schneller und leichter kann auch geholfen werden. Das Weibchen sitzt mit stark hochgestellten Bürzelfedern und zusammengekniffenen Augen auf der Stange oder in der Ecke des Käfigs. Verständlicherweise kommt es leicht vor, daß das Weibchen im Brutkasten sitzt und der Pfleger die Legenot nicht bemerkt, zumal er das Tier so wenig wie möglich stören will.

Lora als zahmer, sprechender Hausgenosse

Nur ein halbwegs zahmer Papagei, ganz gleich um welche Art es sich handelt, wird Worte oder andere Laute nachahmen. Es ist darum erste Aufgabe des Pflegers, den Vogel an sich zu gewöhnen und langsam zu zähmen. Nur große Ruhe, Ausdauer und Gleichmäßigkeit im Verhalten des Vogelfreundes kann zu diesem Ziel führen. Mit Ungeduld, Veränderung des Käfigplatzes oder gar Stockschlägen würde nur das Gegenteil erreicht werden. Gerade Papageien haben ein sehr gutes Gedächtnis; ein Fehler kann den Vogel für immer verderben. Je jünger der Vogel, desto leichter die Zähmung. Alte Wildfänge werden seltener zahm. Der junge Vogel ist meistens an der unvollkommenen Gefiederfärbung zu erkennen; aber auch die Iris, die Füße oder die gescheckte Schnabelfarbe sind häufig gute Hilfsmerkmale. Man muß natürlich wissen, wie der Altvogel aussieht. Bei der Beschreibung der einzelnen Arten sind die Erkennungszeichen angegeben und sehr oft auch die äußerlichen Merkmale der Jungvögel.

Ein im Zimmer allein gehaltenes Tier wird besser und schneller zahm werden als zwei oder mehrere Vögel, auch wenn sie alle einzeln gekäfigt sind. Der Papagei soll den Menschen als Gefährten ansehen, nicht als seinesgleichen. Allein verhalten sich die meisten Papageien ruhiger; mehrere Artgenossen in einem Raum versuchen sich leicht mit ihrer Stimme zu überbieten.

Es gibt Papageien, welche ein gutes Sprechtalent besitzen (z. B. Graupapageien), und andere, die mehr ein in der Bewegung liegendes, schmeichelndes, verspieltes Wesen haben (z. B. Kakadus, Amazonen). Nicht immer hat man das Glück, beides in einem Vogel vereint zu finden. Es ist auch Glücksache dabei. Der Verkäufer steckt nicht in dem Vogel, die Charaktere und Veranlagungen sind wie bei den Menschen verschieden. Man kann eben nur sagen, daß ein Graupapagei in der Regel ein großes Nachahmungstalent besitzt, aber nicht immer ein besonders anhänglicher, freundlicher Geselle ist. Sein eingefleischtes Mißtrauen fällt selten völlig von ihm ab. Die Kakadus dagegen ahmen in der Regel wenig nach (die Spitzhauben noch weniger als die Breithauben), haben aber ein sehr liebes Wesen und neigen dazu, Kunststücke oder bestimmte Handlungen nachzuahmen. Amazonen sind durchweg sehr artig, ihr Nachahmungsvermögen aber ist sehr unterschiedlich ausgeprägt, und die Laute hören sich – im Vergleich zu den talentierten Sprechern – immer etwas papageienhaft an. Auch lassen die Amazonen hin und wieder ihre Naturlaute hören, was ein zahmer Graupapagei selten machen wird.

1 Zähmung

Den Neuankömmling läßt man am besten aus dem Transportbehälter gleich in den für ihn bestimmten Käfig klettern, denn erstens weiß man nicht, ob der Vogel sehr beißt, und zweitens bekommt das Tier keine Angst vor der Hand. Der Käfig bleibt bis auf weiteres immer am gleichen Platz stehen, in einer ruhigen Ecke ohne Zugluft, nicht dunkel, aber auch geschützt vor sommerlicher Mittagssonne. Der Papagei sollte die ersten Wochen in Ruhe gelassen werden, damit er sich erst völlig an seine Umgebung und die Menschen gewöhnen kann. Man reicht ihm mit behutsamen, langsamen Bewegungen sein Futter und spricht beruhigend auf ihn ein. Der eine Vogel faßt schneller Vertrauen, bei dem anderen dauert es länger. Man hält einen Leckerbissen wie Möhre, Apfel oder Kolbenhirse an die Käfigstäbe und hat Geduld. Kommt der Vogel nicht, klemmt man den guten Happen fest und versucht es täglich wieder.

Wenn der Neuling „von der Hand" frißt, macht man nach einer weiteren kleinen Gewöhnungszeit die Käfigtür auf und versucht alles durch diese in gleicher Weise, Schritt für Schritt, bis er sich zuerst ein wenig durch das Gitter kraulen läßt, später durch die Tür. Eines Tages wird versucht, die Hand oder einen Finger unter die Füße des Papageies zu schieben, so daß er erst einmal im Käfig auf der Hand sitzt. Nachdem dies viele Male erprobt wurde, kann man eines Tages das Tier mit der Hand aus dem Käfig tragen, ganz langsam und ohne ruckhafte Bewegungen, um ihn dann bald wieder hineinzusetzen. Wiederum eine Zeit später wird er auf den Ständer oder Käfig gesetzt. Der Vogel kommt und geht später ganz von allein.

Viele Papageien sind an einem *Flügel beschnitten,* meist geschieht dies schon in ihrer Heimat. Nach der Mauser wachsen die Flugschwingen wieder nach, und es bleibt jedem Pfleger überlassen, ob er den Flügelschnitt (etwa 4 bis 7 cm bei großen Papageien) wiederholen will oder nicht.

Manche Großpapageien haben ihre bevorzugten Freunde unter den Menschen. Einige mögen lieber Kinder, andere die Dame des Hauses

oder den Herrn. Es ist meist nicht mit Sicherheit zu sagen, woraus eine solche Bevorzugung im Einzelfall entstanden ist. Oft trifft zu, daß weibliche Großpapageien Männer bevorzugen und umgekehrt. Das ist aber durchaus nicht immer der Fall. Auch der Futterzuteiler muß nicht der „Liebling“ des Vogels sein.

2 Nachahmung

Nur ein ruhiger Vogel wird Worte wiedergeben. Sein Pfleger muß langsam und deutlich sprechen. Weibliche oder Kinderstimmen klingen deutlicher und werden besser wiedergegeben als männliche. Die Vokale a, e, o, u sind für einen Papageien verhältnismäßig leicht nachzuahmen. Man sollte darum zunächst Wörter wählen, die viele dieser Vokale enthalten, z. B. Oma, Mama, Koko usw. Dagegen sind Zischlaute möglichst zu vermeiden. Kommen neue Wörter hinzu, müssen die alten trotzdem laufend wiederholt werden.
Bei bestimmten Handlungen sollten die gleichen Worte gebraucht werden. Beim Herausgehen aus der Tür „Auf Wiedersehen“, beim Kommen „Guten Tag, Koko“, in aller Frühe „Guten Morgen“ usw.
Es gibt Nachahmungsgenies, und es gibt weniger wiedergabefreudige Papageien. Manche lernen besser Melodien nachahmen, schnalzen, husten, lachen, niesen oder andere Laute. Es sind Graupapageien bekannt geworden, die fast alles wiedergaben, was sie in ihrer Umgebung hörten. Das können über 100 Worte oder Sprüche sein, ja ganze Lieder, selbst in verschiedenen Sprachen. Dabei wird oft so täuschend ähnlich nachgeahmt, daß eine stimmliche Unterscheidung zwischen Mensch und Vogel so gut wie nicht mehr festzustellen ist. Je mehr ein Vogel menschliche Laute wiedergibt, desto weniger macht er von seiner Naturstimme Gebrauch.
Bei lautem Radio, Fernsehen oder anderen „Klangspendern“ meinen oft die ruhigsten Papageien, diese Geräusche an Lautstärke übertreffen zu müssen. Die moderne Technik würde es erlauben, ein besprochenes Tonbandgerät mit einer Endlosbandkassette neben dem Papageien aufzustellen. Durch diese Methode könnte ein begabter Vogel in kurzer Zeit mühelos sehr viel zur Nachahmung lernen.
Ein schreiender Vogel wird am besten für kurze Zeit mit einem dichten, schwarzen Tuch abgedeckt, so daß er in völliger Dunkelheit sitzt. Führt man diese Handlung tagelang streng durch, wird es der Vogel im Gedächtnis behalten und sein Geschrei meistens bald aufgeben.
Oft verbinden unsere Krummschnäbel bestimmte Geräusche mit bestimmten Bewegungen. Wiegt man bei Musik mit dem Körper, so

wird der Papagei bald auch diese Bewegung nachahmen und Musik und Wiegen als zusammengehörig verstehen.
Es gibt Papageienarten, bei denen die männlichen Vögel leichter zahm werden und auch ein besseres Nachahmungsvermögen haben (z. B. Wellensittich, Nymphensittich). Bei den großen Papageienarten scheint die Begabung nicht geschlechtlich gebunden zu sein (Graupapagei, Amazonen usw.).

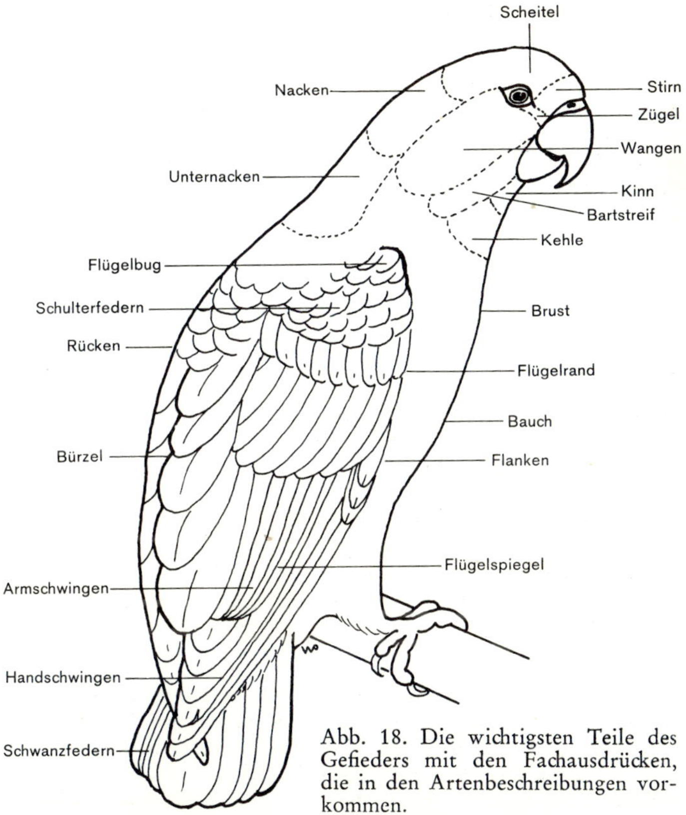

Abb. 18. Die wichtigsten Teile des Gefieders mit den Fachausdrücken, die in den Artenbeschreibungen vorkommen.

Die Papageienarten

Gattung: Schwarzschnabel- und Weißschnabelkakadus *(Cacatua)*

Folgende Arten werden besprochen:

Schwarzschnabelkakadus
Weißhaubenkakadu, *C. alba*
Molukkenkakadu, *C. moluccensis*
Gelbhaubenkakadu, *C. galeritus* (8 Rassen)
Gelbwangenkakadu, *C. sulphurea* (6 Rassen)

Weißschnabelkakadus
Rosakakadu, *C. roseicapilla* (3 Rassen)
Rotsteißkakadu, *C. haematuropygia*
Inka-Kakadu, *C. leadbeateri*

Herkunft und Lebensweise: Von den Philippinen bis Australien. Die Kakadus gehören zu den größten Papageien der Alten Welt. Ohne Ausnahme haben sie eine Federhaube, die ziemlich verschieden aussehen kann. Sie fliegen und klettern sehr gut, aber laufen auf dem Boden recht unbeholfen. Die Kakadus leben gesellig in großen Schwärmen, gehen gemeinsam auf Nahrungssuche und verrichten auch andere Dinge in enger Verbundenheit. In den dichtesten Urwaldbäumen haben sie ihre bestimmten Schlafplätze, an denen sie festhalten.
Ihre Nahrung besteht aus Früchten, Beeren, Getreide, Sämereien aller Art, Knollen, Zwiebeln und Pilzen. Sie brüten in Baumhöhlen, hohlen Ästen und manche auch in Felsspalten. Ihr Gelege besteht aus 2 bis 5 Eiern. Die Eingeborenen nehmen die Jungvögel oft aus den Nestern und machen sie zu sehr zahmen Vögeln.

Allgemeines: Genau wie bei den Araras kommen auch viele Kakadus in einem halbzahmen Zustand in Europa an; in größerer Zahl vor allem die Gelbwangen- (auch Kleine Gelbhaubenkakadus genannt) und dann die Großen Gelbhaubenkakadus. Die Molukkenkakadus und die anderen Arten sind weniger auf dem Vogelmarkt zu finden.

Jeder Kakadu sucht die Geselligkeit; er kann schlecht allein sein. Diese Eigenschaft bringt es mit sich, daß er sich voll und ganz dem Menschen anschließt. Er hat nicht seine speziellen Freunde wie der Graupapagei und die Araras, sondern jeder, der ihm Gesellschaft leistet, ihn krault und sich mit ihm beschäftigt, ist ihm lieb. Kein Papagei kann von solch einer rührenden Zärtlichkeit sein wie der Kakadu.

Er läßt sich zu allerlei Kunststücken abrichten und ist einmalig in seinem drolligen Wesen. Als Sprecher aber bleiben die Kakadus hinter den Graupapageien und Amazonen zurück. Manche geben ihre Naturstimme nie völlig auf; andere wieder sind sehr stille und ruhige Vögel. Allein gehalten, werden sie bald zahm.

Der Name Kakadu soll aus dem Malaiischen stammen (kaka = Vater, tua = alt). Diese Papageien werden sehr alt; länger als 100 Jahre ist ein Kakadu gepflegt worden.

Ernährung: Sonnenblumenkerne, eingeweichter Mais, Weizen, Hafer, Kanariensaat, Kolbenhirse, Möhren, Obst, Nüsse, Salat, Löwenzahn und Vogelmiere.

Haltung und Zucht. Im Haus: Ein Kakadu will ganz besonders umhegt und beschäftigt werden. Wer sich einen solchen Vogel anschafft, muß ihn als Familienmitglied betrachten und möglichst viel Zeit für ihn haben. Ein Sprachtalent ist er nicht, aber ein drolliger Gesellschafter, wie es wohl keinen anderen Vogel gibt. Sein gutmütiges Wesen erlaubt es, ihn öfter aus dem Käfig zu lassen. Auf dem Käfig sollte eine Sitzstange oder Kletterbaum angebracht sein, wo er sich tagsüber aufhalten kann. Wie schon erwähnt, ist er als Einzelvogel besser zu halten, da er bei richtiger Behandlung schnell Vertrauen zu seinem Pfleger bekommt und sich bald streicheln läßt.

Der Verschluß des Käfigs muß besonders gut konstruiert sein, da der kräftige Schnabel alle möglichen Dinge öffnet oder zerstört. Allgemein werden männliche Kakadus zahmer als weibliche. Heute weiß man, daß die Männchen mehrerer weißer Kakaduarten schwarze Augen und die Weibchen rotbraune Augen haben.

Im Garten: Fast alle Kakaduarten sind harte Vögel, welche selbst gegen Frost recht unempfindlich sind. Freivolieren mit einem trockenen und zugfreien Innenraum sind für die Überwinterung geeignet. Voliere und Unterkunft dürfen nicht aus Holz gebaut sein, da der Kakaduschnabel alles zerstören würde.

Zuchten sind bei mehreren Arten gelungen (s. bei den Arten). Ein Paar wird nur so lange zahm und zutraulich sein, bis der Bruttrieb wach geworden ist. Man muß dann aufpassen, denn ein gestern noch völlig zahmes Tier kann am nächsten Morgen wie umgewandelt sein und fürchterlich beißen. Die Kakadus sträuben in diesem Zustand ihr Gefieder, so daß hierdurch der Pfleger schon gewarnt wird. Die Brutkästen müssen aus sehr starkem Holz (besser Hartholz) oder aus dicken Naturstämmen bestehen. Freundschaften und Zuchten zwischen verschiedenen Kakaduarten sind schon öfter vorgekommen, selbst bei starken Größenunterschieden.
Auch im Freiflug sind Kakadus schon gehalten worden. Sie züchteten sogar an der Erde in einer eingegrabenen Tonne, welche für Wassergeflügel bereitgestellt war.

Schwarzschnabelkakadus

Weißhaubenkakadu *(C. alba)* (Abb. 20)

Molukken und Halmahera.

Kennzeichen: 40 bis 45 cm groß. Männchen: Weiß; nacker Augenkreis bläulichweiß, Iris, Füße und Schnabel schwarz. Weibchen: Iris rotbraun.
Der Weißhaubenkakadu wird recht selten im Handel angeboten. Der Verfasser lernte ein sehr liebes, anhängliches Tier kennen, von dem man nur Gutes sagen kann. Von einer Zucht ist nichts bekannt (nur Kreuzung Weißhauben- × Inka-Kakadu).

Molukkenkakadu *(C. moluccensis)*

Südliche Molukken.

Kennzeichen: 50 cm groß. Männchen: Weiß; zart rosa überhaucht; Haubenfedern rötlich, Iris dunkel. Weibchen: Schmalere Kopfform als Männchen, weniger Rosaschimmer, Iris dunkelbraun. Jungtiere: Rosaschimmer erst nach 1 bis 2 Jahren.
Im Handel ist dieser Kakadu keine Seltenheit, wenn er auch nie in Mengen eingeführt wird. Er ist nie billig und kommt fast immer zahm nach Europa, da es sich um aufgezogene Vögel handelt. Fühlt er sich vernachlässigt, macht er von seiner sehr kräftigen Stimme Gebrauch. Er kann seine Haube und auch die Bartfedern sträuben, ein

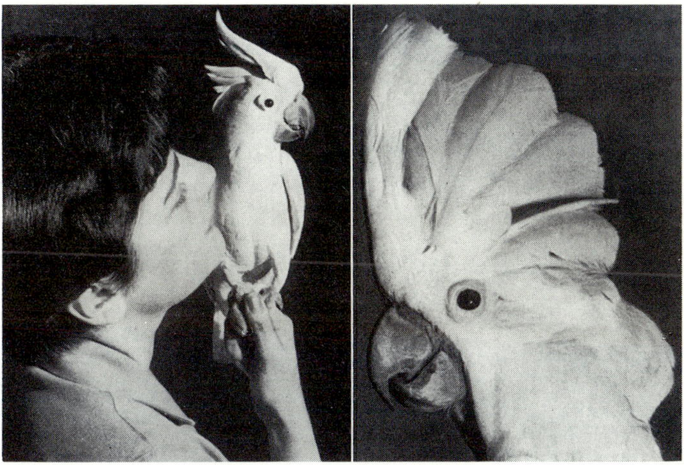

Abb. 19. Der Gelbwangenkakadu wird schnell zahm. Abb. 20. Kopfstudie des Weißhaubenkakadus.

Barometer der inneren Gemütsbewegung. Sein Charakter ist ausgesprochen liebenswürdig; er hat eine ganz gute Sprachbegabung und sonstiges Nachahmungstalent. Zahme Molukken können unter Aufsicht auf dem Ständer oder auf einem Kletterbaum im Garten sitzen, wenn die Schwungfedern eines Flügels beschnitten worden sind. In Kalifornien sind Molukken in einer Voliere gezüchtet worden. Es wurden 3 bis 4 Eier gelegt, die in 25 Tagen ausgebrütet worden sind.

Gelbhaubenkakadu *(C. galeritus)*

Australien, Tasmanien, Neuguinea und südöstliche Inseln.

Kennzeichen: 50 cm groß. Männchen: Weiß; Haubenfedern gelb, Ohrgegend leicht gelblich, Iris, Schnabel und Füße schwarz. Weibchen: Iris rotbraun.
Diese Art ist häufiger als die vorige im Handel. Die Männchen werden zahmer als die Weibchen. Es sind sehr widerstandsfähige Vögel, die sich recht gelehrig zeigen. Eine hiesige Zucht ist bekanntgeworden. Das Weibchen legte Ende Mai 2 Eier in eine ausgefaulte Kopfweide. Beide Vögel bearbeiteten die Weide, um den Nistraum zu

erweitern. Zur Nacht brütete das Weibchen und am Tage hauptsächlich das Männchen. Die Jungen hatten zuerst einen fleischfarbenen Schnabel, welcher erst nach Wochen schwarzgrau wurde. Nach 11 Wochen verließ das erste Junge das Nest. Es war zunächst kleiner als die Elterntiere. In der Zuchtzeit wurden viel Hanf, Ei, eingeweichtes Weißbrot, Möhren, Radieschen und Erdbeeren gefressen, vor allem aber gekochte Gerste. 1879 und 1880 wurden in Algerien in einem 80×50 cm großen Käfig ein Junges und im folgenden Jahr zwei Junge großgezogen. Gelbhaubenkakadus wurden in Europa ungeheizt überwintert.

Gelbwangenkakadu *(C. sulphurea)* (Abb. 19, Farbbild 1 Seite 97)

Celebes, Lombok, Sumbawa, Flores, Sumba und Timor.

Kennzeichen: 32 bis 36 cm groß. Männchen: Weiß; Haube und Ohrgegend gelb bis tief orange (je nach Rasse), Iris, Schnabel und Füße schwarz. Weibchen: Iris rotbraun. Jungtiere: Schnabel und Füße hell. Ausfärbungsbeginn der Iris mit etwa 2 Jahren; beendet nach 3 bis 4 Jahren.

Eine Rasse der Gelbwangenkakadus hat eine orangerote Haube und einen ebensolchen Ohrfleck. Diese Rasse sieht unzweifelhaft am schönsten aus.

Die Gelbwangenkakadus sind von allen Kakaduarten am meisten im Handel zu finden. Sie sind preislich am günstigsten und benötigen nicht so einen riesigen Käfig wie die vorige Art. Auch ihre Stimme ist nicht so kräftig.

Die Zucht ist mehrfach gelungen. In der Balz umkreist das Männchen sein Weibchen mit verneigenden, hüpfenden Bewegungen. Dabei werden Lockrufe ausgestoßen, die Haube wird hochgestellt und ein gegenseitiges Kraulen beginnt. Es werden 2 Eier gelegt, die ungefähr 25 Tage bebrütet werden. Es wird berichtet, daß das Männchen allein brütet; es liegen aber auch Mitteilungen vor, wonach sich die Vögel im Brüten abwechseln. Der Verfasser nimmt an, daß das Männchen tagsüber brütet und das Weibchen in der Nacht, ähnlich wie wir es vom Gelbhaubenkakadu und Nymphensittich kennen.

Die Jungen fliegen nach etwa 2 Monaten aus der Nisthöhle. Jedes Elterntier versorgt ein Junges mit Nahrung. Beim Füttern schlagen die Jungen mit den Flügeln. Nach ungefähr 2 Wochen fangen die Jungtiere an, sich selber an das Futter zu wagen. Sobald sich bei den Elterntieren neue Brutlust zeigt, werden die Jungen fortgebissen und

müssen dann von den Eltern getrennt werden. Es wurde sogar in einem ungeheizten Innenraum mit Erfolg gezüchtet.
Zur Zucht reicht man vor allen Dingen frische Maiskolben, Eifutter und ausgedrücktes Weißbrot als zusätzliche Nahrung.

Weißschnabelkakadus

Rosakakadu *(C. roseicapilla)*

Australien.

Kennzeichen: 38 cm groß. Männchen: Oberseite grau; Kopf, Hals, Brust und Bauch rosarot, Haube klein und breit, Iris schwarz, breite Augenrose. Weibchen: Iris rotbraun, schmale Augenrose. Jungtiere: Iris dunkel, Unterseite schwach rosa mit grau vermischt. Mit 4 bis 5 Jahren ergibt sich dann die endgültige Ausfärbung der Iris. Junge Männchen sind an der breiten Augenrose, junge Weibchen an der schmalen Augenrose zu erkennen.
In seiner Heimat ist dieser Kakadu ein sehr häufiger Vogel. In großen Schwärmen fällt er in die Weizenfelder ein und ist darum bei den Farmern recht unbeliebt. Er wird deshalb in großer Zahl abgeschossen oder aus den Nestern genommen und gezähmt. Sein natürlicher Feind ist nur der australische Keilschwanzadler. Man hat festgestellt, daß dieser Adler seine Jungen hauptsächlich mit diesen Kakadus atzt.
Die Rosakakadus zeigen eine sehr interessante Flugbalz. Das Nest wird meist in abgestorbenen Gummibäumen angelegt und eigenartigerweise die Nestmulde mit Blättern ausgepolstert. Eine weitere Besonderheit ist, daß nur der Rosakakadu beim Kratzen des Kopfes seinen Fuß *über* den Flügeln beläßt, während die anderen Arten den Flügel heben, um den Fuß durch die Flügel zu stecken.
Der Rosakakadu ist neben dem Gelbwangenkakadu am meisten gezüchtet worden. Das Gelege besteht aus 2 bis 5 Eiern, die 23 bis 24 Tage bebrütet werden (nach Dr. Kolar 21 Tage). Die Elterntiere lösen sich bei der Brut ab, wenn auch das Weibchen längere Brutzeiten hat. Das Männchen füttert im Brutkasten. Nach gut 7 Wochen kommen die Jungen aus dem Nest und werden noch 3 bis 4 Wochen mit Nahrung versorgt und auch von den Eltern geputzt. Zwei Bruten im Jahr sind keine Seltenheit.
Auch in der Gefangenschaft tragen die Rosakakadus kleine Zweige und Blätter in den Kasten, zerspleißen diese in kleine Teile und

bauen damit eine Nestunterlage. In einigen Fällen wurde eine Torfmull- oder Sägespäneunterlage restlos von den Alttieren vor der Brut entfernt. Wahrscheinlich benötigen die Vögel zur Brut eine gewisse Feuchtigkeit, wie wir es ja auch von den Unzertrennlichen kennen.

Zur Zucht wurde hauptsächlich folgendes Futter gereicht: Vor allen Dingen sehr viel gekeimte Sonnenblumenkerne, Hafer und Weizen, Samenkapseln der Vogelmiere und des Hirtentäschelkrautes, Eifutter mit Weißbrot zu einer krümeligen Masse vermischt. Mit Vorliebe ziehen die Kakadus gekeimte Samen aus dem Boden der Freivoliere heraus. Auch frische Maiskolben sind ein besonders gutes Futter; leider gibt es diese immer erst zur Spätsommerzeit, wenn die Jungtiere zum Teil schon groß geworden sind.

Die Größe des Brutkastens: 50×50 cm, aus dicken, ungeschälten baumartigen Brettern, 2 m Höhe; andere erfolgreiche Bruten in einer Kastengröße von 35×35 und 55 cm hoch. Durchmesser des Einflugloches 9 cm; davor sollte man ein Landebrett anbringen. Außenvolie-

Abb. 21. Der seltene Rotsteißkakadu ist der kleinste seiner Sippe.
Abb. 22. Der Nymphensittich ist ein friedlicher Vogel, der auch sehr zahm werden kann. Hier neben ihm ein Wellensittich.

ren 3 bis 4 m lang und 2 m hoch, Innenraum 2×1,50 m. Haben diese Kakadus genügend Zweige und Geäst in der Voliere, so wird diese nur mäßig benagt. Sie können ungeheizt überwintert werden.
Im Käfig allein gehalten, werden diese Kakadus ungemein zahm und zutraulich. Nur zur Brutzeit machen sie mehr von ihrer Stimme Gebrauch. Die Sprechbegabung ist nicht sehr groß, es reicht meist nur zu einigen Worten. Leicht kann man ihnen aber einige Kunststücke beibringen.

Rotsteißkakadu *(C. haematuropygia)* (Abb. 21)

Philippinen, Palawan.

Kennzeichen: 32 cm groß. Männchen: Weiß; kleine, breite Haube, Unterschwanzdecken rotorange, Iris schwarzbraun. Weibchen: Iris rotbraun, Unterschwanzdecken zart gelborange.
Dieser Kakadu ist leider recht selten im Handel zu finden, und es ist so gut wie nichts über ihn berichtet worden. Auch eine Zucht ist nicht bekannt. Anfang 1968 hatte der Autor das große Glück, bei einem Hamburger Importeur über 20 dieser Kakadus zu sehen. Die Vögel machten einen recht ruhigen, sanften Eindruck. Viele waren sehr zahm, und ihre Kleinheit machte sie besonders begehrenswert.

Inka-Kakadu *(C. leadbeateri)*

Australien.

Kennzeichen: 39 cm groß. Männchen: Oberseite weiß, Unterseite rosenfarbig, Stirnband rot, die spitzen Haubenfedern quergebändert weiß-rot-gelb, Iris schwarz. Weibchen: Rotbraune Iris. Jungtiere: Mit etwa 3 Jahren wird die Iris des Weibchens braunrot.
In manchen Gebieten Australiens sind sie selten geworden. Sie leben nicht an den Küsten, sondern mehr im Inneren des Landes und halten sich viel am Boden auf, um Gräsersamen, Wurzeln und Bodenzwiebeln zu fressen. Seitdem Australien Vogelausfuhrverbot hat, ist auch der Inka-Kakadu bei uns sehr selten geworden.
Er ist der schönste aller Kakadus und ein Schmuckstück in jeder Vogelstube. Wildfänge werden selten zahm; nur an ganz jungen Tieren wird man seine Freude haben und mit Geduld ihre angeborene Ängstlichkeit überwinden. Das Talent der Nachahmung ist nur recht mäßig ausgeprägt.

Dieser schöne Kakadu ist vor allem ein Vogel der großen Freivoliere. Hier können sie so recht ihre Schönheit zeigen.
Die Zucht ist mehrfach gelungen. Es wurden natürliche Baumstämme oder starke Eichenfässer zur Brut angenommen. Das Faß wurde in 1,5 m Höhe auf ein Eisengestell gesetzt und das Eingangsloch mit Blech ausgeschlagen. Der Faßboden war mit Torf belegt. Es wurden 4 Eier gelegt, jeden 2. Tag ein Ei. Das Weibchen brütete tagsüber und das Männchen nachts. Brutzeit 21 bis 22 Tage. Beide Eltern fütterten die Jungen. Nach etwa 2 Monaten fliegen die Jungen aus dem Kasten. Zuchtfutter wie beim Rosakakadu. Inka-Kakadus können kalt überwintert werden.

Gattung: Nymphensittiche *(Nymphicus)*

Nymphensittich *(N. hollandicus)* (Abb. 22)

Kennzeichen: 33 cm groß. Männchen: Schiefergrau; Kopf gelb, braunroter Ohrfleck, Armschwingen weiß, Schwanzunterseite schwarz. Weibchen: Kopf graugelb, Ohrfleck matter als beim Männchen, Armschwingen grauweiß; Schwanzunterseite mit gräulichweißer Querbänderung. Jungtiere: Ähneln dem Weibchen. Oft haben die Männchen an der Flügelunterseite wenige kleine, weiße Punkte; Weibchen dagegen meistens mehr und größere weiße Flecken. Manchmal erkennt man bei männlichen Tieren schon im Kasten intensivere Farben an Kopf und Ohren. Mit ca. 9 Monaten Vollmauser beendet und ausgefärbt.

Herkunft und Lebensweise: Inneres von Australien. Dieser Sittich lebt in offenen Savannen, Steppen- und Grasgebieten. Die Paare halten das ganze Jahr zusammen, auch wenn sie in großen Schwärmen fliegen. In ihrem Lebensraum gibt es oft Dürreperioden, welche Nahrungsmangel nach sich ziehen. So kommt es, daß große Schwärme weite Wanderungen unternehmen müssen, um Samen von Gräsern und Kräutern, Getreide und auch Wasser zu erreichen. In seiner Heimat ist er ein häufiger Vogel. Er brütet dort in abgestorbenen Eukalyptusbäumen.

Allgemeines: Über diesen Sittich mit seiner lustigen Federhaube kann man sehr viel Gutes sagen. Neben den Wellensittichen und den Unzertrennlichen ist er bei uns weit verbreitet. Er ist hart, anspruchslos, zuchtfreudig und verträglich mit anderen Arten. Als Hausgenosse zahm, anhänglich und lieb. Er ist immer im Handel oder von Züchtern für wenig Geld zu bekommen. Ist er zuchtreif, kann seine pfeifende Stimme empfindlichen Gemütern zeitweise auf die Nerven fallen.

Ernährung: Kanariensaat, Sonnenblumen, geschälter und ungeschälter Hafer, Hirsearten, kleingeschnittene rote Möhren, Apfel, Vogelmiere, Wegerich und Kreuzkraut. Frische Zweige zum Benagen. Zur Zucht: gekeimte Kolbenhirse oder gekeimten Hafer als zusätzliche Nahrung. Ferner eingeweichtes, altes Weißbrot oder Brötchen.

Haltung und Zucht. Im Haus: Man gibt dem Nymphensittich einen Käfig von mindestens 50 cm Länge, denn er hat viel Temperament und sehr lange, schöne Schwanzfedern. Er läuft gern, beknabbert alles und sucht sich auf diese Art Beschäftigung. Als einer der schnellsten und eifrigsten Flieger unter den Sittichen sollte er sich möglichst einmal am Tage im Zimmer austoben können. Am besten beginnt man mit einem möglichst jungen Männchen, denn Weibchen werden seltener sehr zahm. Die größere Chance, eine kleine Melodie flöten zu lernen oder einige Worte zu sprechen, liegt ebenfalls beim Hahn. Natürlich gibt es Ausnahmen, aber darauf kann man sich nicht verlassen. Sollte sich die günstige Gelegenheit bieten, einen aufgepäppelten Vogel zu bekommen, so greife man sofort zu, denn solche Vögel werden anhänglich wie ein Hund. Mit klagenden Pfeiftönen wird der Nymphensittich um das Öffnen der Käfigtür betteln, denn allein gehalten sucht er die Gesellschaft des Menschen. Sein Lieblingsplatz ist die Schulter. Hier sitzt er hoch und kann so herrlich an den Haaren nesteln. Halsketten sind in Gefahr, sich aufzulösen. Alles was glitzert, blinkt oder beknabberbar ist, erregt die Aufmerksamkeit unseres Lieblings. Schon ein kleines Hölzchen gibt ihm lange Zeit Beschäftigung (die Schwefelköpfe der Streichhölzer sind giftig!).
Nach eigenem Erlebnis soll folgendes berichtet werden. Ein jüngerer Nymphensittich aus einer Freivoliere war wild und biß so kräftig, daß blutige Finger die Folge waren. Um die Wildheit zu bändigen, griff man – ungern – zur Schere und schnitt einige Außenschwungfedern des einen Flügels ca. 3 cm kürzer. Der Vogel merkte instinktiv, daß er sich nun dem Menschen nicht mehr entziehen konnte. Er wurde eines Abends in den Schoß gesetzt und mit einem leichten Seidentuch umwickelt, so daß nur noch der Kopf frei war. Mit beruhigenden Worten wurde er gestreichelt und ihm Zwieback-Krumen, Apfel und Möhre geboten. Zuerst sehr schüchtern, nahm er doch bald die Lockspeisen vom Finger. Nach einigen Stunden war der Vogel wie umge-

wandelt. Er war friedlich, ruhig und biß nicht mehr; knabberte nur zart an den Fingern, ließ sich kraulen, in die Hand nehmen, kurz, er war völlig zahm geworden. Nun durfte er den ganzen Tag auf seiner geliebten Fensterbank umherlaufen, auf welcher er ja so viel „zu tun" hatte. Nach der ersten Vollmauser wuchsen seine gestutzten Federn neu, und er konnte wieder fliegen, blieb aber weiterhin zahm.

Im Garten: Ohne Sorge kann ein Nymphensittich im Winter bei jeder Kälte in seiner Freivoliere mit ungeheiztem Schutzraum verbleiben. Mindestgröße der Außenvoliere 2 m lang, 1 m breit und 2 m hoch. Der Nymphensittich gehört zu den erfolgreichsten Zuchtvögeln in der Papageienfamilie. Der Nistkasten darf auf keinen Fall zu klein sein. Eine Größe von 35 bis 40 cm und ein Innenmaß von 25 cm dürfte das richtige sein. Durchmesser des Einschlupfloches 8 bis 9 cm. Einige Nymphen nehmen Nestkontrollen übel; sie möchten nicht in ihrer Brut gestört werden. 2 bis 3 Gelege mit 4 bis 7 Eiern können in einem Jahr erzielt werden. Weitere Bruten sollten auf jeden Fall verhindert werden, um die Tiere nicht zu schwächen. Die Brutzeit beträgt 18 bis 19 Tage. Der Hahn brütet vom frühen Morgen bis zum späten Nachmittag, während die andere Zeit das Weibchen auf den Eiern sitzt. In 4 bis 5 Wochen sind die jungen Nymphen flügge, werden aber etwa noch bis zu einem Alter von 2 Monaten gefüttert. Rund 3 Monate dauert es, bis der zuerst fleischfarbene Schnabel sich dunkel färbt. Die Vollmauser ist mit 9 Monaten beendet, und das Männchen zeigt seine schwarzen Schwanzfedern und seine schönen schwefelgelben Kopfzeichen. Völlig durchgemauserte Vögel kann man beruhigt zur Zucht ansetzen, aber diese ist im ersten Lebensjahr nicht immer erfolgreich.
Nymphensittiche sind sehr friedliche Vögel, welche in der Freivoliere anderen Vogelarten kein Leid zufügen werden. Ein Zusammenleben mit Wellensittichen ist möglich.

Besonderheiten: Schon 1959 wurden in Amerika albinotische Nymphen gezogen, und heute werden reine Albinos und weiße Nymphen mit schwarzen Augen und weiß- oder gelbscheckige Vögel angeboten.

Vererbung der Albinos:

1,0 Albino × 0,1 Albino = Albino-Männchen und Albino-Weibchen
1,0 Albino × 0,1 normal = spalterbige Männchen und Albino-Weibchen
1,0 normal × 0,1 Albino = spalterbige Männchen und normale Weibchen

1,0 spalterbig × 0,1 Albino = Albino-Männchen und Albino-Weibchen und spalterbige Männchen und normale Weibchen

1,0 spalterbig × 0,1 normal = spalterbige Männchen und Albino-Weibchen und normale Männchen und normale Weibchen

Bei weißen Nymphen gibt es *keine* äußerlichen Geschlechtsmerkmale; Bestimmung nur nach dem „Gesang" oder der Vererbung. Spalterbige Männchen sind von normalen Vögeln ebenfalls äußerlich nicht zu unterscheiden; manchmal wirken sie mehr aufgehellt. Spalterbige Albino-Weibchen gibt es nicht.

Gattung: Prachtsittiche *(Polytelis)*

Folgende Arten werden besprochen:

Princess-of-Wales-Sittich, *P. alexandrae*
Schildsittich, *P. swainsonii*
Bergsittich, *P. anthopeplus*

Charakteristisch für diese australische Gattung sind die langen Schwanzfedern, welche nach innen an Länge zunehmen, so daß die mittelste Feder am längsten ist. Die Schnäbel sind rötlich. Bei dieser Gruppe soll jede Art allein aufgeführt werden.

Princess-of-Wales-Sittich *(P. alexandrae)* (Abb. 23)

Kennzeichen: 38 cm groß. Männchen: Stirn und Oberkopf graublau, Hals, Rücken und Oberschwanzdecken olivbräunlich, Unterrücken und Bürzel blau, Kinn und Kehle rosa, Flügeldecken hellgrün. An der 3. Handschwingenfeder eine aufwärtsgebogene Locke, auch Spatel genannt. Schnabel rot. Weibchen: Stirn schieferfarben; schmalere, mehr olivgrüne Flügeldecken, Unterrücken schieferblau, Schwanz kürzer als beim Männchen, an der 3. Handschwinge keine aufwärtsgebogene Spitze (Locke oder Spatel), Schnabel nicht so leuchtend rot. Jungtiere: Wie Weibchen, aber mattere Farben. Junge Männchen zeigen oft breiteres und leuchtenderes Grün im Flügel und Blau am Unterrücken. Sie färben mit etwa 10 bis 12 Monaten aus. Beim Männchen brechen zuerst die blauen Federn am Kopf durch.

Herkunft und Lebensweise: Inneres Australien; vom südlichen N-Australien bis nördlichen S-Australien und östlichen W-Australien. Der Blaukappensittich, wie er auch genannt wird, lebt in den trockenen Steppengebieten, wo er sich von verschiedenen Grassämereien ernährt. Er hält sich deshalb sehr viel auf dem Boden auf und ver-

Abb. 23. Eine Familie von Princess-of-Wales-Sittichen.

sucht zunächst, auch bei Gefahr, laufend zu entkommen. Bei der Nahrungssuche verhält sich dieser Sittich völlig still, während er sonst in den hohen Bäumen immer zu hören ist. Reptilartig schmiegt er sich der Länge nach an einen Ast, um eine gute Tarnung zu erreichen. Wie auch der Nymphen-, Bourke- und Wellensittich, wandert er bei großen Dürreperioden, um bessere Lebensbedingungen zu finden. Der Princess-of-Wales-Sittich brütet in hohlen Ästen an den Ufern der Flußläufe, die nur zu bestimmten Zeiten Wasser führen. Die Brut richtet sich nach den Witterungsverhältnissen und ist an keine bestimmte Zeit gebunden. Oft sind auch zur Brutzeit mehrere Paare in einem kleinen Revier.

Allgemeines: Dieser Sittich mit seinen zarten Pastellfarben ist ein begehrter Volierenvogel. Vor 5 bis 8 Jahren war er noch selten, ist aber heute überall bei den Liebhabern zu finden. Der Princess-of-Wales-Sittich ist nie wild und scheu und nimmt oft einen Leckerbissen aus der Hand seines Pflegers. Männchen werden viel mehr als Weibchen angeboten.

Ernährung: Hirsearten, Kanariensaat, geschälter und ungeschälter Hafer, Weizen und etwas Sonnenblumenkerne. Ferner alle anderen

Unkraut- und Kleinsämereien. Äpfel, Möhren und sehr viel Vogelmiere. Zur Zucht viel Kleinsämereien, welche zum Keimen eingeharkt werden. Ferner gehacktes Hartei oder anderes Weichfutter und in Samen stehendes Unkraut.

Haltung und Zucht. Im Haus: Seiner langen Schwanzfedern wegen ist dieser Sittich nicht in einem Käfig zu halten. Mit der Hand aufgezogene Vögel werden aber sehr zahm.

Im Garten: Die Freivoliere muß 4 m oder länger sein, erst dann kommen die langen Schwanzfedern so recht zur Geltung. Da dieser Sittich kein Nager ist, kann man eine Holzkonstruktion wählen. Der Schutzraum benötigt keine Wärmequelle, denn auch –25 °C machen ihm nichts aus. Der Volierenboden muß umgegraben werden können, um das Keimen der Samen zu ermöglichen.
In einer sehr großen Voliere wäre die Haltung zweier Paare möglich, wenn genügend Nistgelegenheiten zu finden sind. Auch mit Bourke- und Nymphensittichen sind sie schon gut zusammengehalten worden. Die Zucht mit einem einzelnen Paar geht aber ruhiger und zufriedener vor sich und die Zuchterfolge sind besser. In der Wahl ihrer Brutstätten sind die Vögel nicht besonders wählerisch. Es werden Höhlen von 50 bis 60 cm Länge oder auch 2 m Länge angenommen. Die Bruthöhlen sind schräg zu stellen, da sich die Weibchen leicht auf das Nest fallenlassen und die Eier zerbrechen. Grundfläche der Niststätte etwa 23×23 cm, Einflugdurchmesser 9 cm.
Die Balz des Männchens ist sehr interessant. Unter hüpfenden und tanzenden Bewegungen dreht es sich auf dem Volierenboden um das Weibchen herum, um es unter drehenden Kopfbewegungen zu füttern. Auffällig ist dabei die starke Verengung der Pupillen. Sehr bald legen die Weibchen schon im März/April 4 bis 6 Eier, welche 18 bis 20 Tage von ihnen bebrütet werden. Während der Brutzeit wird das Weibchen vom Männchen gefüttert. Nach etwa 5 Wochen kommen die Jungvögel aus dem Nistkasten.
Schon im Spätherbst des Geburtsjahres beginnen die jungen Hähne mit Balzversuchen. Auch bei ihnen ist schon in diesem Zustand die Pupillenverengung zu bemerken. In der Regel sind Princess-of-Wales-Sittiche mit zwei Jahren zuchtreif; es kommen aber auch schon früher Zuchterfolge vor. Auch eine 2. Brut in einem Jahr ist keine Seltenheit.

Besonderheiten: Es sind schon blaue Farbmutationen gemeldet worden (1951 und 1962 in Australien). Wahrscheinlich ist aber bis heute noch keine Weiterzucht dieser Farbe gelungen.

Abb. 24.
Schildsittiche. Links das Männchen, rechts das Weibchen.

Schildsittich *(P. swainsonii)* (Abb. 24)

Kennzeichen: 37 bis 40 cm groß. Männchen: Grün; Vorderkopf, Wangen und obere Kehle gelb, untere Kehle rot, roter Schnabel, Iris gelbbraun. Weibchen: Grün; ohne gelbrotes Schild, Iris braun. Jungtiere: Grün; Geschlechter gleich gefärbt. Manchmal haben junge Männchen unter und über dem Schnabel einen leicht gelblichen Ton, und das Grün auf dem Kopf ist heller als beim Weibchen. Mit einigen Monaten zwitschern die jungen Männchen vor sich hin; selten sind nach dieser Zeit schon einige rote oder gelbe Federn zu sehen. Mit ungefähr 6 Monaten sind die Geschlechter an der verschiedenen Irisfärbung zu erkennen. Mit 12 bis 15 Monaten voll ausgefärbt.

Herkunft und Lebensweise: Inneres von Neusüdwales und nördliches Victoria. Der Schildsittich hat eines der kleinsten Verbreitungsgebiete

der australischen Sittiche, ist aber innerhalb dieses Landstriches recht häufig. In den trockenen Gebieten hält er sich in der Nähe der Flußläufe auf, während er in dem feuchteren Land sich nicht an diese gebunden fühlt. Auch er liebt die hohen Eukalyptusbäume und hält sich in diesen Waldstreifen auf. Auch während der Brutzeit ziehen diese Sittiche in kleinen Gruppen umher. Man findet ihre Eier in hohen, hohlen Ästen, in der Nähe der Flüsse.
Die Nahrung suchen sie sich auf dem Boden; Samen verschiedener Gräser, Luzerne, Hirtentäschelkraut, Distelsamen und in den Anbaugebieten auch Weizenkörner.

Allgemeines: Schild- oder Barrabandsittiche sind nicht so zutraulich wie die Princess-of-Wales-Sittiche. Frisch importierte Vögel sind sogar sehr scheu und beruhigen sich schwer. Bei solchen Tieren stellen sich manchmal Schrecklähmungen ein, die sich nur selten bessern. Die Füße zeigen eine Verkrampfung, so daß der Vogel nicht mehr sitzen kann. Auch auf die Augen ist besonders zu achten, da vor allem importierte Schildsittiche an Augenentzündungen leiden.
Die Stimme ist während der Brutzeit vor allem in den Morgen- und Abendstunden zu hören.
Preislich stehen sie mit den Princess-of-Wales-Sittichen etwa gleich. Auch bei dieser Art sind Weibchen sehr viel seltener.

Ernährung: Sonnenblumenkerne, Kanariensaat, Hafer, Weizen, Hirse, Unkrautsamen, Äpfel, Möhren und Vogelmiere. Zur Zucht zusätzlich gekeimte Samen und Weichfutter.

Haltung und Zucht. Im Haus: Der Schildsittich ist ein Freivolierenvogel. Man hat Nachahmungstalente und Nachpfeifen festgestellt.

Im Garten: Zur Zucht ist eine Voliere von mindestens 4 m angebracht. In zu kleinen Volieren sind die Eier oft unbefruchtet. Das Weibchen nimmt am liebsten große, baumstammähnliche Brutgelegenheiten an. Manchmal werden aber auch 50 cm hohe Naturbruthöhlen bezogen, welche immer im Innenraum stehen sollten. Grundfläche des Brutkastens etwa 25×25 cm. Bei der Balz springt das Männchen um das Weibchen herum; es sträubt dabei die Kopffedern und spreizt die Flügel. Dieser Vorgang kann schon viele Wochen vor Brutbeginn zu sehen sein.
Das Weibchen legt 4 bis 6 Eier, jeden 2. Tag ein Ei. Vom 2. Ei an werden diese 19 bis 20 Tage bebrütet. Bei Nestkontrollen muß man

vorsichtig sein, da viele Weibchen empfindlich sind. Im Alter von 5 Wochen verlassen die Jungen das Nest und werden dann 4 Wochen gefüttert. Die Jungen können ohne Bedenken bis zur nächsten Brutsaison bei den Eltern belassen werden. In der Regel wird nur eine Brut großgezogen, selten auch zwei. Weibchen können mit einem Jahr zuchtreif sein, aber die Männchen erst im 2. oder 3. Lebensjahr. Schildsittiche sind wetterhart und benötigen keinen erwärmten Schutzraum. Sie sind keine großen Nager. Auch können sie außerhalb der Brutzeit mit anderen Sittichen oder Vögeln zusammen gehalten werden.

Bergsittich *(P. anthopeplus)* (Abb. 25)

Kennzeichen: 40 cm groß. Männchen: Gelboliv; Schwingen und Schwanz schwarz, Rücken grünlich, mittlere Armschwingen und ein Teil der großen Flügeldeckfedern sind rot, Unterrücken und Bürzel gelb, Schnabel rot, Iris braun. Weibchen: Olivgrün; Innenrand der Schwanzfedern rosa gefärbt, Oberseite der Schwanzfedern dunkelgrün, Schnabel mattrot. Jungtiere: Wie Weibchen. Manchmal sind am gelberen Farbton die Jungmännchen zu erkennen. Nach etwa 6 bis 8 Monaten treten beim Männchen an Kopf und Brust gelbe Federn hervor. Mit 15 bis 18 Monaten voll ausgefärbt, aber im folgenden Jahr werden die Farben noch intensiver.

Herkunft und Lebensweise: SO-Australien und SW-Australien. Durch große Austrocknungen entstand im Süden Australiens eine Wüste. Auf diese Weise wurde das Verbreitungsgebiet der Bergsittiche gespalten. Bisher ist diese Art aber noch nicht in Rassen getrennt worden, obgleich die Bergsittiche im Südosten des Landes leuchtend gelbliche Farben und im Südwesten ein grünliches Federkleid haben. Vor gut 30 Jahren war der Bergsittich in den östlichen Gebieten fast ausgestorben, ist aber heute in einigen Landstrichen wieder häufiger geworden. In SW-Australien ist es geradezu umgekehrt, und er hat sich dort mit den riesigen Weizenanbaugebieten angefreundet, wo er in großer Zahl zu finden ist, aber immer in kleinen Gruppen umherstreifend, nie in großen Schwärmen. In den Eukalyptusbäumen suchen die Sittiche sich auch Insekten und Blütennektar; auf dem Boden Unkrautsämereien und Weizenkörner.
Sie brüten in sehr hohen Bäumen. Ihre Nistmulde befindet sich oft mehrere Meter unterhalb des Einflugloches. Die Brutzeit liegt zwischen August und Dezember.

Abb. 25. Bergsittich-Männchen. Bergsittiche sind prächtige Vögel, die sich besser für die Freivoliere als für die Käfighaltung eignen.

Allgemeines: Der Bergsittich ist der größte der Prachtsittiche. Die gelbliche Form wird der grünlichen vorgezogen, da sie farblich schöner wirkt. Dieser Sittich ist leider besonders anfällig für Schrecklähmung. Man kann sich abends noch über den prächtigen Vogel freuen, am nächsten Tag liegt er vielleicht schon auf dem Bauch und ist unfähig, seine Beine zu bewegen. Ein Waldkauz oder eine Katze mag diesen Schreck hervorgerufen haben.
Importierte Vögel werden jetzt in Holland und Belgien wieder angeboten. Einzelne Weibchen sind schwerer als Männchen zu bekommen.

Ernährung: Sonnenblumenkerne, halbreife Maiskolben, Kanariensaat, Hafer, geschält und ungeschält, Weizen, Hirsearten, vor allem Kolbenhirse, Waldvogelfutter, Möhren, Äpfel und Zwieback. Ferner Vogelmiere, Löwenzahn und Kreuzkraut. Zusätzlich zur Zucht: Gehacktes Hartei, einige Mehlwürmer oder deren Larven, viel Möhren, gekeimte Samen und Unkrautsaat.

Haltung und Zucht. Im Haus: Käfighaltung ist nicht zu empfehlen, obwohl er in seiner Heimat so gehalten wird. Er ahmt Worte nach und kann sehr zahm werden.

Im Garten: Seine Freivoliere sollte nicht kürzer als 5 m sein, da er dann auch leichter zur Zucht schreitet. Er nagt nicht viel und benötigt keine besonders feste Volierenkonstruktion.
Lange Bruthöhlen von 100 bis 150 cm Länge werden am leichtesten angenommen, da dieses auch den Naturverhältnissen entspricht. Bruthöhlendurchmesser etwa 25 × 25 cm, Einflugdurchmesser 9 cm.
Wie bei allen Prachtsittichen bettelt auch das Bergweibchen das Männchen um Futter an. Das Weibchen legt im April/Mai 4 bis 6 Eier und bebrütet diese 3 Wochen. Am Brutkasten oder in der Voliere wird das Weibchen vom Männchen gefüttert. Nach 6 bis 7 Wochen fliegen die Jungen aus, sie sind zuerst recht schreckhaft. In der Regel tritt die Zuchtfähigkeit mit 2 bis 3 Jahren ein.

Gattung: Rotflügelsittiche *(Aprosmictus)*

Folgende Arten werden besprochen:

Rotflügelsittich, *A. erythropterus* (2 Rassen)
Timor-Rotflügelsittich, *A. jonquillaceus* (2 Rassen)

Herkunft und Lebensweise: Australien, Neuguinea, Insel Timor und Wetar. Der Rotflügelsittich lebt in der Natur in kleinen Gruppen, oft aber auch in riesigen Schwärmen, wenn die Brutzeit beendet ist. Es soll ein unvergeßliches Bild sein, viele Hunderte dieser Vögel in den blühenden Akazienbäumen zu beobachten. In ihrer Heimat sind sie vor allem Fruchtfresser Beeren, die Früchte der wilden Passionsblume und halbreife Körner des Sudangrases werden besonders gern gefressen. Die Brutplätze befinden sich in den Höhlungen der riesigen Eukalyptusbäume.

Allgemeines: Der Rotflügelsittich (Scharlachflügel) gehört mit zu den beliebtesten Großsittichen. Noch vor 5 bis 10 Jahren gehörten sie zu den größten Seltenheiten, werden aber heute aus Liebhaberkreisen laufend angeboten. Am begehrtesten sind die größeren Australier, welche auf dem Rücken schwarz sind, während die Vögel der anderen Gebiete kleiner und auf dem Rücken mehr dunkelgrau bis grauschwarz sind.
Rotflügelsittiche gehören zu den härtesten Papageienarten. Vögel, die hier gezüchtet wurden, können selbst niedrigste Temperaturen ohne Schaden überstehen. Aus eigenen Erfahrungen kann berichtet werden, daß sie sich im Winter in der Freivoliere lieber einschneien lassen, als den geschützten Innenraum aufzusuchen.

Abb. 26. Lebensraum der Rotflügelsittiche in N-Australien.

Ernährung: Sonnenblumenkerne, Kanariensaat, Kolbenhirse, Silberhirse, etwas Hanf, Äpfel, Möhren, Vogelmiere, Löwenzahnblätter. Zusätzlich zur Zucht gekeimte Samen aller Art, gehacktes Hartei und aufgeweichtes, altes Weizenbrot.

Haltung und Zucht. Im Haus: Der Rotflügelsittich ist ein Vogel der Freivoliere. Aufgepäppelte Vögel werden sehr zahm und zutraulich.

Im Garten: Dieser große Sittich benötigt eine Voliere von mindestens 5 m Länge, wo er sich gut ausfliegen kann und seine Farbenpracht zur Geltung kommt. Voliere und Schutzraum können aus Holz gebaut sein, da der Rotflügel nur frische Äste benagt. Auch das Maschengeflecht braucht nicht besonders stark zu sein.
Während der Brutzeit darf auch diese Art nur paarweise gehalten werden. Außerhalb dieser Periode können andere Arten bei ihnen

sein. Direkt nebeneinander sollten zwei Rotflügelpaare nicht gehalten werden, da der Zuchterfolg in Frage gestellt werden würde.
Männchen sind durchweg erst im 3. Lebensjahr, Weibchen im 2. Lebensjahr zuchtreif. Bei einigen Rotflügeln liegt das Zuchtproblem in der Wahl der Brutstätte. Der Verfasser hatte zeitweilig bei 2 Paaren 6 verschiedene Brutmöglichkeiten in der Freivoliere und im Innenraum, da die Weibchen sich zuerst nicht entschließen konnten, ihre Eier an einen bestimmten Platz zu legen. Sie „verloren" sie, wo sie gerade zur Legezeit saßen. Endlich, im 4. Lebensjahr, entschloß sich das eine Weibchen, seine Eier in einen hohen Birkenstamm, welcher im Innenraum stand, abzulegen; das zweite weibliche Tier ebenfalls im Innenraum hinter einen hohen Eichenstamm auf dem Boden. Man sieht daran, daß jedes Rotflügelweibchen anders geartet ist. Eine Norm gibt es nicht. Man hört auch, daß diese Vögel lieber in der Freivoliere brüten, manchmal in normalen Bruthöhlungen, manchmal in großen Stämmen, welche 2 m Höhe haben. In einem anderen Fall brüteten sie in einer Apfelsinenkiste, die für Zwerghühner gedacht war. Es muß darum dringend empfohlen werden, mehrere verschiedene Brutgelegenheiten in der Freivoliere und im Innenraum anzubringen. Der Schlupflochdurchmesser soll 9 bis 10 cm betragen.
Im März/April wird das Männchen besonders lebhaft und treibt unter zirpenden Rufen sein Weibchen. In der Balzstellung fächert er seine Flügel unter dauernden „tui-tui"-Rufen. Schließlich bettelt das Weibchen das Männchen um Futter an. Schon im April werden 2 bis 4 Eier gelegt, welche vom Weibchen 19 bis 22 Tage bebrütet werden. Mehr als 3 Junge werden gewöhnlich nicht groß. Das Männchen füttert sein Weibchen 10 bis 14 Tage, um dann auch die Jungen im Brutkasten zu füttern, wenn das Weibchen diesen verlassen hat. Nach rund 6 Wochen verlassen die jungen Rotflügel ihren Nestplatz und werden noch weitere 4 Wochen vom Männchen gefüttert. Eine zweite Brut ist eine große Seltenheit.
Die Mauser tritt in den ersten Lebensjahren zwischen März und Juni ein, so daß dadurch oft eine Zucht verhindert wird. Von Jahr zu Jahr verschiebt sich diese aber in den Sommer hinein und geht nach dem 3. Lebensjahr meistens im Juli vonstatten.

Rotflügelsittich *(A. erythropterus erythropterus)* (Abb. 28)

O-Australien, S-Queensland und Neusüdwales.

Kennzeichen: 34 cm groß. Männchen: Blattgrün; Rücken und Schultern schwarz, Flügeldecken scharlachrot, Bürzel blau, Iris rotbraun,

Schnabel rötlich. Weibchen: Grün; Bürzel blau, Flügeldecken etwas rot gerandet, Schnabel fleischfarben. Jungtiere: Wie Weibchen, aber Iris schwarz. Mit etwa 18 Monaten bekommen die Männchen die ersten schwarzen Rückenfedern; im 3. Jahr vollständiges Altersgefieder. Die Geschlechter sind nur im Vergleich mit mehreren Vögeln an der Kopfform, Unterschwanzfedern und Flügeldeckfedern zu erkennen.

Neuguinea-Rotflügelsittich *(A. erythropterus coccineopterus)*

S-Neuguinea.

Kennzeichen: 32 cm groß. Männchen: Flügeldecken helleres Rot, Rükken und Schultern grauschwarz.

Timor-Rotflügelsittich *(A. jonquillaceus jonquillaceus)*

Insel Timor.

Kennzeichen: 30 cm groß. Männchen: Nur vordere Flügeldecken rot, hintere Flügeldecken olivgrüngelb. Unterseite der Schwanzfedern schwarz, aber an der Spitze gelblich. Das Schwarz auf dem Rücken fehlt. Weibchen: Schwanzfedern innen gelb gesäumt.

Wetar-Rotflügelsittich *(A. jonquillaceus wetterensis)*

Insel Wetar.

Gattung: Königssittiche *(Alisterus)*

Folgende Arten werden besprochen:

Königssittich, *A. scapularis* (2 Rassen)
Grünflügel-Königssittich, *A. chloropterus* (4 Rassen)
Amboina-Königssittich, *A. amboinensis* (5 Rassen)

Herkunft und Lebensweise: Australien, Neuguinea, Ceram, Amboina, Halmahera und umliegende kleine Inseln. Der majestätische Königssittich lebt in den bewaldeten und unterholzreichen Gebieten; einige Rassen an den Küsten, andere in gebirgigen Gegenden. Diese Sittiche ernähren sich hauptsächlich von Früchten, Beeren und Samen. In den

Abb. 27. Das Königssittich-Männchen (links) ist ein wahrhaft majestätisches Tier. Das Bild zeigt *A. scapularis*. Abb. 28. Der australische Rotflügelsittich (Männchen) hat einen schwarzen Rücken. Es sind sehr wetterharte, schöne Vögel.

kultivierten Provinzen suchen sie in großen Schwärmen die Maisfelder auf. Werden die Königssittiche nicht verfolgt, so kennen sie keine Scheu. Auf den großen Farmen fressen sie mit dem Geflügel aus einem Napf.

In den riesigen Eukalyptusbäumen brüten diese Tiere in hohlen Ästen oder in den Stammhöhlungen, in welche das Weibchen 4 bis 6 Eier legt.

Allgemeines: Dieser große und ruhige Sittich ist der Traum vieler Züchter, aber der heute noch hohe Preis verhindert eine weite Verbreitung. Auch importierte Vögel werden neuerdings wieder in Belgien und Holland angeboten, so daß eine Blutauffrischung gewährleistet scheint. Königssittiche sind schon bis zu 31 Jahre von einem

Liebhaber gehalten worden; noch ein Jahr vor dem Tod des Weibchens hatte dieses befruchtete Eier gelegt.
Untereinander sind diese Sittiche recht streitsüchtig, anderen Arten gegenüber aber friedlich.

Ernährung: Sonnenblumenkerne, Hafer, etwas Hanf, Perlmais, Weizen, Kolbenhirse, Erdnüsse, Möhren, Äpfel, andere Früchte und Vogelmiere. Zur Zucht zusätzlich eingeweichten Zwieback oder Weißbrot, gehacktes Hartei, frische Unkrautsämereien und gekeimtes Futter, eingeweichter Mais, Vogelbeeren, Hagebutten usw.

Haltung und Zucht. Im Haus: Der Königssittich ist kein Käfigvogel, wenn auch mit der Hand aufgezogene Vögel sehr zahm und anhänglich werden, auf die Schulter kommen und das Futter aus der Hand nehmen.

Im Garten: Die Freivoliere für Königssittiche muß mindestens 6 m lang, 1 m breit und 2 m hoch sein, der Innenraum 2 m^2 Grundfläche haben. Die Flugvoliere sollte mit wenig Ästen ausgestattet sein, um den Flug dieses großen Vogels nicht zu behindern. Ein großer Nager ist dieser Sittich nicht, so daß eine Holzverarbeitung der Voliere möglich ist. Der akklimatisierte oder hier gezüchtete Königssittich benötigt im Winter keine Wärmequelle, denn auch Frost kann ihm nichts anhaben.
Die Zucht dieser Vögel ist nicht leicht. Mehrere Brutgelegenheiten verschiedener Art müssen geboten werden. Bevorzugt werden 100 bis 200 cm hohe Naturstammhöhlen mit einem Durchmesser von etwa 30 bis 35 cm und einem Einflugloch von 10 cm Durchmesser. Das Weibchen erbettelt vom Männchen zur Brutzeit Futter. Füttert es sein Weibchen, so erhöhen sich die Bruterfolgschancen. Kommt auch im 3. Jahr keine Fütterung zustande, so kann nur ein Partneraustausch helfen, da Männchen und Weibchen nicht harmonieren.
Während der Balzzeit sträuben sich die Kopffedern des Männchens, und unter merkwürdigen Bewegungen und Lauten spreizt es ruckartig seine Flügel. Das Weibchen legt 4 bis 6 Eier und bebrütet diese 19 bis 21 Tage. Im Alter von etwa 6 Wochen fliegen die Jungen aus dem Nest. Die Weibchen sind in der Regel mit 2 Jahren zuchtreif und die Männchen im 3. Lebensjahr; erst dann sind sie ausgefärbt.
Australische Königssittiche *(A. scapularis)* sind mit dem Grünflügel-Königssittich, dem Rotflügelsittich und auch mit dem Schildsittich gekreuzt worden.

Königssittich *(A. scapularis)* (Abb. 27)

S-Queensland, Neusüdwales und Victoria.

Kennzeichen: 40 cm groß. Männchen: Kopf und Unterseite leuchtend rot, Schultern hellgrün, Nackenband und Bürzel blau, Rücken und Flügel dunkelgrün, Schnabel rötlich, Iris gelb. Weibchen: Grün; Bauch rot, Bürzel blau, Schnabel grauschwarz, Iris gelbbraun. Jungtiere: Wie Weibchen, aber gelblicher Schnabel. Weibliche Jungtiere haben oft nach einigen Monaten schon dunklere Schnäbel (vor allem der Oberschnabel). Mit gut 12 Monaten erscheinen an Kopf und Brust die ersten roten Federn beim Männchen. Im 3. Jahr ist das Männchen völlig ausgefärbt.

Grünflügel-Königssittich *(A. chloropterus)*

SO-Neuguinea.

Kennzeichen: 37 cm groß. Männchen: Fast die ganzen Flügel kraß hellgrün, dunkleres Rot.
Bis heute ist diese Art eine Seltenheit in Liebhaberhänden. Mit Sicherheit sind in England einige Zuchtpaare.

Amboina-Königssittich *(A. amboinensis)*

Insel Amboina und Ceram.

Kennzeichen: 37 cm groß. Männchen: Keine hellgrünen Schultern; Rücken, Flügelrand, Bürzel und Schultern blau, Flügel grün.
Seit 1970/71 gibt es diesen seltenen Sittich wieder in europäischen Liebhaberbeständen.

Gattung: Rotkappensittiche *(Purpureicephalus)*

Rotkappensittich *(P. spurius)*

Kennzeichen: 37 cm groß. Männchen: Oberkopf rot, übrige Oberseite grün, Kopfseiten gelbgrün, Brust, Bauch violettblau, Steißmitte, Unterschwanzdecken rot, Schnabel horngrau. Weibchen: Kleinere Kopfform als das Männchen, kein ausgeprägtes Rot am Oberkopf (manchmal einige rote Federn, manchmal bräunlichroter Oberkopf), blau verwaschene Unterseite. Jungtiere: Kurz vor dem Verlassen der Nisthöhle hat das junge Weibchen unter den Flügeln viele weiße Punkte; das junge Männchen dagegen nur etwa 6 weiße Punkte, welche es später verliert. Kopf grün, kleiner roter Streifen an der Stirn. Mit etwa einem Jahr ausgefärbt.

Herkunft und Lebensweise: SW-Australien. In den großen Eukalyptuswäldern ist dieser Sittich zu Hause, denn die Samen dieser Bäume bilden seine hauptsächlichste Nahrung. Er frißt sie sowohl von den Bäumen wie auch die heruntergefallenen Samen auf der Erde, welche er in den Krallen hält. Der sehr lange Oberschnabel hilft ihm bei dieser nicht leichten Aufgabe. Rotkappen nehmen aber auch Nektar aus den Blüten auf und fressen andere Früchte. So können sie in den Apfelplantagen eine Plage werden, denn es ist in diesem Gebiet die zweithäufigste Sittichart, und ein Apfel ist in knapp 15 Minuten völlig verzehrt. Rotkappensittiche fliegen immer in kleinen Gruppen, nie in riesigen Schwärmen.
Das Weibchen brütet sehr hoch in hohlen Bäumen oder Ästen seines Lieblingsbaumes, des Eukalyptus. Das Gelege ist recht groß und besteht oft aus 5 bis 7, manchmal auch 9 Eiern. Die Brutzeit fällt in unsere Spätsommer- und Herbstzeit. Nach dem Ausfliegen bleiben die Jungen noch sehr lange mit den Eltern zusammen.

Allgemeines: In Liebhaberkreisen ist der Rotkappensittich heute keine Seltenheit mehr, da er regelmäßig gezüchtet wird, wenn auch nur in beschränktem Maße. Trotz seiner schönen Farben lehnen ihn viele ab, weil er ein recht scheues Wesen hat. Man sollte aus diesem Grund nur in Volieren gezogene Vögel halten, da diese etwas ruhiger als importierte Vögel sind. Mit der Hand aufgezogene Vögel bringen die meiste Freude.
Die Stimme ist krächzend, fällt aber nicht unangenehm auf. Der Preis ist, wie bei vielen australischen Sittichen, immer noch recht hoch.

Ernährung: Sonnenblumenkerne, geschälter und ungeschälter Hafer, Weizen, Kanariensaat, Beeren, Erdnüsse, viel Äpfel und Grünes, frische Zweige zum Benagen. Zur Zucht besonders viel Äpfel, Vogelmiere und eingeweichten Zwieback.

Haltung und Zucht. Im Haus: Seines scheuen Charakters wegen kann eine Haltung im Haus nicht empfohlen werden.

Im Garten: Eine möglichst lange Voliere ist für diesen Sittich erforderlich. Eine Holzverarbeitung sollte vermieden werden, da diese Vögel sehr viel nagen (auch wenn man ihnen viele frische Zweige reicht). Der Schutzraum braucht im Winter nicht erwärmt zu werden, denn gegen tiefe Temperaturen sind sie unempfindlich.
Rotkappensittiche züchten oft schon im Alter von einem Jahr. Als Bruthöhle wird am liebsten ein hohler Naturbaumstamm angenommen. Höhe etwa 50 cm oder mehr, Einflugdurchmesser 8 bis 9 cm. Die Balz des Hahnes ist von besonderer Art. Er richtet die roten Kopffedern auf, spreizt seine Schwanzfedern, welche zum Rücken hin gehoben werden. Dabei hängen die Flügel herab, und so nähert sich das balzende Männchen dem Weibchen. Das Gelege besteht aus 4 bis 7 Eiern und wird 24 Tage vom Weibchen bebrütet. Das Männchen füttert das Weibchen aus dem Kropf, aber an der Jungenaufzucht beteiligen sich beide Eltern. Nach 5 Wochen verlassen die Jungen die Brutstätte und werden noch viele Wochen von den Eltern gefüttert.
Außerordentlich empfindlich ist das Weibchen gegen Brutstörungen jeglicher Art. Die Eier werden dann sofort verlassen. In unruhigen Volieren kommt diese Art gar nicht erst zum Brüten. Auch aus diesem Grund sind hier gezüchtete Vögel unbedingt den Importvögeln vorzuziehen. Viele Liebhaber geben die Eier gleich anderen Arten zur Bebrütung (Singsittich, Schildsittich), aber nach dem Ausfliegen der Jungen gibt es meistens neue Probleme, da die jungen Rotkappensittiche plötzlich keine Nahrung mehr von ihren Ammeneltern annehmen. So bleibt dann nur noch eine Aufzucht mit der Hand. Solche Vögel werden später ruhig und zutraulich, wie man es sich wünscht, und sind zur Weiterzucht sehr gut zu gebrauchen.

Gattung: Eigentliche Plattschweifsittiche *(Platycercus)*

Folgende Arten werden besprochen:

Gelbbauchsittich, *P. caledonicus*
Pennantsittich, *P. elegans* (7 Rassen)
Rosellasittich, *P. eximius* (3 Rassen)
Blaßkopfrosella, *P. adscitus* (2 Rassen)
Stanleysittich, *P. icterotis* (2 Rassen)
Brownssittich, *P. venustus*

Die Arten dieser Gruppe sind sehr nahe verwandt. Die Verbreitungsgebiete grenzen aneinander oder überlappen sich sogar. Aus diesem Grund sind auch in der Natur Mischlinge zu finden.

Sie haben alle ein sehr buntes Federkleid, der Schwanz ist stufig und breit und die Rückenfedern schwarz umsäumt.

Gelbbauchsittich *(P. caledonicus)*

Kennzeichen: 36 cm groß. Männchen: Stirn rot, Wangenfleck und Flügeldecken blau, übriger Kopf und Unterseite sattgelb, Bürzel grün. Weibchen: Kopf kleiner, schmaleres, rotes Stirnband; Unterseite etwas hellere Farben. Jungtiere: Im ersten Lebensjahr noch grün; mit etwa 16 Monaten ausgefärbt. Die Geschlechter sind nach Kopf- und Schnabelgröße zu bestimmen. Das Weibchen hat durchweg einen schwärzeren Schnabel.

Herkunft und Lebensweise: Tasmanien und umliegende Inseln. Vor allem im Norden und Nordosten der Insel ist der Gelbbauchsittich verbreitet und zieht die halboffenen Baumgebiete vor. Er nimmt den Blütennektar der Eukalyptusbäume, fällt in die Apfelplantagen ein und sucht sich verschiedene Beeren und Samen. Die Früchte der Heckenrose, die Hagebutten, haben dabei den Vorzug. Auch soll er Insekten und deren Larven nicht verschmähen.
Dieser Sittich brütet in den Astlöchern recht hoher Bäume, in welche er im Dezember 5 bis 8 Eier legt. Die Gelbbauchsittiche sind in ihrer Heimat nicht geschützt, da sie in den Obstkulturen Schaden anrichten.

Allgemeines: Rassereine Gelbbauchsittiche sind bis heute wenig bei den Liebhabern zu finden, denn der Preis für diese Vögel ist noch recht hoch. Auch gibt es naturbedingte Färbungsunterschiede.
Die Tiere im Osten und im Inneren Tasmaniens sind farbfreudiger als die von W-Tasmanien. Letztere sind mehr olivgrün und haben keine blauen Flügelzeichen.
Der Gelbbauchsittich ist nicht nur der größte, sondern auch einer der härtesten seiner Gruppe. In seiner Heimat ist oft Schnee und Eis. Seine ganze Gestalt wirkt gedrungen, da sein Körper kräftig ist und die Schwanzfedern nicht allzu lang sind.

Ernährung: Sonnenblumenkerne, geschälter und ungeschälter Hafer, Kanariensaat, Hirsearten, Äpfel, Möhren, vor allem die Beeren der Heckenrose (Hagebutten) und Weißdornbeeren, Vogelmiere, Baumblätter, Wegerichsamen und halbreifer Hafer. Zur Zucht zusätzlich erweichtes Weißbrot, ein Gemisch von Möhren mit gehacktem Hartei und Zwiebackmehl.

Haltung und Zucht. Im Haus: Der Gelbbauchsittich ist ein Freivolierenvogel und kommt für die Käfighaltung nicht in Frage.

Im Garten: Dieser Großsittich kann in einer Freivoliere mit ungeheiztem Schutzraum überwintert werden, denn er ist ein sehr wetterharter und verträglicher Vogel.
Im Vergleich zu anderen Sitticharten brütet er verhältnismäßig spät. Erst gegen Ende Mai sind seine Eier zu finden. Die Brutdauer beträgt etwa 20 Tage. Das Weibchen brütet allein und wird vom Männchen gefüttert. Der Brutkasten hat etwa 35 cm Durchmesser und eine Höhe von 45 cm; das Schlupfloch 8 cm Durchmesser. Es wurden 4 und 5 Junge großgezogen. Die Jungen sind möglichst lange bei den Eltern zu belassen.
Es wurden schon Gelbbauchsittiche von Stanleysittichen großgezogen, während die Aufzucht durch Rosellasittiche mißglückte. Weibchen sind mehr gesucht als Männchen.

Pennantsittich *(P. elegans)* (Abb. 29)

Kennzeichen: 33 bis 36 cm groß. Männchen: Karminrot; Wangen, Schwanzfedern und Flügel überwiegend blau, Rückenfedern schwarz mit roten Säumen, starker Schnabel und kräftige Kopfform. Weibchen: Kleinerer Kopf, schmaler Schnabelansatz. Jungtiere: Völlig grün bis fast rot. Nach 13 bis 15 Monaten Altersgefieder.

Herkunft und Lebensweise: Küstengebiete von O- und S-Australien. Die Pennantsittiche bewohnen die größeren Waldgebiete, die leider durch umfangreiche Rodungen immer mehr eingeschränkt werden. Aus diesem Grund ist der Bestand dieser Sittiche in ihrer Heimat zurückgegangen. Die nördlichen Vögel leben in sehr heißen Zonen, während die südlichen Rassen im Winter Frost mit Schnee erwartet. Dort sind Pennantsittiche sogar in 2000 m Höhe beobachtet worden. Sie ernähren sich von den Samen der Eukalyptusbäume, von Beeren, Früchten, teilweise auch von Insekten; auch suchen sie den Boden nach Sämereien ab.
Gebrütet wird in hohlen Ästen sehr hoher Bäume. Das Gelege besteht aus 4 bis 8 Eiern. In recht feuchten Jahren findet manchmal im Herbst eine zweite Brut statt.
Es ist schon viel über die „roten“ und „grünen“ Pennantsittiche geschrieben worden. Im warmen Norden Australiens lebt der „kleine rote Pennantsittich“ *(P. elegans nigrescens)*, während der „große grüne

Abb. 29. Der ausgefärbte rote Pennantsittich *(P. e. elegans)* ist einer der schönsten Großsittiche.

Pennantsittich" *(P. elegans elegans)* im südöstlichen Australien vorkommt. Ersterer verläßt schon in einem fast roten Federkleid die Bruthöhle, während die größere Rasse völlig grün aus dem Nest kommt. In den Überlappungsgebieten der beiden Rassen kommen gemischte Färbungstypen vor. Die dritte Rasse, *P. elegans melanoptera,* lebt auf der im Süden gelegenen Känguruh-Insel.

Allgemeines: Der Pennantsittich ist außerordentlich beliebt und bei den Liebhabern weit verbreitet. Die Stimme ist nicht unangenehm und nur in der Brutzeit stärker zu hören. Seinen Pfleger lernt er schnell kennen, und es ist keine Seltenheit, daß er ihm Leckerbissen

aus der Hand nimmt. Namentlich die Männchen werden schnell zutraulich.
Es kommt hin und wieder vor, daß – wahrscheinlich durch Ernährungsstörungen – das Gefieder leidet. Vor allem auf der Unterseite zeigt sich dann mehr oder weniger eine graue Federfarbe. Es gelingt nur selten, diese Gefiederfehler durch sehr abwechslungsreiches Futter und Vitamine zu bessern oder zu beseitigen.

Ernährung: Sonnenblumenkerne, Kanariensaat, manchmal Hafer oder Weizen, Silberhirse, Kolbenhirse, viel Äpfel und Möhren, Ebereschenbeeren, Hagebutten, Mehlbeeren, Weißdornbeeren und recht viel Vogelmiere, Löwenzahn (Blätter und Samenköpfe), Wegerichsamen und oft frische Zweige zum Benagen. Zur Zucht zusätzlich altes, eingeweichtes und ausgedrücktes Weißbrot, Zwieback, gehacktes Hartei, gekeimte Kolbenhirse und sehr viel Vogelmiere.

Haltung und Zucht. Im Haus: Auch dieser große Sittich ist ein Vogel der Freivoliere, obgleich ein mit der Hand aufgezogener Pennantsittich außerordentlich zahm wird. Sein rotes Federkleid würde auf die Dauer im Innenraum leiden, da er als Waldbewohner an eine gewisse Feuchtigkeit gebunden ist.

Im Garten: Die Freivoliere mit anschließendem Schutzraum sollte 4 bis 5 m nicht unterschreiten. Da bei dieser Sittichart das Nagebedürfnis stärker ausgeprägt ist, ist eine Eisenkonstruktion zu empfehlen. Auch der Innenraum muß aus einem festen Material gebaut sein. Es wurden schon 16 mm starke Bretter durchgenagt. Auch schwaches Maschengeflecht ist nicht ratsam. Man erspart sich Ärger und Verdruß, wenn diese Umstände vorher bedacht werden.
Die Kälte macht diesen Sittichen nichts aus, und es kommt oft vor, daß sie bei recht kühlem Wetter baden. Nur die kleinere rote und nördliche Rasse ist empfindlicher. Bei frisch importierten Vögeln ist darauf besonders zu achten.
Im zeitigen Frühjahr werden die Männchen zur Brutzeit sehr lebhaft und gegen andere Vögel unduldsam. In der Nachbarvoliere sollte kein Paar der gleichen Gattung gehalten werden. Eventuell ist eine doppelte Drahtbespannung zur nachbarlichen Vogelvoliere zu empfehlen. Auf der Suche nach Bruthöhlen sind sie nicht sehr wählerisch; es werden kleine und große Naturstämme und Kästen angenommen. Das Weibchen brütet aber in einem langen Naturstammkasten ruhiger und zuverlässiger. Es können bis zu 8 Eier gelegt werden, die vom

Weibchen 21 bis 22 Tage bebrütet werden. Nach gut 4 bis 5 Wochen sind die Jungen flügge und werden nach dem Ausfliegen noch 2 bis 3 Wochen gefüttert. Es kommt vor, daß schon einjährige Vögel erfolgreich Junge großziehen, obgleich sie noch nicht ihr rotes Federkleid haben. Selten ist eine zweite Brut zu erwarten.
Weibliche Pennantsittiche sind mehr gefragt als männliche Vögel.

Weitere geographische Rassen:

Fleurieu-Sittich *(P. elegans fleurieuensis)*

Halbinsel Fleurieu; S-Australien.

Kennzeichen: Hellrote, blasse Unterseite.

Adelaidesittich *(P. elegans adelaidae)*

S-Australien, Mt. Lofty Range.

Kennzeichen: Unterseite hyazinthrot, Bauchgegend noch heller, zuweilen mit gelblichen Tönen, die schwarzen Rückenfedern sind gelb gesäumt. Die Färbung ist sehr variabel, da diese Rasse eine Übergangsform ist.

Nördlicher Adelaidesittich *(P. elegans subadelaidae)*

S-Australien, Flinders Range.

Kennzeichen: Bauch fast gelb, Brust nur schwach rötlich, Rückenfedern gelb gesäumt und ohne Rot.

Strohsittich *(P. elegans flaveolus)*

Kennzeichen: 33 cm groß. Männchen: Strohgelb; Wangen, Flügelsäume und äußere Schwanzfedern blau, Stirnband rot, Rückenfedern schwarz, hellgelb umsäumt. Weibchen: Kopf und Schnabel kleiner als beim Männchen; rotes Stirnband, oft nicht so farbintensiv wie beim Männchen. Jungtiere: Unterseite verwaschen hellgelb. Nach 12 bis 14 Monaten ausgefärbt.

Herkunft und Lebensweise: Australien, im südlichen Neusüdwales. Der Strohsittich lebt in den trockeneren Gebieten und hält sich gern in den Eukalyptusbäumen auf, welche an den Flüssen stehen. Außerhalb der Brutzeit ziehen sie in Gruppen mehrerer Familien umher.

Allgemeines: Leider werden rassereine Strohsittiche noch nicht häufig in Liebhaberkreisen gefunden. Erst in neuerer Zeit sind endlich wieder Importe angeboten worden. Seiner Seltenheit wegen ist der Preis noch recht hoch.

Rosellasittich *(P. eximius eximius)* (Abb. 30, Farbbild 14 Seite 123)

Kennzeichen: 32 cm groß. Männchen: Kopf, Hals und Vorderbrust rot; weiße Wangen, Unterseite grüngelb, Rückenfedern schwarz, grüngelb gesäumt, Bürzel gelbgrün, Flügeldeckfedern und Schwanzfedern blau, Unterschwanzdeckfedern rot. Weibchen: Figur und Kopf kleiner als Männchen; Wangen nicht so reinweiß. Jungtiere: Mattere Farben, Kopf und Hals mehr grün als rot. Junge Weibchen noch weniger rot am Kopf als junge Männchen.

Herkunft und Lebensweise: Australien, S-Neusüdwales, Victoria und südöstliches S-Australien. Als ursprünglicher Savannenvogel ist er

Abb. 30. Rosellasittiche. Links das Weibchen, rechts das Männchen.

heute den Menschen in die kultivierten Gebiete gefolgt. Selbst in den Parkanlagen der großen Städte ist er häufig zu sehen. In Familienverbänden, manchmal auch größeren Schwärmen, geht er nach der Brutzeit auf Nahrungssuche: Weizen, Hafer, Grassämereien, Früchte, Beeren und Insekten. In den Apfel- und Birnenplantagen können die Rosellasittiche großen Schaden anrichten.
Der Rosellasittich brütet in hohlen Stämmen (Abb. 31), selten in größeren Höhen. Sogar am Bodengrund wurden Nester gefunden. Sein Gelege kann bis zu 9 Eier haben. Es werden durchweg zwei Bruten getätigt.

Allgemeines: Von allen *Platycercus*-Arten wird der Rosella von den Liebhabern am meisten gehalten und gezüchtet. Er ist zu jeder Zeit zu einem recht günstigen Preis zu bekommen. Es sind Fälle bekannt, wo er noch mit 20, ja 30 Jahren in Freivolieren gehalten wurde und sogar fruchtbar war. Die Stimme ist angenehm flötend.

Ernährung: Sonnenblumenkerne, Spitzsaat, Hirsearten, Äpfel, Möhren, Grünes, Ebereschenbeeren. Zur Zucht eingeweichtes Weißbrot, gekeimte Kolbenhirse.

Haltung und Zucht. Im Haus: Der Rosella ist schon mit Erfolg in einem großen Käfig gezüchtet worden. Allein gehaltene Jungtiere werden sehr zahm, was vor allem für die Männchen zutrifft. Sie flöten kurze Strophen und erlernen auch einige Worte. Die Käfige für eine Einzelhaltung sollten nicht unter 60 cm Länge sein, um dem Vogel Bewegungsfreiheit zu geben. Mindestens einmal am Tage sollte die Käfigtür geöffnet werden, um ihm im Zimmer Freiflug zu gewähren.

Im Garten: Für jeden Anfänger der Sittichliebhaberei ist der Rosella einer der geeignetsten Vögel. Er ist völlig winterhart und schon mit einer Voliere von 3 m Länge zufrieden. Da er kein Nager ist, kann der Schutzraum und das Volierengerüst aus Holz bestehen.
Zur Brutzeit kann der Rosella auch fremden Vogelarten gegenüber recht böse werden. So wurde dem Verfasser beinahe eine Diamant-Taube getötet. Andere wiederum sind friedlich. In der Nachbarvoliere sollten keine weiteren Rosellasittiche untergebracht werden, da sie während der Brutzeit recht aggressiv sein können.
Die Rosellasittiche sind nicht wählerisch und nehmen jede Brutgelegenheit an. Die Mindesthöhe der Brutkästen sollte etwa 40 cm, Grundfläche 25 cm, das Schlupfloch 8 cm sein. Sie brüten im Innenraum genauso wie in der Außenvoliere.

Abb. 31. Rosella-Brutbaum an einem Flußufer. Man hat die Nester der Rosellasittiche aber auch schon in Erdlöchern, in Uferböschungen und in Baumstubben nahe der Erde gefunden. In ihrer Heimat brüten sie zwischen September und Januar; in der Regel machen sie zwei Bruten hintereinander.

Wird der Hahn paarlustig, breitet er die Schwanzfedern aus und beginnt damit zu rütteln. Hat er erst einen Brutblock besichtigt und das Weibchen schlüpft hinterher, dann kann man ziemlich sicher sein, daß der Brutverlauf gut vonstatten gehen wird. Das Weibchen legt meist 5 bis 6, aber auch bis zu 9 Eiern. Jeden 2. Tag wird ein Ei gelegt, und mit dem 3. Ei beginnt die Brut. In 20 bis 21 Tagen schlüpfen die Jungen und verlassen mit etwa 4 Wochen ihr Nest. Nun erst fängt das Männchen mit der Direktfütterung der Jungen an, während es vorher nur das Weibchen fütterte. Nach 2 bis 3 Wochen sind die Jungvögel selbständig. Die Geschlechter sind bei der Nachzucht ziemlich gleich verteilt.
Es kommt oft vor, daß Rosellasittiche bereits im ersten Lebensjahr erfolgreiche Bruten machen. Bei jungen Paaren treten aber auch Mißerfolge in erster Brut auf. Zwei Zuchten in einer Saison sind keine Seltenheit. Diese Sittiche werden auch als Ammenvögel für nichtbrütende andere Großsitticharten benutzt, aber auch bei dieser Methode muß mit Fehlschlägen gerechnet werden.

Tasmanischer Rosella *(P. eximius diemensis)*

Tasmanien.

Kennzeichen: Das Rot an Kopf und Brust leuchtender und größere Ausdehnung auf der Unterseite als *P. eximius eximius;* sehr große, weiße Wangenflecken.

Prachtrosella *(P. eximius ceciliae)*

Inneres von S-Queensland und Neusüdwales.

Kennzeichen: Unterseite reingelbe Färbung; ebenso Rückenfedern reingelb.
Reine Rassen sind bei den Liebhabern kaum zu finden, da immer wieder gekreuzt wurde.

Blaßkopfrosella *(P. adscitus palliceps)*

Kennzeichen: 33 cm groß. Männchen: Kopf hellgelb, Wangen weißlich, unterseits blau gesäumt, Rückenfedern schwarz, goldgelb gesäumt, Unterseite blau bis hellblau, Bürzel bläulich. Weibchen: Kein sicherer Geschlechtsunterschied. Bei ausgefärbten Tieren sind die Farben beim Weibchen nicht so intensiv; Gestalt und Kopf etwas kleiner.

Jungtiere: Federkleid verwaschen, Kopf olivbraunrot. Manche haben einige rote Federn am Kopf, welche nach der ersten großen Mauser verschwinden sollen. Ausfärbung nach 12 bis 15 Monaten.

Herkunft und Lebensweise: Australien, Queensland, nördliches Neusüdwales. Die ganze Lebensweise gleicht der der Rosellasittiche. Er ist Savannenvogel, sucht auf dem Boden nach Samen aller Art, fliegt in die Obstplantagen oder Maisfelder, um sich seinen Teil zu holen. Auch sucht er in hohen Bäumen Beeren, Eukalyptussamen und Kerbtiere. Sein Nistplatz befindet sich aber wesentlich höher als der der Rosellasittiche, wenn auch die Nistmulde oft sehr viel tiefer als das Einschlupfloch liegt.

Allgemeines: Auch die Blaßköpfe sind häufig bei den Liebhabern und Züchtern zu finden. Preislich liegen sie höher als der Rosella- und Stanleysittich. Ausgefärbte Blaßköpfe mit roten Federn sind nicht rasserein, denn die Überbleibsel des Krieges wurden aus Not mit Rosellasittichen gekreuzt, so daß in vielen weiteren Generationen das Rot am Kopf bei ausgemauserten Vögeln erhalten bleibt. Wer Blaßköpfe kaufen will, sollte sich möglichst die Eltern ansehen oder sich Rassereinheit garantieren lassen.
Eine Schwierigkeit ist die Geschlechtserkennung. Bei gerade ausgeflogenen Jungen ist diese sicherer zu lösen als bei älteren Jungvögeln. Erst nach einem Jahr besteht die Möglichkeit der Geschlechtsbestimmung. Beim Vergleich mehrerer Tiere gleichen Alters ist die Frage Männchen oder Weibchen besser zu klären.
Die Stimme dieser Sittiche ist nicht unangenehm, aber etwas lauter als die der Stanley- oder Rosellasittiche.

Ernährung: Sonnenblumensamen, Spitzsaat, Hafer, etwas Hanf, Kolbenhirse, viele Unkrautsämereien, Vogelmiere, Äpfel und Möhren. Zusätzlich zur Zucht gekeimte Körner, eingeweichtes Weißbrot und verstärkte Gaben von Möhren, Äpfeln und Vogelmiere.

Haltung und Zucht. Im Haus: Wie alle Rosellaarten wird auch ein junger Blaßkopf sehr zahm. Von einer Zucht im Haus ist dem Verfasser nichts bekannt. Auch dieser Plattschweif gehört in die Freivoliere.

Im Garten: Hier gezüchtete Blaßköpfe (Importvögel sind empfindlich) können ohne weiteres unser Klima vertragen und kalt über-

wintert werden. Ein ungeheizter Schutzraum, trocken und zugfrei, darf allerdings nicht fehlen. Diese Sittichart nagt etwas stärker als der Stanley- oder der Rosellasittich, aber nicht so stark wie der Pennantsittich. Zu dünnes, altes Drahtgeflecht ist nicht zu empfehlen.
Der Brutablauf ist wie bei den Rosellasittichen. Es werden 5 bis 8 Eier im zeitigen Frühjahr gelegt. Gern benutzen die Weibchen höhere Brutstätten, zumal sie gegen Störungen empfindlich sein können. Der Verfasser hatte ein solches Weibchen. Das Männchen dagegen war besonders zutraulich und nahm Vogelmiere aus der Hand. Die Regel ist, daß diese Vögel erst im zweiten Lebensjahr erfolgreich brüten. Im ersten Jahr werden oft unbefruchtete Eier gelegt. Bei normalem Verlauf sind zwei Bruten in einer Saison vorgekommen.
Weibchen sind mehr gesucht als Männchen.

Blauwangenrosella *(P. adscitus adscitus)*

N-Queensland.

Kennzeichen: Breite blaue untere Wangen und grüngelber Bürzel. Diese seltene Nominalform wurde 1969 bei uns von PREUSSIGER zuerst gezüchtet, so daß ein kleiner Bestand vorhanden ist.

Stanleysittich *(P. icterotis icterotis)*

Kennzeichen: 28 cm groß. Männchen: Kopf und Unterseite rot, Wangen dunkelgelb, Rückenfedern schwarz, grün gesäumt. Weibchen: Stirnband rot, Kopf- und Unterseite rot-grün vermischt. Jungtiere: Überwiegend grünlich, mehr oder weniger rot am Kopf und Bauch, Wangenfleck nur angedeutet. Jungmännchen oft kräftigere Farben und stärkere Köpfe. Endgültige Ausfärbung mit 12 bis 15 Monaten.

Herkunft und Lebensweise: In seiner Heimat in SW-Australien ist der Stanleysittich ein sehr häufiger Vogel, wenn auch nicht ganz so zahlreich wie der Rosellasittich. Er folgt dem Menschen, kommt in die Gärten, sucht Weizen- und andere Felder nach Genießbarem ab. Auch in den Obstbäumen macht er sich zu schaffen. Da er aber nie in großen Schwärmen kommt, kümmern sich die Einwohner nicht viel um ihn. Auch er brütet in den so beliebten Eukalyptusbäumen. Die Brutzeit fällt in unseren Spätsommer.

Allgemeines: Ein äußerst beliebter „Plattschweif“ ist der Stanleysittich, auch Scharlachsittich genannt. Nach dem Rosella ist er in die-

Abb. 32. Blaßkopfrosella.

Abb. 33. Brownssittich.

ser Gruppe am preisgünstigsten zu bekommen. Seine flötende Stimme ist angenehm und unauffällig. Er wird zutraulich und benötigt bei seiner Größe keine große Räumlichkeit. Auch ist er anderen Arten gegenüber friedlich. Jedem Anfänger kann zu diesem hübschen Vogel geraten werden.

Ernährung: Kanariensaat, Sonnenblumenkerne, Hirsearten, Waldvogelfutter, Leinsaat, Hafer, Weizen, Vogelmiere, Löwenzahnköpfe, Hirtentäschelkraut, Wegerichsamen, Apfel und Möhre. Letzteres vor allem zur Aufzucht mit gekeimten Samen; ferner gehacktes Hartei.

Haltung und Zucht. Im Haus: Junge oder mit der Hand aufgezogene Stanleysittiche werden außerordentlich zahm und anhänglich. Auch hier sind es vor allem die männlichen Vögel. Zuchten in Hausbodenvolieren von 3 m Länge sind gelungen. Vier bis sechs Junge wurden Jahr für Jahr großgezogen.

Im Garten: Eine 3 m lange Freivoliere ist für diesen Sittich ausreichend. Der Innenraum braucht im Winter nicht erwärmt zu werden. Holz wird durch seinen Schnabel nicht beschädigt.
Der Stanleysittich züchtet oft schon im ersten Lebensjahr mit Erfolg, selbst wenn die Ausfärbung noch nicht vollendet ist. Das Gelege von 5 bis 8 Eiern wird vom Weibchen 20 Tage bebrütet. Nach gut 4 Wochen kommen die Jungen aus dem Brutkasten; sie sollten noch etwa 5 Wochen bei den Eltern bleiben, da sonst leicht Verluste eintreten können.
Die Weibchen neigen besonders bei noch kühler Witterung zu Legenot. Es ist darum zeitig etwas Lebertran in das Futter zu mischen. Die Nachfrage nach Weibchen ist etwas größer als nach Männchen.

Östlicher Stanleysittich *(P. icterotis xanthogenys)*

Inneres von SW-Australien.

Kennzeichen: Größer als voriger, Wangen hellgelb, Rückenfedern rot gesäumt, Unterseite rot mit gelblichen Tönen.

Brownssittich *(P. venustus)* (Abb. 33)

Kennzeichen: 29 cm groß. Männchen: Kopf schwarz, Wangenfleck weiß; unterer Rand blau eingefaßt. Rückenfedern schwarz mit gelber Umsäumung, Unterseite gelblich, Unterschwanzdeckfedern rot, Schwanzunterseite hellblau. Weibchen: Manchmal Kopffarbe nicht so pechschwarz wie beim Männchen, Unterseite nicht so intensiv gelb. Kopf- und Schnabelunterschied nicht immer gegeben. Jungtiere: Verwaschene Farben. Mit 12 bis 14 Monaten ausgefärbt.

Herkunft und Lebensweise: Australien, nördlicher Kimberley-Bezirk und nördliches Nord-Territorium. In savannenartigen Gebieten und lichten Wäldern lebt der Brownssittich. Er ist auch schon direkt an der Küste in den Mangroven festgestellt worden. Während er früher als recht häufig bezeichnet wurde, ist er heute ein seltener Vogel seiner Heimat. Dieser Rückgang ist ungeklärt, zumal in diesen Gebieten keine großen Veränderungen durch menschliche Hand vorgenommen worden sind.
Er ernährt sich von Samen, Früchten und Beeren. Seine heimatliche Brutzeit fällt in unseren tiefen Winter. Dieser Sittich bevorzugt sehr hohe Bruthöhlen. CAYLEY (Australien) sagt, daß der Brownssittich nur

2 bis 3 Eier legt. Das wäre ein Gegensatz zu allen anderen verwandten Arten und dürfte sicher nicht die Regel sein.

Allgemeines: Der Brownssittich ist der seltenste der Eigentlichen Plattschweifsittiche. Wenn er auch in neuester Zeit wieder aus Importen angeboten wird, so ist sein Preis noch überaus hoch. Importvögel sind empfindlich und müssen langsam akklimatisiert werden.

Ernährung: Kanariensaat, Sonnenblumenkerne, Silberhirse, Kolbenhirse, geschälter Hafer, etwas Hanf, Leinsamen, Negersaat, Äpfel, Möhren und Vogelmiere. Zur Zucht zusätzlich viel Vogelmiere, gehacktes Hartei und Möhren.

Haltung und Zucht. Im Haus: Der Brownssittich wird seines hohen Preises wegen nur als Zuchtvogel gehalten. Die Züchtung auf dem Dachboden müßte gut möglich sein, da diese Art ein Winterbrüter ist. Es wäre darum ratsam, eine Wärmequelle zu schaffen, damit die Sittiche brutlustig werden und gegebenenfalls die Jungen nicht verklammen. Nur selten brütet der Brownssittich schon im August. Das Gelege besteht aus 4 bis 7 Eiern, welche fast 3 Wochen vom Weibchen bebrütet werden. Nach gut 4 Wochen verlassen die Jungen den Brutkasten.
Die Mißerfolge bei den Liebhabern sind oft sehr groß, weil diese Sittiche sich nicht mit der Brut auf unsere warmen Monate umstellen. Haben sie aber im Frühjahr einmal Eier, sind sie meist unbefruchtet.

Im Garten: Dieser Sittich kann genauso gut in einer Freivoliere gehalten werden. Der Innenraum müßte möglichst groß und beheizbar sein, wenn man Zuchterfolge erwarten will.

Gattung: Ringsittiche *(Barnardius)*

Folgende Arten werden besprochen:

Kragensittich, *B. zonarius* (5 Rassen)
Barnardsittich, *B. barnardi* (3 Rassen)

Die Ringsittiche wurden früher den Plattschweifsittichen angegliedert, haben aber im Vergleich zu diesen doch so unterschiedliche Merkmale, daß diese Eingruppierung nicht mehr aufrechterhalten werden konnte. Besonders auffällig ist der gelbe Halsring. Im Gegensatz zu den Plattschweifsittichen sind die Rückenfedern nicht umsäumt.

Kragensittich *(B. zonarius semitorquatus)*

Kennzeichen: 39 cm groß. Männchen: Kopf schwarz, Stirnband rot, Nackenring gelb, Wangen dunkelblau, Brust dunkelgrün, Bauch grüngelb und Rücken grün. Weibchen: Kopf und Schnabel kleiner als beim Männchen, Kopffarbe nicht so leuchtend schwarz, der gelbe Nackenring schmaler und blasser gefärbt als beim Männchen; oft auch der rote Stirnring weniger stark als beim Männchen. Jungtiere: Verwaschene Farben. Geschlechter im Brutkasten oder gleich nach dem Ausfliegen an der Schnabelgröße zu erkennen. Jungmännchen größer als junge Weibchen.

Herkunft und Lebensweise: Australien; hauptsächlich in den südwestlichen Küstenbereichen. In seinem Gebiet ist er die häufigste Sittichart und wird darum in seiner Heimat auch nicht geschützt. In vielen kleinen Gruppen fallen diese Vögel in die Gärten, Obstplantagen und Getreidefelder ein, wo sie großen Schaden anrichten können. Ferner ernähren sie sich von Unkrautsämereien, Beeren, Blattknospen und vor allem von den noch nicht ausgereiften Eukalyptussamen.
Die Kragensittiche halten sich auch außerhalb der Brutzeit in Paaren zusammen. Sie brüten in den Astlöchern sehr hoher Bäume. Das Weibchen bebrütet seine 5 bis 7 Eier allein, während das Männchen in der Nähe Wache hält. Die Jungvögel bleiben recht lange bei den Eltern.

Allgemeines: Der Kragensittich ist in neuerer Zeit mehr und mehr bei den Liebhabern zu finden. Importierte Vögel werden oft in Holland und Belgien angeboten. Seines merkwürdigen Rufes wegen wird er im Englischen auch „Twenty-eight parrakeet“ genannt. Weibchen sind mehr als Männchen gesucht.

Ernährung: Hafer, geschält und ungeschält, Weizen, Sonnenblumen, Kanariensaat, Hirsearten, Möhren, Äpfel, Vogelmiere, Löwenzahn und Ebereschenbeeren. Zur Zucht besonders viel Grünfütter, gekeimte und reifende Sämereien, gehacktes Hartei oder altes, eingeweichtes und ausgedrücktes Weißbrot.

Haltung und Zucht. Im Haus: Der Kragensittich ist ein Volierenvogel. In seiner Heimat wird er von vielen Liebhabern mit der Hand aufgezogen und gezähmt. Viele Kragensittiche ahmen Worte nach und lernen pfeifen.

Im Garten: Seine Freivoliere sollte eine Länge von mindestens 5 m haben. Holz oder schwaches Maschengeflecht dürfen keine Verwendung finden, da sein kräftiger Schnabel solches Material beschädigen würde. Unser Winter kann dem Kragensittich nichts anhaben, so daß sich eine Wärmequelle erübrigt.
Die Balzspiele dieser Vögel sind sehr interessant, und es kommt vor, daß sie dabei auf der Erde Purzelbäume schlagen.

Bauers Ringsittich *(B. zonarius zonarius)*

Kennzeichen: 36 cm groß. Männchen: Rotes Stirnband fehlt, Kopf schwarz, breites, gelbes Nackenband, Oberbrust dunkelgrün, schuppig wirkend, Oberbauch und Bauchseiten gelb. Weibchen: Gleiche Färbung. Manchmal an der Kopf- und Schnabelgröße zu erkennen. Die Balzstellung des Männchens beachten. Jungtiere: Kopf braunschwarz, etwas verwaschene Farben. Alterskleid mit 12 bis 14 Monaten.

Herkunft und Lebensweise: S-Australien. Auch der Bauers Ringsittich ist ein abgehärteter Vogel, dem die Kälte nichts anhaben kann. Er hat ein zutrauliches Wesen und ist nicht scheu. Große Naturstammnisthöhlen werden bevorzugt. In der Regel werden 4 bis 5 Eier gelegt, aber es sind auch schon Gelege mit 7 bis 8 Eiern vorgekommen. Die Legezeit in seiner Heimat fällt in unsere Herbstzeit, während er bei uns gern im ganz zeitigen Frühjahr brütet.

Barnardsittich *(B. barnardi barnardi)*

Kennzeichen: 33 cm groß. Männchen: Stirnband dunkelrot, Kopf braungrün, gelbes Nackenband, Oberseite blaugrün, Wangen hellblau, Unterseite grün und Bauch gelblich. Weibchen: Mattere Kopffarben, Kopf kleiner und schmaler als Männchen. Jungtiere: Verwaschene Farben, Unterseite kein Gelb. Ausfärbung mit 12 bis 14 Monaten.

Herkunft und Lebensweise: Inneres von Neusüdwales und Queensland. Der Barnardsittich bewohnt die buschigen Eukalyptusbestände und Savannen. Er meidet die kultivierten Gebiete und kommt nur selten zu den Farmen. In manchen Landstrichen ist er recht selten geworden.
Seine Nahrung besteht aus allerlei Sämereien, Früchten, Beeren, Blütennektar und Termiten; ferner aus den Samen und Blütenknospen der Eukalyptusbüsche.

Der Barnardsittich brütet von August bis November in hoch gelegenen Höhlungen. Das Gelege besteht aus 4 bis 6 Eiern.

Allgemeines: Wie der Kragensittich ist auch der Barnardsittich keine Seltenheit mehr. Er wird billiger als der Kragensittich angeboten. Importierte Vögel sind zuerst sehr wild, wodurch die Sterblichkeit solcher Vögel noch erhöht wird. Bei Wutanfällen beißen sie ihresgleichen und jeden anderen Vogel. Es ist darum bei importierten Tieren besondere Vorsicht geboten.

Ernährung: Sonnenblumenkerne, Weizen, Hafer, Kanariensaat, Hirse, Äpfel, Möhren, Ebereschenbeeren, Hagebutten und Vogelmiere. Zur Aufzucht gekeimte Sämereien oder halbreife Unkrautsämereien.

Haltung und Zucht. Im Haus: In ihrer Heimat werden sie hin und wieder mit der Hand aufgezogen, sind dann sehr zahm und lernen flöten.

Im Garten: In einer mindestens 4 m langen Freivoliere wird dieser Ringsittich paarweise gehalten. Eine Verarbeitung mit Holz sollte besser unterbleiben, da auch dieser Sittich es mit seinem Schnabel zerstören könnte.
Hier gezüchtete Vögel können unser winterliches Klima gut vertragen. Die Zucht ist nicht einfach und bedarf oft großer Geduld. Die Brutzeit beträgt 21 bis 22 Tage, die Nestlingszeit 4 bis 5 Wochen.

Cloncurrysittich *(B. barnardi macgillivrayi)*

Queensland, im Gebiet der Stadt Cloncurry.

Kennzeichen: 32 cm groß. Männchen und Weibchen: Oberkopf grün, kein rotes Stirnband, Wangen und Kehle blau, Nackenring gelb, sonstige Oberseite und Brust grün, übrige Unterseite dunkelgelb, Unterschwanzfedern und Flügelsaum blau.
Dieser Sittich ist heute noch eine große Seltenheit und wird erst von wenigen Liebhabern gehalten. Erstmalig gelangen bei uns 1969 zwei Zuchten; 2 und 3 Junge wurden groß.

Südaustralischer Barnardsittich *(B. barnardi whitei)*

Nördliches S-Australien.

Kennzeichen: Oberseite dunkelgrün mit orangerotem Stirnband, sonst wie *B. barnardi barnardi.*

Gattung: Laufsittiche *(Cyanoramphus)*

Folgende Arten werden besprochen:

Ziegensittich, *C. novaezelandiae* (9 Rassen)
Springsittich, *C. auriceps* (2 Rassen)

Herkunft und Lebensweise: Neuseeland und umliegende kleine Inseln. Vor etwa 100 Jahren waren die Laufsittiche in Neuseeland und auf den benachbarten Inseln eine Plage. Riesige Schwärme fielen in die Weizenfelder ein und richteten großen Schaden an. Die Farmer dezimierten die Vögel ganz beträchtlich, so daß heute schon zwei Arten als ausgestorben gelten. Andere Arten haben sich nur noch auf den unbewohnten Inseln gehalten. In den letzten Jahren bemühten sich nun dortige Liebhaber, die Ziegen- und Springsittiche vor dem Aussterben zu retten. Zum großen Teil leben sie auf einem Breitengrad, welcher Norddeutschland und Dänemark entspricht. Sie brüten in Höhlen abgestorbener Bäume; manchmal auch in Felsspalten. Die Laufsittiche ernähren sich von Beeren, Samen und teilweise auch Insekten.

Allgemeines: Erst seit kurzer Zeit sind durch Importe wieder Laufsittiche angeboten worden. Der Preis war anfänglich recht hoch, geht aber durch erfolgreiche Vermehrung verhältnismäßig schnell zurück. Diese Sittiche halten sich viel am Boden auf, und ihre kräftigen Beine erlauben es, ohne Schnabelhilfe am Gitter senkrecht hinaufzuklettern. Eine weitere Eigenart ist das Scharren mit den Füßen, wenn sie am Boden auf Futtersuche sind. Auch die teilweise hüpfende Fortbewegung kennzeichnet diese Gattung. Der Ruf ist angenehm und hat die Ähnlichkeit mit dem Meckern eines Zickleins. Alle Laufsittiche haben eine recht leise Stimme, die sich absolut nicht papageienhaft anhört. Nicht die Farben, sondern das so drollige Benehmen und die schnelle Zutraulichkeit machen diese Vögel so beliebt. Das häufige Baden der Laufsittiche ist besonders auffällig.

Ernährung: Sonnenblumen, Kanariensaat, Hanf, allerlei Unkrautsämereien, Hafer, Weizen. Viel Grünfutter und halbreife oder gekeimte Sämereien. Gehackte Möhren und Äpfel. Beeren aller Art, vor allem die der Eberesche (Vogelbeeren). Knospen der Obstbäume. Zur Zucht fertiges Ei-Trockenfutter oder selbstbereitetes Eifuttergemisch mit flockigem, eingeweichtem und ausgedrücktem Weißbrot.

Ziegensittich *(C. novaezelandiae)*

Neuseeland.

Kennzeichen: 25 cm groß. Männchen: Grün; Stirn und Vorderkopf rot, Schnabel bleigrau, hinter den Augen und an den Bürzelseiten je ein roter Fleck; der Flügelbug dunkelblau, Iris rot. Weibchen: Der rote Fleck hinter dem Auge kleiner und nicht so intensiv rot wie beim Männchen. Iris orangerot, Schnabel kleiner. Jungtiere: Trübes Olivgrün, rote Zeichnungen nur angedeutet, Füße heller.

Haltung und Zucht. Im Haus: Trotz seiner Kleinheit sollte man dem Ziegensittich einen möglichst langen Käfig geben, damit er sich auslaufen kann. Er wird sehr zutraulich und gibt Worte wieder. Als Laufvogel benötigt er nur wenige, aber dickere Sitzstangen, welche seinem Laufbedürfnis Rechnung tragen.

Im Garten: Ein idealer Volierenvogel; friedlich, zutraulich und gut züchtbar. Eine sehr große Futterschale mit hohem Rand ist erforderlich, da dieser Sittich das Futter oft mit den Füßen fortscharrt. Kleine Gefäße oder Schalen sind schnell umgestürzt.
Das Gelege besteht aus 5 bis 9 Eiern; jeden 2. Tag wird ein Ei gelegt. Eine Naturnisthöhle (Starenkastengröße), im Innenraum aufgehängt, wird am liebsten angenommen. Die Brutzeit beträgt 21 Tage. Das Weibchen brütet allein und füttert auch die ersten drei Wochen die Jungen. Rund 4 Wochen bleibt es intensiv bei ihnen im Kasten, dann erst füttert auch der Hahn direkt die Jungen. Das Weibchen wird bei jeder Gelegenheit vom Männchen gefüttert. Die Haltung mit anderen Vogelarten ist möglich; Ziegensittiche sind harte Vögel, welche kalt überwintert werden können.

Springsittich *(C. auriceps)* (Abb. 34)

Neuseeland.

Kennzeichen: 23 cm groß. Männchen: Grün; schmales, rotes Stirnband, Oberkopf orangegelb; an jeder Seite des Bürzels zwei rote Flecke, Iris dunkelrot, Schnabel bleigrau. Weibchen: Gestalt und Schnabel auffällig kleiner; Iris orangerot. Jungtiere: Augen dunkel, die Farben der Stirn sind matter als bei den Alttieren.

Haltung und Zucht. Im Haus: Wie vorige Art. Stimme noch leiser.

Abb. 34. Springsittich-Weibchen.

Im Garten: Die Zuchtfreudigkeit dieses Sittichs ist noch größer als bei dem Ziegensittich. In einen Starenkasten werden 4 bis 9 rundliche, weiße Eier gelegt, welche 19 bis 21 Tage vom Weibchen bebrütet werden. Nach etwa 5 Wochen verlassen die Jungvögel das Nest. Das Männchen füttert das Weibchen. Schon in einem Lebensalter von 5 Monaten wurde ein Gelege getätigt. Es ist aber nicht ratsam, die Vögel früher als mit einem Dreivierteljahr brüten zu lassen. Sie sind verträglich und stören andere Vögel nicht. Kreuzungen zwischen Spring- und Ziegensittich sind bekannt.

Bei dem Verfasser brütet das Weibchen in einem engen, etwa 1 m langen Naturbaumstamm.

Gattung: Singsittiche *(Psephotus)*

Folgende Arten werden besprochen:

Singsittich, *P. haematonotus*
Vielfarbensittich, *P. varius*
Paradiessittich, *P. pulcherrimus*
Goldschultersittich, *P. chrysopterygius* (2 Rassen)
Blutbauchsittich, *P. haematogaster* (4 Rassen)

Zwischen den Eigentlichen Plattschweifsittichen und den kleinen Grassittichen steht die Gruppe der Singsittiche. Es sind Bewohner trockener Gebiete, welche in den Savannen und Steppen leben. Im Gezweig sind sie weniger geschickt, aber ihr Flug ist besonders kräftig und zeigt eine Bogenform. Ist die Brutzeit vorbei, dann rotten sie sich zu Hunderten zusammen. Die Gattung umfaßt 5 Arten.

Singsittich *(P. haematonotus)*

Kennzeichen: 28 cm groß. Männchen: Blaugrün; Bürzel rot, Bauch gelb. Weibchen: Graugrün; keinen roten Bürzelfleck. Jungtiere: Federkleid wie die Eltern, aber mattere Farben und heller Schnabel, dunkle Augen. Junghähne zeigen nur etwas Rot auf dem Bürzel (schon im Brutkasten). Im Herbst des 1. Jahres ausgefärbt.

Herkunft und Lebensweise: Australien; Neusüdwales, Victoria und östliches S-Australien. In den trockenen Gebieten O-Australiens wird der Singsittich in großer Zahl gesehen und darum von der heimischen Bevölkerung nicht mehr beachtet. Sie kommen in die Gärten, auf die Farmen und selbst in die Städte.
Ihre Nahrung besteht vor allem aus allerlei Unkrautsämereien, aber die Getreidefelder lassen sie in Ruhe. In den Gärten allerdings können sie ziemlichen Schaden anrichten. Die Paare, die das ganze Jahr eng zusammenhalten, kraulen sich, was nur bei wenigen australischen Sittichen zu beobachten ist. Die Brutstätten sind von vielfältiger Art. Man findet sie nicht nur in Baumhöhlungen, sondern auch in Uferböschungen, in Hausdächern oder alten Sperlingsnestern.

Allgemeines: Der Singsittich ist einer der am meisten gehaltenen Papageienarten. Er ist der richtige Vogel für Anfänger. Aber auch erfahrene Züchter möchten ihn oft nicht missen, da er hin und wieder

zur Aufzucht anderer Vogelarten, welche möglichst aus seiner Familie kommen sollten, benutzt wird. Ein weiterer Vorteil ist die so leichte Erkennung der Geschlechter im Nistkasten.
Singsittiche sind wie auch Nymphensittiche sehr preisgünstig und zu jeder Jahreszeit zu beschaffen. Die Stimme ist ein sehr angenehmer Plaudergesang; der deutsche Name ist also gut gewählt.

Ernährung: Kanariensaat, Sonnenblumenkerne, Hirsearten, Leinsamen, Negersaat, Unkrautsämereien und Vogelmiere. Zur Zucht gekeimte Kolbenhirse als zusätzliches Futter, viel Grünes und halbreife Sämereien.

Haltung und Zucht. Im Haus: Singsittiche sind selten zutraulich und könnten höchstens in Dachbodenvolieren gezüchtet werden. Nur mit der Hand aufgezogene Männchen wären für die Käfighaltung geeignet, müßten aber einmal am Tag Zimmerfreiflug erhalten.

Im Garten: Auch diese Sittichart ist ein idealer Freivolierenvogel und nimmt schon mit einer kleineren Voliere vorlieb. Bei dem Verfasser brüteten sie zweimal im Jahr in einer 2 m langen Voliere. Sie sind keine Holzzerstörer und greifen auch kein schwächeres Maschengeflecht an. Der Innenraum braucht nicht gewärmt zu werden.
Der Singsittich brütet in der Innen- wie auch in der Außenvoliere. Auf der Suche nach Bruthöhlen ist er nicht wählerisch. Sie sollten etwa einen Durchmesser von 23 cm und eine Höhe von 40 cm haben; Einflugdurchmesser 7 cm. Schon im März/April legt das Weibchen 4 bis 7 Eier und bebrütet sie 19 bis 20 Tage. Nestkontrollen werden nicht verübelt. Das Männchen füttert sein Weibchen oft, denn dieses geht selten vom Nest. Nach gut 4 Wochen verlassen die Jungen ihren Nistkasten und werden noch 2 bis 3 Wochen gefüttert. Sowie das Männchen die Jungen jagt, müssen diese herausgefangen werden, denn oft schreitet das Paar zur zweiten Brut und will dann von seinen Jungen nichts mehr wissen. Singsittiche brüten schon im ersten Jahr, legen aber oft in diesem Alter weniger oder unbefruchtete Eier. Bei der Nachzucht mangelt es meistens an Weibchen.

Besonderheiten: In neuerer Zeit sind recht viele „gelbe“ Singsittiche (aufgehellte Mutation) gezüchtet und angeboten worden. Die Farbe ist aber keineswegs gelb zu nennen. Diese aufgehellten Vögel sollen zuerst in einer englischen Vogelfarm im Jahre 1935 aufgetaucht sein. Mühsam ist damals ein Stamm aufgebaut worden.

Farbbild 1. Die Orangehaubenkakadus (Cacatua s. citrinocristata) sind eine der 6 Rassen der Gelbwangenkakadus. Hier zwei Männchen.

Vielfarbensittich *(P. varius)*

Kennzeichen: 30 cm groß. Männchen: Bläulichgrün; Brust und Vorderbauch grün, Hinterbauch und Schenkel rot, Steiß gelb, Stirn gelb, Scheitel rot, Schulterfleck gelb. Weibchen: Braungrün mit einem hellroten Schulterfleck. Auf dem Hinterkopf ein braunroter Fleck. Jungtiere: Den Eltern ähnlich, aber matter, Schnabel hornfarbig. Die jungen Männchen haben schon im Nest eine grünliche Farbe. Voll ausgefärbt mit 12 bis 14 Monaten.

Herkunft und Lebensweise: Die inneren Gebiete ganz Australiens. In den trockenen und nur wenig bewachsenen Gebieten Inneraustraliens lebt der Vielfarbensittich. In SO-Australien überschneidet sich sein Vorkommen mit dem des Singsittichs. Da viele Waldgebiete gerodet worden sind, hat er sich vor allem im Südwesten Australiens weiter ausdehnen können.
Seine Nahrung sucht er fast nur auf dem Boden. Samen von verschiedenen Gräsern, Beeren und Früchte, aber auch Larven sind bei Magenuntersuchungen gefunden worden.
In den hohlen Ästen der Eukalyptusbäume ziehen sie ihre 4 bis 6 Jungen groß. Als Binnenlandvogel richten sich seine Bruten nach den Niederschlägen. In sehr trockenen Jahren werden wesentlich weniger Junge als in regenreichen Jahren großgezogen. Wie auch beim Singsittich kraulen sie sich gegenseitig das Gefieder.

Allgemeines: In jüngster Zeit haben sich die Vielfarbensittiche bei den Liebhabern erheblich vermehrt. Der noch vor einigen Jahren selten gehaltene und sehr teure Vogel wird heute aus einer ganzen Reihe von Zuchten angeboten.
Die Farben dieser Sittiche variieren sehr, sowohl in der Freiheit wie auch in der Gefangenschaft. Man hatte aus diesem Grunde eine Rassengliederung aufgestellt, diese aber doch wieder aufgegeben, da es keine geographischen Richtlinien hierfür gibt. Wer sich Vielfarbensittiche anschaffen will, sollte sich darum möglichst auch die Elterntiere ansehen.
Importierte Vielfarbensittiche sind empfindlicher und brüten oft die ersten Jahre schlecht. Ihr Ruf ist angenehm zwitschernd und flötend.

Ernährung: Kanariensaat, Sonnenblumenkerne, Hirsearten (vor allem Kolbenhirse), Hafer, Äpfel und Möhren, etwas Waldvogelfutter, Vogelmiere. Zur Zucht gekeimten Hafer und Kolbenhirse, gehacktes Hartei.

Haltung und Zucht. Im Haus: In Innenraumvolieren ist der Vielfarbensittich schon gezüchtet worden. Es muß aber für gekeimtes Futter gesorgt werden.

Im Garten: Hier gezüchtete Vielfarbensittiche können in Freivolieren gehalten werden. Ein guter trockener und zugfreier Schutzraum muß gegeben sein. Bei großer Kälte und Nässe sollte man sie im Schutzraum belassen, wo gegebenenfalls für eine ganz leichte Erwärmung gesorgt werden kann. Genausowenig wie der Singsittich ist der Vielfarbensittich ein Holz- oder Drahtzerstörer. Er ist ruhiger und friedlicher als der Singsittich.

Schon im zeitigen Frühjahr fangen die Weibchen zu brüten an. Das hat oft einen großen Nachteil, da sie schon mit 8 bis 10 Tagen nicht mehr die Jungen hudern. Ist die Temperatur zu dieser Zeit sehr niedrig, so sterben die Jungtiere vor Kälte. Aus diesem Grunde sollten sich die Nistgelegenheiten im Innenraum befinden, wo auch eine leichte Erwärmung geschaffen werden kann. Ein einmal angenommener Brutkasten wird Jahr für Jahr akzeptiert und sollte nicht fortgenommen oder verändert werden. Das Gelege besteht aus 4 bis 6 Eiern, welche 21 Tage bebrütet werden. Zwei Bruten im Jahr sind nicht selten. Auch das Männchen beteiligt sich an der Fütterung der Jungen. Nach fast 5 Wochen verlassen sie das Nest und sind 3 Wochen später selbständig.

Paradiessittich *(P. pulcherrimus)*

Kennzeichen: 30 cm groß. Männchen: Kopfplatte schwarz, Nacken, Rücken und Flügel dunkelbraun; Stirnband, kleine Flügeldecken, Bauch, Steiß, Unterschwanzdecken rot; Kopf und Halsseiten, Kehle und Brust blaugrün; Bürzel und Oberschwanzdecken blau. Weibchen: Mattere Farben, gelbliche Stirnbinde, nur wenig Rot.

Herkunft und Lebensweise: Australien; nördliches Neusüdwales und Queensland. Da diese Art eine große Seltenheit in ihrer Heimat ist, soll sie hier nur kurz erwähnt werden. Um 1927 herum wurden letzte Sichtmeldungen berichtet. In jüngster Zeit aber mehren sich die Meldungen, daß er wieder beobachtet und angeblich sogar fotografiert wurde. Die letzten bekannten Zuchtmeldungen von Liebhabern stammen aus den Jahren um 1880.

Farbbild 2. Die australischen Schönsittiche (Neophema pulchella) sind harte und schöne Volierenvögel, die sich gut züchten lassen.

Farbbild 3. Ein beliebter Zuchtvogel ist der Glanzsittich (Neophema splendida). Die Geschlechter sind sehr unterschiedlich gefärbt.

Goldschultersittich *(P. chrysopterygius chrysopterygius)*

Kennzeichen: 25 cm groß. Männchen: Gelbes Stirnband; kleine schwarze Kappe; Bauch, Steiß, Unterschwanzdecken rot; Flügeldekken goldgelb, Rücken bräunlich; sonstiges Gefieder kräftig blaugrün. Weibchen: Mattere Färbung, Stirnband gelb, Unterbauch rot. Jungtiere: Männchen türkisfarbene Wangen, grünes Stirnband und dunkelbraune Kappe. Junge Weibchen wenig Türkis an den Wangen, gelbliches Stirnband und ebenfalls dunkelbraune Kappe. Im ersten Jahr Ausfärbung zum Alterskleid.

Herkunft und Lebensweise: Australien; nördliches Queensland. Diese Sittichart lebt in den Savannen und ernährt sich von allerlei Gras- und Unkrautsämereien.
Wie auch früher beim Paradiessittich werden seine Nisthöhlen fast nur in Termitenbauten gefunden. Erst 1922 entdeckte man die erste Bruthöhle. Die jungen Sittiche leben mit den Raupen einer Falterart in Symbiose.

Ernährung: Kanariensaat, Hirsearten, Unkrautsämereien (möglichst unreif), kleine Sonnenblumenkerne, Waldvogelfutter, Apfel, Möhre und ein Weichfuttergemisch oder eingeweichten Zwieback.

Haltung und Zucht: Auch dieser Sittich ist heute noch eine große, seltene Kostbarkeit. Er ist 1965 erstmalig bei uns gezüchtet worden. Nach 20 Tagen schlüpften die Jungen und flogen mit 4 Wochen aus dem Brutkasten.

Hoodedsittich *(P. chrysopterygius dissimilis)*

Kennzeichen: 25 cm groß. Männchen: Oberteil des Kopfes bis zu den Augen schwarz, Nacken schwarz, Rücken dunkelbraun, Flügel bis auf die Schwungfedern gelb, Kopfseiten und ganze Unterseite grünblau, Schnabel dunkelgrau. Weibchen: Ganze Oberseite grünlich, kein Gelb in den Flügeln, Kopfseiten und Unterseite hellgrünblau, Jungtiere: Junge Männchen haben einen kleineren Kopf als junge Weibchen. Kein Schwarz oder Gelb. Endgültige Ausfärbung mit 14 bis 18 Monaten.

Herkunft und Lebensweise: Australien, Nordterritorium. Auch in seiner Heimat ist er ein seltener Vogel. In seinem Lebensraum woh-

nen wenig Menschen, so daß nicht sehr viel über ihn bekannt ist. Er wird auf dem Boden beobachtet, wo er nach Gras- und anderen Sämereien sucht.
Genau wie seine engsten Verwandten, der Goldschulter- und Paradiessittich, gräbt er in Termitenhügel Gänge, um hier zu brüten. Es werden 4 bis 6 Eier gelegt.

Allgemeines: Auch der Hoodedsittich ist noch nicht oft bei den Liebhabern zu finden, aber doch häufiger als der Goldschultersittich. Entsprechend ist natürlich sein Anschaffungspreis noch sehr hoch.

Ernährung: Kanariensaat, Sonnenblumenkerne, Hirsearten, vor allem Kolbenhirse, Negersaat, Leinsamen. Zur Zucht viel halbreife Sämereien und frische Unkrautsamen wie Melde, Flohknöterich, Wegerich usw. Gehacktes Hartei wurde nicht genommen.

Haltung und Zucht. Im Garten: Hoodedsittiche können nur paarweise in einer Freivoliere gehalten werden. Sie sind keine Holzzerstörer, so daß baumäßig keine besonderen Vorkehrungen getroffen zu werden brauchen. Der Schutzraum allerdings muß erwärmt werden können, da dieser Sittich (wie auch der Brownssittich) sich nur langsam mit seinem Brutzyklus unseren Verhältnissen anpaßt. Er brütet gern in unserer Herbst- oder Winterzeit, so daß dann etwa 20 °C gegeben sein müssen. Es kommen aber auch Bruten im Frühjahr vor. So wird er sich von Jahr zu Jahr unserem Sommerrhythmus mehr und mehr anpassen.
Es wird in normalen Bruthöhlen gebrütet, in welche 4 bis 6 Eier gelegt werden. Die Brutzeit dauert 20 Tage. Mit 4½ Wochen fliegen die Jungen aus. Es kommt öfter vor, daß die Eltern die Jungen im Stich lassen. Aus diesem Grund nehmen manche Züchter die Eier oder kleinen Jungen fort, um sie Singsittichen unterzulegen, welche auch zu dieser Gattung gehören. Im Winter ist eine solche Hilfsmaßnahme nicht möglich, da der Singsittich im zeitigen Frühjahr brütet. Je mehr Singsittichpaare man hat, desto größer sind selbstverständlich die Aushilfschancen. Erst 1964 gelang bei uns die erste Zucht.

Blutbauchsittich *(P. haematogaster)*

Gelbsteißsittich *(P. haematogaster haematogaster)*

Kennzeichen: 29 cm groß. Männchen: Oberseite, Kehle und Brust olivbraun; Gesicht, Flügelbug, Flügelrand und Flügeldecken blau;

Farbbild 4. Den Wellensittich (Melopsittacus undulatus) haben wir heute in vielen Farbspielarten. Die Naturfarbe ist grün.

Farbbild 5. Beliebt ist der Gebirgslori (Trichoglossus h. moluccanus), eine Rasse des Allfarblori. Rechts der männliche Vogel.

Bauchfleck rot, sonstige Unterseite gelb. Weibchen: Schnabel und Kopf kleiner als Männchen, der rote Bauchfleck mit Gelb durchsetzt und weniger ausgedehnt. Jungtiere: Sehen fast wie die Alttiere aus, nur etwas mattere Farben. Altersgefieder mit etwa 4 Monaten.

Herkunft und Lebensweise: Australien, S-Queensland und W-Neusüdwales. In den trockenen Gebieten Inneraustraliens, wo nur wenig Bäume und Buschgruppen zu finden sind, leben die Blutbauchsittiche. Ihr Bestand ist zurückgegangen, da diese Savannengebiete zu Weide- oder Ackerland verwandelt worden sind. Sie ernähren sich von Gras- und Unkrautsamen.
Gelbsteißsittiche leben das ganze Jahr paarweise, und in der Nichtbrutzeit ziehen sie in kleinen Trupps umher. Ihre Brutplätze werden meistens in abgestorbenen Eichen in nicht sehr großer Höhe gefunden. Zwischen August und Dezember werden 4 bis 7 Eier gelegt und vom Weibchen allein bebrütet.

Allgemeines: Der Gelbsteißsittich wird in der Blutbauchsittichgruppe am meisten bei den Liebhaberzüchtern angetroffen; die anderen Rassen weniger. Importierte Vögel werden wieder häufiger angeboten, wenn auch noch zu einem hohen Preis.
In der Akklimatisierungszeit sind sie etwas empfindlich und bedürfen besonderer Pflege. Auch sind sie zuerst sehr wild (Importe) und gegen andere Arten unduldsam und zänkisch, so daß sie auch zur Nichtbrutzeit paarweise gehalten werden sollten.
Die Stimme ist zum Teil angenehm flötend, aber kann auch scharf pfeifend sein. Trotzdem ist dieser Ruf nicht störend. Eine Eigenart ist, daß beide Geschlechter bei Erregung die Kopffedern sträuben können. Auch sollen diese Vögel manchmal spielerisch aufgelegt sein. Sie liegen auf dem Rücken und benehmen sich wie balgende Katzen.

Ernährung: Kanariensaat, Sonnenblumenkerne, Hirsearten, Negersaat, Leinsamen, Salatsamen und alle Unkrautsämereien. Gekeimte Samen und viel Vogelmiere sind zur Aufzucht besonders wichtig.

Haltung und Zucht. Im Garten: Im Jahre 1960 gelang bei uns einem Liebhaber die erste Zucht. Einige Jahre später sind sie dann auch erstmalig in Holland gezüchtet worden. Es wurden 7 Eier gelegt, welche etwa 22 bis 24 Tage bebrütet wurden. Mit $4^1/_2$ Wochen flogen fünf Junge aus. Das Männchen fütterte das Weibchen, das Weibchen die Jungen, solange diese noch im Kasten sind. Es wurde nur eine

Brut getätigt. Die Jungvögel waren nicht scheu und sahen fast wie die Alten aus.
Die Schwierigkeit scheint darin zu bestehen, geeignete Paare zusammenzustellen, da die Geschlechter sehr wählerisch sind. Nur eine dauernde paarweise Haltung in einer Voliere ist möglich.

Rotsteißsittich *(P. haematogaster haematorrhous)*

Etwas östlich der vorigen Rasse in feuchteren Gebieten.

Kennzeichen: Bauch, Steiß, Unterschwanzdecken rot; Flügelbug grün.

Heller Blutbauchsittich *(P. haematogaster pallescens)*

Inneres von S-Australien (Wüstenform).

Kennzeichen: Blasse Unterseite.

Narethasittich *(P. haematogaster narethae)*

Südosten von W-Australien.

Kennzeichen: Rücken und Brust olivgrün, Bauch orangegelb. Dem Weibchen fehlt das Orangegelb.
Diese Rasse war noch bis 1936 unbekannt. Man ist zum Teil der Ansicht, daß der Narethasittich eine eigene Art darstellt.

Gattung: Grassittiche *(Neophema)*

Folgende Arten werden besprochen:

Schönsittich, *N. pulchella*
Glanzsittich, *N. splendida*
Schmucksittich, *N. elegans*
Feinsittich, *N. chrysostoma*
Klippensittich, *N. petrophila*
Goldbauchsittich, *N. chrysogaster*

Zu dieser Gattung gehören sechs sehr kleine, zum Teil recht bunte Plattschweifsittiche in einer Größe von 21 bis 23 cm. Sie können sehr gut fliegen, halten sich aber viel auf dem Erdboden auf, um hier ihre Nahrung zu suchen. Zwei Arten sind Zugvögel; sie fliegen in ihre

Farbbild 6. Die blauen Schwarzköpfchen (Agapornis p. personata) sind eine Mutation. Links die oft typische Sitzstellung des Weibchens.

Farbbild 7. Die nur 18 cm großen Tovisittiche (Brotogeris jugularis) werden in Einzelhaltung schnell zahm. Ihre Heimat ist Südamerika.

Brutgebiete nach Tasmanien und kehren zum Winter wieder auf das australische Festland zurück.

Schönsittich *(N. pulchella)* (Farbbild 2 Seite 100)

Kennzeichen: 22 cm groß. Männchen: Grün; Unterseite gelb oder teilweise orangerot, Gesicht und kleine Flügeldecken blau, Schulterfleck rot. Weibchen: Der rote Schulterfleck fehlt, Blau am Kopf matter und weniger ausgedehnt, Unterseite matter. Jungtiere: Ähneln dem Weibchen, aber manche Jungmännchen haben schon einige rote Schulterfedern, und die Flügelunterseite ist schwarz. Junge Weibchen haben eine grauschwarze Flügelunterseite und fast immer eine weiße Fleckenzeichnung. Mit 5 bis 7 Monaten ausgefärbt.

Herkunft und Lebensweise: Australien; mittleres Queensland und Neusüdwales. Vor etwa 50 Jahren galt der Schönsittich in seiner Heimat so gut wie ausgestorben. Erst in neuerer Zeit, um 1920 herum, ist er in O-Australien wieder häufiger gesehen worden. Da er noch vor 80 Jahren überaus häufig war, ist sein so plötzliches Verschwinden rätselhaft. Die zunehmende Besiedlung in dem betreffenden Lebensraum kann nicht der alleinige Grund gewesen sein. Man nimmt an, daß eine Seuche diese Art heimgesucht haben muß, denn heute sieht man ihn wieder an Stadträndern und in der Nähe von Siedlungen.
Auf dem Boden suchen die Schönsittiche nach Samen von Gräsern, Brennesseln, Disteln, Miere und anderen Kräutersamen.
Sie brüten in den Astlöchern der Eukalyptusbäume. Manchmal nur einige Meter, manchmal auch bis 20 m hoch. Das Gelege besteht aus 4 bis 5 Eiern.

Allgemeines: Noch vor etwa 7 Jahren war der Schönsittich eine Seltenheit in Liebhabervolieren. In ungeheurer Schnelligkeit hat er sich dank seiner großen Fruchtbarkeit ausgebreitet und ist heute in sehr großer Zahl zu finden. Zu jeder Jahreszeit wird er zu einem niedrigen Preis angeboten.
Diese beliebten und bunten, kleinen Sittiche haben wie alle *Neophema*-Arten eine leise, sehr angenehme und melodische Stimme, so daß man kaum glauben kann, daß sie einer Papageienart angehören.
Während es bei uns vor einigen Jahren nur Schönsittiche mit gelber Unterseite gab, zeigen heute viele Vögel einen orangeroten Fleck verschiedener Ausdehnung.

Ernährung: Kanariensaat, Hirsearten, Negersaat, Leinsamen, etwas Hanf und kleine Sonnenblumenkerne. Auch das Innere der Feigen wird manchmal gefressen. Ferner klein geschnittene Möhren und Äpfel, Vogelmiere und Unkrautsämereien. Zur Zucht viel gekeimte Kolbenhirse, gehacktes Hartei und Vogelmiere.

Haltung und Zucht. Im Haus: Mit der Hand aufgezogene Schönsittiche (vor allem die Männchen) werden sehr zahm und können in einem Einzelkäfig gehalten werden, wenn sie täglich Zimmerfreiflug bekommen. Ein Bekannter des Verfassers hatte ein zahmes Männchen, welches wie ein Hund hinter seinem Pfleger herlief.
Auch in Zimmervolieren und großen Käfigen von 1 m Länge und 60 cm Breite sind wiederholt Zuchterfolge verzeichnet worden. Der Käfig sollte zur Zucht in Augenhöhe stehen, damit die Vögel sich nicht beunruhigt fühlen.

Im Garten: Eine Freivoliere mit ungeheiztem Schutzraum ist ein idealer Aufenthaltsort. Eine Außenvoliere von 2 m Länge ist ausreichend. Wie alle Grassittiche nagt auch der Schönsittich nicht am Holz der Voliere. Wohl benagt er frische Zweige, die man ihm hin und wieder reichen sollte. Die schon seit Jahren hier gezüchteten Vögel sind überaus hart und gegen jede Witterung kälteunempfindlich. Bei –16 °C blieb vor einigen Jahren des Nachts beim Verfasser versehentlich ein Männchen in Schnee und Eis in der Freivoliere. Am nächsten Morgen war der Vogel munter und züchtete im kommenden Frühjahr mit Erfolg.
Die Zuchtpaare sollten für sich gehalten werden, da sie zur Brutzeit angriffslustig sind. Auch in der Nachbarvoliere dürfen keine Vögel gleicher Art untergebracht sein. Die Haltung zusammen mit Wellensittichen ist teilweise gutgegangen.
In der Wahl der Brutgelegenheit sind sie anspruchslos; ihnen genügen Starenkästen in eckiger oder runder Form. Im April legt das Weibchen 4 bis 7 Eier, welche 20 Tage bebrütet werden. Nach Verlassen des Nestes sind die Jungen in etwa 3 Wochen selbständig; sie werden dann aus der Voliere entfernt, da das Paar bald zur zweiten Brut schreitet und der Althahn seine Jungen zu jagen anfängt. Nur bei mehrjährigen Tieren sollte eine dritte Brut zugelassen werden. Brutkontrollen werden nicht verübelt. Man kann die Eier unter dem Weibchen herausnehmen.
Nach einem Jahr sind Schönsittiche zuchtreif. Es kommt vor, daß die Weibchen schon in einem Alter von 6 Monaten Eier legen, welche dann aber unbefruchtet sind.

Farbbild 8. Die Schwarzohrpapageien (Pionus menstruus) sind friedliche Vögel, die auch in Gemeinschaft gehalten werden können.

Glanzsittich *(N. splendida)* (Farbbild 3 Seite 101)

Kennzeichen: 21 cm groß. Männchen: Oberseite grün, Kopf blau, Kehle und Oberbrust rot, Unterkörper gelb, Flügeldecken hellblau. Weibchen: Oberseite olivgrün, Kopf hellblau, Kehle und Brust grünlich, übrige Unterseite gelblich. (Dem Schönsittichweibchen ähnlich, aber beim Glanzsittichweibchen ist das Blau an Kopf und Flügeln sehr viel hellblauer.) Jungtiere: Wie Weibchen, aber mattere Farben. Erst durch die roten Brustfedern sind die Männchen zu erkennen. Die männlichen Jungvögel sind oft an den schwarzen Unterflügeln zu erkennen, die beim Weibchen grauschwarz sind. Umfärbung sehr verschieden; durchweg nach 3 bis 5 Monaten. Manchmal zeigen die Männchen schon nach dem Ausfliegen einige rote Brustfedern.

Herkunft und Lebensweise: Australien; Inlandgebiete von W-Neusüdwales bis W-Australien. Der Bestand an Glanzsittichen war zeitweise in seiner Heimat gefährdet. Vor allem in O-Australien ist er selten geworden, während seine Bestände in W-Australien sich wieder erholt haben. Wüstenartige Gebiete, spärlich bewachsen mit Eukalyptussträuchern und Gräsern, sagen ihm zu. Er ist ortstreu und nicht scheu.
Als Bewohner trockener Gebiete hat der Glanzsittich nur ein geringes Wasserbedürfnis, denn er soll mehrere Tage nicht zur Tränke kommen. Er ernährt sich auf dem Boden von verschiedenen Grassamen, vor allem des Spinifexgrases.
Wie auch seine Verwandten brütet er in hohlen Ästen niedriger Bäume und Sträucher; meist sind es Akazien. Nach der Brutzeit streichen sie in kleinen Trupps umher.

Allgemeines: Noch vor 5 bis 8 Jahren war er eine kostbare Seltenheit. Jedem Liebhaber imponieren die herrlichen Farben, denn er ist der Schönste der ganzen Gruppe.
Viele Vogelhalter mußten bei diesem Sittich die erste Zeit Enttäuschungen erleben. Als Wüstenvogel vertrug er die feuchte Luft unseres Landes schlecht, und es starben viele. Die Akklimatisierung ging langsam vor sich, so daß nur allmählich wetterfeste Zuchtstämme entstanden. Heute kann man zu einem günstigen Preis jederzeit Glanzsittiche bekommen. Er sollte möglichst frostfrei in einem trockenen Raum überwintert werden; vor allem die umfärbenden Jungvögel.
Die schönsten Männchen haben ein besonders großes, rotes Brustschild, welches nach unten scharf abgegerenzt sein sollte. Da dieses

Farbbild 9. Beim Pflaumenkopfsittich (Psittacula cyanocephala) ist das Geschlecht erst im Alter von etwa 2 Jahren zu bestimmen.

Farbbild 10. Bei den Edelpapageien (Lorius r. pectoralis) zeigen nur die Weibchen die prächtigen roten Farben, die Männchen sind grün.

Rot bei einem jungen Männchen noch nicht voll zu sehen ist, kann man nur aus dem Vater auf gute Vererbung schließen. Die Stimme ist ein zartes Gezirpe, welches eher an einen Finkenvogel erinnert.

Ernährung: Kanariensaat, Hirsearten, darunter vor allem Kolbenhirse, kleine Sonnenblumenkerne. Zusätzlich etwas Negersaat, Mohn, Leinsamen, Salatsamen und wenig Hanf. Zerschnittene, gehackte Möhren und Äpfel, viel Vogelmiere und halbreife Unkrautsämereien. Zur Zucht zusätzlich gekeimte Kolbenhirse oder andere gekeimte Samen und gehacktes Hartei. (Nicht zuviel Ölhaltiges füttern, da manche Vögel zur Verfettung neigen.)

Haltung und Zucht. Im Haus: Glanzsittiche können in einem großen Käfig von mindestens 1 m Länge gezüchtet werden. Besser sind Stuben- oder Bodenvolieren, damit der Vogel sich ausfliegen kann. Sein etwas phlegmatischer Charakter führt sonst zu Dickleibigkeit. Viel Grünes, Apfel und Möhre sind darum bei einer Haltung in einem Käfig wichtig. Scheuheit kennen diese Vögel nicht, sie gewöhnen sich schnell an den Pfleger und nehmen manchmal einen Leckerbissen aus der Hand. Dementsprechend werden mit der Hand aufgezogene Vögel sehr zahm. Es gilt auch hier für die Einzelhaltung ein größerer Käfig und mindestens täglich ein längerer Zimmerfreiflug.

Im Garten: In einer mindestens 2 m langen Freivoliere ist der Glanzsittich gut zu halten. Der Schutzraum muß unbedingt trocken und zugfrei sein. Bei sehr starkem Frost, Nebel oder großer Feuchtigkeit sollte die Möglichkeit einer leichten Erwärmung im Innenraum gegeben sein. Ein Hygrometer (Feuchtigkeitsmesser) leistet gute Dienste. Die Vögel fühlen sich um so wohler, je geringer die Luftfeuchtigkeit ist (Wüstenvogel!).

Zur Brut sind Starennisthöhlen notwendig. Sie werden in runder und auch in eckiger Form angenommen. Beim Verfasser haben diese Vögel im Innenraum wie auch in der Freivoliere gebrütet. Es ist aber darauf zu achten, daß kein Regen in die Brutkästen eindringen kann.

In der Natur und auch in Gefangenschaft ist beobachtet worden, daß die Weibchen Blattstücke oder 3 bis 4 cm lange Grashalme in das Bürzelgefieder stecken und nach Art der Unzertrennlichen in den Brutkasten transportieren (bis 100 Stück).

In der Regel werden 5 bis 6 Eier gelegt, die etwa 19 Tage bebrütet werden. Es hat keine Eile, die Jungvögel von den Eltern zu trennen.

Bei einer zweiten Brut verhielten sich beim Verfasser die Männchen gegenüber ihren erstgeborenen Jungen friedlich. In der Umfärbung kommt für die jungen Glanzsittiche eine etwas kritische Phase. Wer schon sehr früh und ganz sicher über die Geschlechter der Jungvögel orientiert sein möchte, kann 1 bis 3 kleine Brustfederchen ziehen. Wachsen diese rot nach, ist es ein Männchen.
Schon in einem Alter von 8 Monaten zogen Glanzsittiche 5 Junge groß. Die Haltung zusammen mit Prachtfinken ist gut möglich.

Besonderheiten: Eine blaue Mutation wird in Australien gezüchtet.

Schmucksittich *(N. elegans)* (Abb. 35)

Kennzeichen: 23 cm groß. Männchen: Olivgrün; Unterseite gelblich bis grüngelb, Bauchmitte ein orangeroter Fleck, Stirnbinde dunkelblau, kräftig hellblau gesäumt, Unterflügeldecken schwärzlich. Weibchen: Unterseite grünlicher, Stirnbinde meist schmaler, hellblaue Umsäumung sehr schmal, Unterflügeldecken grauschwarz, nur in den seltensten Fällen auf der Bauchmitte ein orangeroter Fleck, Kopf kleiner und schmaler als beim Männchen. Jungtiere: Grünlichere Farben; Stirnbinde noch nicht so ausgeprägt. Jungmännchen nicht immer mit Sicherheit erkennbar; breitere hellblaue Stirnbandumsäumung, Unterflügeldecken dunkler. Schwungfedersäume

Abb. 35. Schmucksittiche. Links das Weibchen, rechts das Männchen.

Farbbild 11. 1 Kubaamazone (A. leucocephala), 2 Blaukronenamazone (A. ventralis), 3 Weißstirnamazone (A. albifrons), 4 Grünwangenamazone (A. viridigenalis), 5 Blaukappenamazone (A. finschi), 6 Gelbwangenamazone (A. autumnalis), 7 Goldmaskenamazone (A. dufresniana), 8 Rotschwanzamazone (A. brasiliensis), 9 Blaubartamazone (A. f. festiva).

Farbbild 12. 10 Rotstirnamazone (A. f. bodini), 11 Gelbschulteramazone (A. barbadensis), 12 Blaustirnamazone (A. ae. aestiva), 13 Surinamamazone (A. o. ochrocephala), 14 Panamaamazone (A. o. panamensis), 15 Gelbnackenamazone (A. o. auropalliata), 16 Gelbkopfamazone (A. o. oratrix), 17 Amazonenpapagei (A. amazonica), 18 Taubenhalsamazone (A. vinacea).

bei Jungweibchen hellgrau, beim Männchen dunkelgrau. Ausfärbung nach 6 bis 8 Monaten.

Herkunft und Lebensweise: Australien, S-Queensland über Neusüdwales, Victoria und S-Australien bis zum mittleren W-Australien. Der Schmucksittich ist in seiner Heimat sehr häufig und ständig in der Zunahme begriffen. Diese spontane Vermehrung hängt mit den großen Waldrodungen zusammen, denn dichte Wälder meidet dieser Sittich.
Seine Nahrung bildet die Saat der Gräser, Unkräuter und anderer Wildpflanzen. Aus den Anbaugebieten der Kleefelder holt er sich die Samen.
Sein Lockruf ist ein harmloses „sit“ und sein Gesang ein plauderndes Gezirpe. Diese Töne hört man in längeren Touren nur vom Männchen. Außerhalb der Brutzeit fliegen sie in kleinen Schwärmen; während der Brutzeit paarweise, aber auch in kleinen Gruppen. In hohlen Bäumen, Ästen oder auch morschen Baumstümpfen sind ihre Nester zu finden.

Allgemeines: Auch der Schmucksittich hat einen großen Siegeszug in den letzten 4 Jahren durch die Liebhabervolieren gehalten. Dementsprechend sind die Preise schnell gesunken. Heute werden Schmucksittiche zu jeder Zeit angeboten.
Im Hinblick auf sein großes Verbreitungsgebiet ist es verständlich, daß seine grüngelbe Farbe sehr variiert. Am beliebtesten sind die olivgrünen Vögel mit möglichst kräftig gelber Unterseite und einem starken orangefarbenen Bauchfleck. Es gibt bei den Schmucksittichen recht farblose, grüne Vögel, die nicht so begehrt sind. Ein farbkräftiger Schmucksittich ist ein eleganter, sehr schöner Vogel.

Ernährung: Kanariensaat, Sonnenblumenkerne, geschälter Hafer, Hirsearten (besonders Kolben), dazu Negersaat, Leinsamen und etwas Hanf. In kleine Würfel gehackte Äpfel oder Möhren, Vogelmiere. Zur Zucht gekeimte Kolbenhirse oder Sonnenblumen, etwas gehacktes Hartei und halbreife Unkrautsämereien.

Haltung und Zucht. Im Haus: Die Zucht in einem Vogelraum, einer Zimmervoliere und auf dem Dachboden bedeutet keine Schwierigkeit. Ein Bekannter des Verfassers züchtet mit großem Erfolg in einer 2 m langen Voliere auf dem Dachboden, wo große Fenster für genügend Licht sorgen. Nur ein aus dem Nest genommener und handaufgezogener Schmucksittich kommt für eine Einzelhaltung in Betracht.

Im Garten: Schmucksittiche sind ideale Volierenvögel, welche wie die anderen Grassitticharten kein Holz zerstören und gegen jede Witterung unempfindlich sind. Selbstverständlich darf auch hier der Innenraum nicht fehlen. Eine Heizquelle ist nicht notwendig.
Brutkästen in den Innenräumen wurden lieber angenommen als in der Freivoliere. Viereckige Starenkästen mit einem Durchmesser von etwa 18×18 cm und einem Einflugloch von 6 cm Durchmesser sind sofort angenommen worden. Schon Ende März oder im April werden 4 bis 7 Eier gelegt, welche von dem Weibchen allein ausgebrütet werden. Nach etwa 19 Tagen schlüpfen die Jungen und fliegen mit 4 Wochen aus dem Kasten. Sie werden dann hauptsächlich vom Männchen weitergefüttert, da das Weibchen bald zur zweiten Brut schreiten wird. Der Verfasser konnte nicht beobachten, daß das Männchen in späterer Zeit seine Jungen jagt, wie es beim Schönsittich der Fall ist. So wurden die Jungvögel noch Monate bei den Eltern belassen. In diesem Fall müßten sie beringt werden, um später leichter das alte Zuchtweibchen herauszufinden.
Schmucksittiche haben schon in einem Alter von 8 Monaten Eier gelegt. Vor 10 bis 12 Monaten sollten sie aber nicht zur Zucht angesetzt werden, da die Eier sonst unbefruchtet sein könnten.

Feinsittich *(N. chrysostoma)* (Abb. 36)

Kennzeichen: 23,5 cm groß. Männchen: Grün; Stirnband (nur bis zum Auge) blau, schwach hellblau gesäumt, Flügeldecken tiefblau, Handschwingen schwarz, Kehle und Oberbrust grünlichgelb, Bauch gelblich mit einem orangefarbenen Fleck (nicht immer). Weibchen: Stirnband schmaler, Kopf und Gestalt kleiner, Unterkörper mattere Farben und ohne orangeroten Fleck (nicht unbedingt), Handschwingen grauschwarz. Jungtiere: Stirnband leicht angedeutet, mattere Farben, weniger Blau in den Flügeln. Ausfärbung mit etwa 8 bis 10 Monaten. Geschlechtsbestimmung der Jungvögel manchmal schwierig. Bei mehreren Jungvögeln kann man nach Kopfform, Größe, Farbe und Handschwingen das Geschlecht mit ziemlicher Sicherheit bestimmen.

Herkunft und Lebensweise: Australien, Neusüdwales, Victoria, S-Australien und Tasmanien. Der Feinsittich bewohnt sowohl Wälder wie auch wiesiges Gelände, feuchte Gebiete und Kulturlandschaften. Diese vortreffliche Anpassung führt dazu, daß sein Bestand ständig zunimmt. In Tasmanien und in dem Küstenstreifen S-Australiens ist er nur Sommervogel und zieht im Winter nach Norden. Manche Vögel überwintern aber bereits in Tasmanien.

Farbbild 13. Rußköpfchen (Agapornis personata nigrigenis) gehören zu den friedfertigen Unzertrennlichen.

Farbbild 14. Diese Rosellas (Platycercus eximius) kommen den reinrassigen Prachtrosellas (P. e. ceciliae) sehr nahe. Das Weibchen (rechts) zeigt fast die gleichen Prachtfarben.

Abb. 36. Feinsittich-Männchen.

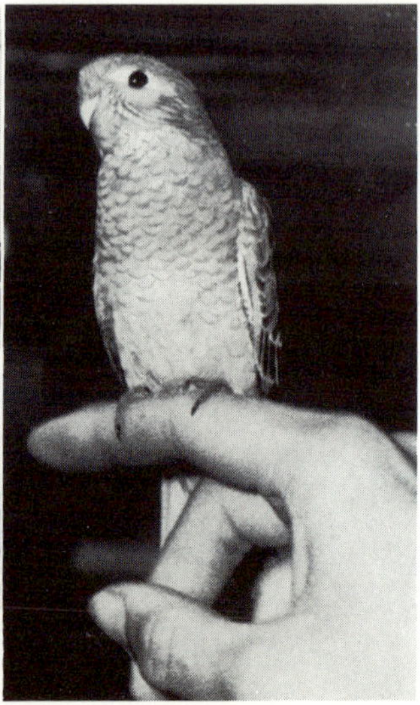

Abb. 37. Zahmer Bourkesittich.

Auf dem Boden geht er der Nahrungssuche nach und ist schwer zum Auffliegen zu bewegen, denn seine Tarnfarbe ist vorzüglich. Grassamen, Wildbeeren und die Samen der Unkräuter sind seine Nahrung. Auch in den Obstkulturen und in den Haferfeldern findet er sein Futter.

Dieser Grassittich lebt gesellig. Selbst zur Brutzeit sieht man ihn in größeren Gruppen und es gibt nie Streitigkeiten. Auch die Nisthöhlen, welche in sehr hoch gelegenen hohlen Ästen zu finden sind, liegen oft dicht beieinander oder befinden sich im gleichen Baum. Das Weibchen sucht den Nistplatz aus. Das Gelege besteht aus 4 bis 6 Eiern.

Allgemeines: Der Feinsittich ist erst seit kürzerer Zeit wieder bei uns zu finden. Vor allem nach Holland kamen viele importierte Vögel. Trotzdem geht seine Verbreitung zögernd vor sich. Die Ursache liegt sehr wahrscheinlich in seiner nicht sehr großen Beliebtheit. Zeigen seine Farben schon nicht viel, so ist sein Charakter ausgesprochen langweilig, was nach eigenen Erfahrungen nur bestätigt werden kann.

Dieses Phlegma führt leicht zur Fettleibigkeit, worauf besonders geachtet werden muß.

Ernährung: Sonnenblumenkerne, Kanariensaat, Hirsearten, geschälter Hafer, gehackte Möhren und Äpfel, Vogelmiere. Zusätzlich etwas Negersaat, Leinsamen und wenig Hanf. Ölhaltige Samen nur beschränkt füttern! Manchmal werden auch Ebereschenbeeren gern genommen.

Haltung und Zucht. Im Haus: Der Feinsittich muß eine Flugvoliere von mindestens 3 m haben, damit er sich ausfliegen kann und kein Fett ansetzt. Im Einzelkäfig zeigt er ein sehr ruhiges Wesen.

Im Garten: In langen Flugvolieren sind Feinsittiche gut untergebracht. Wie ihre Verwandten sind sie keine Nager. Hier gezüchtete Vögel können ungeheizt überwintert werden. Ein Schutzraum ist selbstverständlich nicht zu vergessen. In größeren Volieren können auch zwei Paare dieser Vogelart leben und züchten. Bis auf harmlose Streitigkeiten sind sie sehr friedlich. Diese Erfahrung wird durch ihr Naturverhalten bestätigt, wo sie auch dicht beieinander nisten.

Klippensittich *(N. petrophila)*

Kennzeichen: 21 cm groß. Männchen: Grün; Stirnband blau, hellblau gesäumt, Bauch und Steiß grüngelb, orangeroter Bauchfleck (nicht immer), Zügel und Augengegend hellblau, Schwingen schwarz, Außenfahne bläulich. Weibchen: Gleiche Färbung. Weniger Blau an der Stirn und eine kleinere Gestalt. Jungtiere: Mattere Farben, Stirnband nur angedeutet.

Herkunft und Lebensweise: Australien; Küstengebiete von S-Australien. Nur der schmale Küstenstreifen mit seinen Inseln wird von diesem Sittich bewohnt. An der sandigen und steinigen Landschaft hält er fest. Auf dem Boden bewegt er sich sehr schnell und fliegt möglichst wenig, was mit den starken Winden der Küste zusammenhängen mag.

Seine Nahrung besteht aus Unkrautsämereien und einer sukkulenten Pflanze, die dort in großen Mengen wächst.

In seinem Biotop gibt es keine hohlen Bäume, und so brütet er in steinigen Höhlungen oder Kreidefelsen. An günstigen Plätzen stehen die Nester sehr dicht beieinander, wie es auch bei den Feinsittichen

Farbbild 15. Blaunacken-Sperlingspapageien (Forpus coelestis) sind gute Zuchtvögel.

Farbbild 16. Der Fächerpapagei (Deroptyus accipitrinus) kann als einziger in seiner Familie die Hinterkopf- und Nackenfedern in Erregung steil aufrichten.

der Fall ist. Die Brutzeit fällt in unsere Herbstmonate. Zwei Bruten sollen häufiger vorkommen.

Allgemeines: In Liebhaberkreisen ist dieser Sittich bisher eine Seltenheit und nur in wenigen Paaren in Europa vertreten. Seine unscheinbare Färbung wird ihm auch in Zukunft nicht viele Liebhaber bringen. Er ist schon in einem gewöhnlichen Nistkasten gezüchtet worden. Feuchtigkeit wird zu diesem Gelingen nötig sein.

Goldbauchsittich *(N. chrysogaster)*

Kennzeichen: 22 cm groß. Männchen: Stirnband blau; *Zügel,* Kopf, Brust und Unterschwarzdecken gelbgrün; Rücken und Bürzel grasgrün; Bauchmitte orangerot. Weibchen: Mattere Farben, schmaleres Stirnband, das Orangerot der Unterseite weniger ausgedehnt. Jungtiere: Mit 8 bis 9 Monaten ausgefärbt und dann erst geschlechtlich zu bestimmen.

Herkunft und Lebensweise: Australien, Küstengebiete von S-Australien, Victoria, Neusüdwales und die Insel Tasmanien. In seiner Heimat ist er fast überall zu einer Seltenheit geworden. Nur auf den kleinen Inseln zwischen Tasmanien und dem Festland scheint er noch regelmäßig vorzukommen. Er lebt in den küstennahen Buschlandschaften, die zum Teil recht feucht sind.
Grassamen bilden seine Hauptnahrung. Er soll sehr nahe dem Erdboden brüten. Sein Gelege besteht aus 4 bis 5 Eiern; die Brutzeit ist von November bis Januar.

Allgemeines: Dieser kleine Sittich steht dem Feinsittich am nächsten. Er ist bisher erst einige Male nach Europa importiert worden. Der gelbgrüne Zügelstrich ist zur Artbestimmung von großer Wichtigkeit. Viele Züchter würden es begrüßen, wenn dieser schöne Sittich endlich Einzug in die Liebhaberbestände finden würde. Selbst in Australien aber soll er nur von wenigen Vogelfreunden gezüchtet werden, die ihn wie ein Kleinod hüten.

Gattung: Bourkesittiche *(Neopsephotus)*

Bourkesittich *(N. bourkii)* (Abb. 37)

Kennzeichen: 22 cm groß. Männchen: Oberseite bräunlich, Unterseite hellrosa bis rötlich, Flanken, Stirn und Augenbrauenstreif hellblau, weißlicher Fleck unter dem Auge, Vorderwange ebenfalls weißlich. Weibchen: Blassere Farben und *kein* blaues Stirnband. Jungtiere: Wie Weibchen, aber noch mattere Farben, mit 7 bis 9 Monaten völlig ausgefärbt. Junge Männchen sind manchmal schon sehr früh an einigen blauen Stirnfedern zu erkennen.

Herkunft und Lebensweise: W-Australien, Zentralaustralien und Neusüdwales. Die Verbreitungsgebiete der Bourkesittiche sind nicht genau festzulegen, da durch unregelmäßige Wanderungen das Vorkommen schwankt. Jahrelang galt er in der Freiheit als schon fast ausgestorben, aber in den letzten Jahren hat seine Zahl wieder zugenommen. Manche Ornithologen meinen, daß die Schafzucht indirekt mit der Verbreitung dieses Sittichs zu tun hat. Millionen Schafe vernichteten den Bewuchs großer Gebiete, so daß die Nahrungsquellen (Gras- und Strächersamen) abgefressen und zertrampelt wurden. Die Folge war eine Dezimierung dieser Sittiche. Als nach einer jahrelangen Dürre wiederum eine riesige Zahl von Schafen ums Leben kam, stieg der Bourkesittichbestand seit dieser Zeit ständig an. Dieser Sittich hält sich viel auf dem steppenartigen Boden auf, wo er der Nahrungssuche nachgeht. Er läuft viel und schnell und ist durch seine Tarnfarben schwer zu erkennen. Bis 3 m über dem Boden verrichtet er seine Brut in hohlen Ästen.

Allgemeines: Heute wird der Bourkesittich nicht mehr in die Gattung *Neophema* gestellt, Kreuzungen sind mit dieser ja auch nie vorgekommen. Auch seinen Namen, den er nach dem Gouverneur Sir R. Bourke erhielt, schrieb man bisher falsch.
Dieser Vogel ist in Liebhaberkreisen weit verbreitet, da er viele gute Eigenschaften besitzt. Er ist anspruchslos, friedlich, ruhig, wird schnell zahm, züchtet gut und ist immer preisgünstig zu bekommen. Alle diese Dinge wiegen sein so schlichtes Federkleid mehrfach auf. Frühmorgens und zur Dämmerung wird dieser Vogel erst richtig lebhaft.

Ernährung: Kanariensaat, Silberhirse, Kolbenhirse, Mohn, Negersaat, Leinsamen, kleine Sonnenblumenkerne. Ferner Vogelmiere (manchmal wird keine genommen), klein gehackte Möhre. Zur Zucht gehacktes Hartei, Biskuit, gequollene Kolbenhirse, eingeweichtes, altes Weißbrot und unreife Grassämereien.

Haltung und Zucht. Im Haus: Der Bourkesittich ist ein guter Zimmervogel, sowohl als Einzelvogel, in Gesellschaft anderer Vögel

wie auch zur Zucht. Ein Nagebedürfnis ist fast gar nicht vorhanden, so daß Holz für seinen Käfig Verwendung finden kann. Jungtiere werden schnell und problemlos zahm und können bald Freiflug im Zimmer bekommen.
Zur Zucht setzt man ein Paar in einen mindestens 80 cm großen Käfig. Ein Wellensittich- oder Starennistkasten wird bald angenommen werden, jedoch müssen die Vögel mindestens ein Jahr alt sein. Es werden 4 bis 5 Eier, manchmal auch mehr, gelegt und 18 Tage vom Weibchen bebrütet. Nach vier Wochen fliegen die Jungen aus und sind zuerst etwas wild, was sich aber schnell gibt. Zwei Bruten sind durchaus keine Seltenheit; mehr sollten aber auch nicht gestattet werden.
Bourkesittiche eignen sich auch gut zur Ammenaufzucht. So ziehen sie *Neophema*-Arten (Schönsittich, Glanzsittich usw.) auf; aber auch Vielfarbensittiche u. a. wurden mit Erfolg großgezogen. Manche Züchter ziehen den eben ausgeflogenen Jungtieren an der Stirn einige kleine Federchen, um beim Nachwachsen schnell und sicher das Geschlecht bestimmen zu können.

Im Garten: Auch für eine Freivoliere ist dieser Sittich bestens geeignet. Man sollte ihm aber nicht mehr als einige Grad Frost zumuten, da er sich sonst nicht mehr wohlfühlt. Sein Übernachtungsraum muß absolut trocken und zugfrei sein, da er als Steppenvogel unsere Feuchtigkeit und vor allem Nebel nicht gern hat.
Mit Nymphensittichen und Wellensittichen ist eine gemeinsame Zucht meist möglich, es können Störungen auftreten, die aber unblutig verlaufen. Männchen werden mehr als Weibchen angeboten.

Besonderheiten: Es sind Farbmutationen aufgetreten, die nur zum Teil weitergezüchtet werden konnten; ein Isabellvogel, gelbliche und fast weiß gefärbte Tiere.

Gattung: Schwalbensittiche *(Lathamus)*

Schwalbensittich *(L. discolor)*

Kennzeichen: 24 cm groß. Männchen: Oberseite grün, Unterseite gelbgrün; Stirn, Kinn, Kehle und Unterflügel rot. Das Rot an der Kehle kräftig gelb umsäumt, Unterschwanzdeckfedern rot geschuppt. Weibchen: Matter gefärbt als Männchen, roter Stirn- und Kehlfleck weniger ausgedehnt. Jungtiere: Alle Farben sehr matt, geschuppte Unterschwanzdeckfedern fehlen. Mit etwa einem halben Jahr voll ausgefärbt.

Herkunft und Lebensweise: Tasmanien; in Victoria, Neusüdwales und südlichen Teilen von Queensland sehr wahrscheinlich nur Überwinterer. Auf seiner Insel ist er ein häufiger Vogel. Er lebt in den dichten, hohen Bäumen und ist auch in den Parks, Gärten und sogar in den Städten zu sehen. Der Bestand in den einzelnen Gebieten schwankt, da die Vögel in großen und kleinen Gruppen den blühenden Bäumen nachziehen und auf diese Art eine etwas nomadische Lebensweise führen.
Sein Hauptaufenthalt sind die blühenden Eukalyptusbäume, aus deren Blüten er den Nektar nimmt. Ferner werden Beeren, kleine Sämereien und Insekten gefressen. Die Brutzeit fällt in unsere Winterzeit. In hohle Äste werden 2 bis 4 Eier gelegt.

Allgemeines: Nachdem man früher diesen Vogel in die Lorigruppe einreihte, ist man heute aus verschiedenen Gründen geneigt, ihn den Plattschweifsittichen anzugliedern. Ohne Zweifel zeigt er auf der einen Seite Eigenschaften der Loris und auf der anderen Seite Eigenschaften der Plattschweifsittiche.
Vor einigen Jahren noch ein Wunschtraum, ist der Schwalbensittich heute schon bei etlichen Liebhabern zu finden. Wenn er auch kein gerade prächtiges Federkleid hat, so ist er doch beliebt, da sein Charakter sanft, ruhig und friedlich ist. Importierte und hier gezüchtete Vögel werden noch zu einem hohen Preis angeboten.

Ernährung: Kanariensaat, Kolbenhirse, geschälter und ungeschälter Hafer, Mohn, Negersaat, Leinsamen, Salat- und Grassamen, kleine Sonnenblumenkerne, Mohrrüben, Äpfel, Zwieback trocken und geweicht, Vogelmiere, Beeren und andere süße Früchte und ein Insektenfuttergemisch. Zur Zucht zusätzlich gekeimte Samen, gehacktes Hartei, eingeweichtes Weißbrot und viel reife Früchte.

Haltung und Zucht. Im Haus: Zuchterfolge sind in einer Vogelstube oder einer Zimmervoliere am besten zu erreichen. Die Voliere sollte aber mindestens 3 m lang und 2,5 m hoch sein. Weil er kein Nager ist, ist eine Holzkonstruktion gut möglich.
Da sein Wesen eine gewisse Ängstlichkeit zeigt, muß er zur Zucht entsprechend ruhig untergebracht werden. Zur Brut ist eine Starennisthöhle geeignet. Das Gelege besteht in der Regel aus 3 bis 4 Eiern. Die Jungtiere verlassen nach 5 Wochen das Nest.

Im Garten: Hier geborene Schwalbensittiche können im Sommer in der Freivoliere gehalten werden, müssen im Winter aber in einem Schutzraum frostfrei untergebracht sein. Frisch importierte Vögel sollten bei mindestens 15 °C überwintert werden.

Gattung: Wellensittiche *(Melopsittacus)*

Wellensittich *(M. undulatus)* (Farbbild 4 Seite 104)

Kennzeichen: 18 cm groß. Männchen: Wachshaut (um die Nasenlöcher) blau, Iris gelb. Weibchen: Wachshaut bräunlich, Iris gelb. Jungtiere: Mattere Farben, Kehlflecken klein und unregelmäßig, Wachshaut fleischfarben bis bläulichweiß. Nestjunge Weibchen haben einen feinen weißen Rand um die Nasenlöcher; nestjungen Männchen fehlt dieser weiße Rand um die Nasenlöcher, Iris schwarz. Mit 3 Monaten fängt die Ausfärbung an und ist mit 6 bis 8 Monaten vollendet.

Herkunft und Lebensweise: Inneres von Australien. Der wildlebende Wellensittich ist grün mit gelbem Kopf und quergewelltem Rücken; nur ganz selten treten Farbmutationen auf. Er ist der häufigste Sittich Australiens und fehlt nur in den dichten Waldgebieten und auf der Insel Tasmanien. Reichen die Trockengebiete bis an die Küste, so ist er auch dort zu finden.

In längeren Dürreperioden wandern die Tiere in großen Schwärmen ab und tauchen plötzlich in Gegenden auf, die ihnen sonst gar nicht zusagen. Wenn sich der Wellensittich auch gut den Trockenperioden angepaßt hat, führt er zum Teil doch eine nomadische Lebensweise. Gelangt er in ein Gebiet, wo es gerade geregnet hat, so beginnt er mit seiner Brut. Kommt ein neuer Regen, so bleibt er zur zweiten Brut, bei großer Trockenheit wandert er weiter. So nutzt er jeweils die besten Nahrungs- und Lebensbedingungen aus. Gerade die Jungen benötigen halbreife Sämereien, welche nur nach einem Regen zu finden sind. So ist die Fortpflanzung des Wellensittichs in seiner Heimat mehr an den Regen als an eine bestimmte Jahreszeit gebunden.

In der Regenzeit sind diese Vögel während des ganzen Tages sehr lebhaft, während sie in einer Dürrezeit nur morgens und abends besonders tätig sind. Dieses Verhalten hängt mit dem Wasserhaushalt des Vogels zusammen. An den wenigen Wasserstellen sammeln sie

Abb. 38. Wellensittiche an einer Wasserstelle in N-Australien.

sich oft zu Hunderttausenden (Abb. 38). Ihre Lieblingsplätze sind die großen Eukalyptusbäume, die entlang den Wasserläufen stehen. In diesen leben die Wellensittiche in Gruppen von 20 bis 40 Tieren. Mehrere Paare brüten in Astlöchern eines Eukalyptusbaumes. Die Gelege bestehen gewöhnlich aus 3 bis 5 Eiern. Bei günstiger Witterung werden mehrere Bruten hintereinander gemacht; oft schon in einem Alter von 3 bis 4 Monaten.

Allgemeines: Der Wellensittich wurde durch J. Gould bekannt, der diese Vögel 1840 nach England brachte. Im Laufe der Jahre dehnten sich die Einführungen der Wellensittiche zu Massenimporten aus. So kamen z. B. im Jahre 1879 etwa 80 000 Paare nach England, so daß 1894 die australische Regierung die Ausfuhr dieser Vögel völlig untersagte. Durch die zum Teil schlechte Verpackung und lange Reisezeit gingen sehr viele Vögel zugrunde. Die Preise waren hoch,

gingen aber später durch die Zuchten wieder zurück. Bei uns wurden die ersten Wellensittiche im Jahre 1855 gezüchtet.
1872 wurde in Belgien von der ersten gelben Mutation berichtet, wobei auch Lutinos auftraten. Einige Jahre später (1878) fiel ebenfalls bei einem belgischen Züchter die blaue Mutation, um 1920 die ersten dunkelgrünen Vögel, woraus dann bald olivgrüne gezogen wurden. Anfang der 20er Jahre kamen die kobaltblauen, weißblauen und mauven Vögel. Später entstanden noch zahlreiche Mutationen, die bis heute immer neue Spielarten gebracht haben. Wellensittiche können bis zu 18 Jahre alt werden.

Ernährung: Kanariensaat, Hirsearten (vor allem Silber- und Kolbenhirse), geschälter und ungeschälter Hafer, Vogelmiere und Apfel.

Haltung und Zucht. Im Haus: Der Käfig sollte möglichst quer verlaufende Stäbe haben, um dem Vogel das Klettern zu erleichtern. Nicht zu viele Spielgegenstände in einen kleinen Käfig legen, so daß der Vogel kaum noch Bewegungsfreiheit hat! Der sogenannte „Spielplatz“ wird besser auf den Käfig gestellt, da der Vogel sowieso mindestens einmal am Tage einen Zimmerausflug machen soll. Mit Kolbenhirse wird man den noch nicht so zahmen Vogel schnell in seine Behausung zurückholen können.
Wer eines Tages einen ganz zahmen Vogel haben möchte, darf sich nur ein eben selbständiges Männchen oder sogar einen mit der Hand aufgezogenen Vogel besorgen. Wie schon unter „Kennzeichen“ berichtet, sind ganz junge Vögel nur an der Umgebung der Nasenlöcher zu erkennen.
Auch Weibchen können sehr zahm werden, aber in der Regel sind die Chancen bei einem Männchen bedeutend größer. Vor allem das Nachsprechen ist fast nur den Männchen gegeben. Die Nachahmungstalente der einzelnen Vögel sind sehr unterschiedlich. Einige Vögel begreifen schnell, andere lernen nur einige Worte. Der lernende Vogel darf zur Zeit nur wenige, aber klar ausgesprochene Worte hören, die bei bestimmten Handlungen gesprochen werden. Nur langsam und nach und nach werden neue Worte hinzugefügt, die alten aber immer wiederholt.
Voraussetzung für das Nachahmen ist ein zahmer Vogel. Er muß den Menschen viel sehen und die Scheu vor den Händen verlieren. Der neu eingezogene Vogel darf die ersten Wochen keinen Zimmerfreiflug bekommen. Die spätere Jagerei des Einfangens macht ihn ängstlich und scheu. Er muß sich erst an den Käfig und die Zimmerumge-

bung gewöhnen. Zunächst wird der Vogel mit dem Finger durch die Käfigstäbe hindurch gekrault und mit der Hand vertraut gemacht. Später versucht man durch die offene Käfigtür den Finger unter die Füße zu schieben und gibt ihm Apfel, Biskuit oder andere Leckerbissen aus der Hand.

Nachdem der Vogel ein gewisses Vertrauen zum Menschen zeigt, kann der erste Ausflug stattfinden. Zunächst sollte das immer bei Dunkelheit und Lampenlicht geschehen, da alle Vögel zur Schlafenszeit ein ruhigeres und friedlicheres Wesen zeigen. Geht der Vogel nicht freiwillig in den Käfig zurück oder vom Finger in den Käfig, dann muß unbedingt das Licht gelöscht werden, um so das Tier ohne Gejage zu greifen und in seine Behausung zu setzen. Ein weiterer Vorteil ist, daß der kleine Sittich die greifende Hand nicht wahrgenommen hat. Wenn man diese Regeln befolgt, wird man immer Freude an dem zahmen, vertrauten Vogel haben.

Von allen Papageienarten ist der Wellensittich am leichtesten zu züchten. Der Züchter muß wissen, ob er ganz bestimmte Zuchtziele erreichen will, um sich nach diesen Gesichtspunkten die Vögel anzuschaffen.

In einem Alter von 9 Monaten können Wellensittiche unbedenklich zur Zucht angesetzt werden. Sie können 5 Jahre guten Nachwuchs bringen, wenn sie nicht durch zuviele Bruten überfordert werden. Nach dieser Zeit läßt die Fruchtbarkeit nach, und der Nachwuchs ist nicht mehr so lebenskräftig. Eine glatte Wachshaut deutet auf eine gute Zuchtkondition. Ist die Wachshaut dagegen sehr rauh und uneben, hat man einen alten Vogel vor sich.

Die Brut ist an keine bestimmte Jahreszeit gebunden. Bei einer Winterbrut muß der Tag durch künstliches Licht verlängert werden, damit die Nestvögel genügend Futter bekommen. Wer seine Vögel auf eine Ausstellung bringen will, ist praktisch zur Winterbrut gezwungen, damit die Ausstellungsvögel im Herbst durchgemausert sind und ihre ganze Farbenpracht zeigen. Mehr als drei Jahresbruten sollten nicht zugelassen werden. Hierzu müßten die Geschlechter außerhalb dieser Zeit getrennt werden. Nach der Trennung schreiten sie desto williger zur neuen Zucht.

In einem kleineren Käfig kann mit einem Paar gezüchtet werden; in einem Käfig von einem Meter Länge auch mit zwei Paaren. Wer Qualitätszucht betreiben will, kann nur paarweise züchten, um bestimmte Vererbungen zu gewährleisten. Der Vorteil bei mehreren Paaren ist, daß die Vögel durch eigene Gattenwahl schneller und erfolgreicher zur Brut kommen. Keinesfalls darf man mehr Weibchen

als Männchen zur Zucht ansetzen. Es ist am günstigsten, die gleiche Zahl Männchen und Weibchen in einen Zuchtraum zu bringen. Für jedes Paar müssen zwei Brutkästen vorgesehen werden, um Zankereien zu vermeiden. Die Nistkästen werden in gleicher Höhe angebracht und möglichst weit voneinander entfernt.
Die Zahl der Eier ist recht verschieden. In der Regel sind es 5 bis 6 Eier, es können aber auch 10 sein. Vom 2. Ei ab brütet das Weibchen fest, und nach 17 bis 18 Tagen schlüpfen die Jungen mit einem Tag Abstand. Die Männchen halten sich nur dann und wann bei dem Weibchen im Kasten auf. Im Alter von 8 bis 10 Tagen öffnen die Jungen die Augen, und mit 5 Wochen verlassen sie ihr Nest. Die Jungvögel sollten etwa 14 Tage nach dem Ausfliegen herausgefangen und anderswo untergebracht werden.
Eine Gemeinschaftshaltung mit Nymphensittichen ist möglich, auch zur Zuchtzeit. Männliche Wellensittiche leben auch friedlich mit anderen Arten, aber Beißereien oder sonstige Störungen treten durch die Weibchen auf. Schon durch ihr sehr lebhaftes Verhalten können Wellensittiche andere Vögel von der Brut abhalten.

Im Garten: Wellensittiche sind sehr harte Vögel und können unbedenklich in Freivolieren gehalten werden. Wie immer, ist auch hier ein Schutzraum angebracht, der aber keinesfalls im Winter beheizt werden muß. Nur zur Zucht ist eine Erwärmung nötig. Für ein Zuchtpaar werden etwa 2 Kubikmeter Volierenraum gerechnet. Jungvögel oder nicht brütende Tiere können natürlich in größerer Zahl darin untergebracht werden.
Da der Wellensittich ein sehr guter Flieger ist, ist eine langgestreckte Volierenbauweise am besten. Zweige oder Äste werden nur an den Ecken angebracht, um den Flug nicht zu behindern. Dieser kleine Sittich paddelt gern im trocknen Sand oder badet im feuchten Gras. Nicht vergessen sollte man den Platz für die selbständigen Jungen. Männchen sind sehr viel begehrter als Weibchen.

Freiflug: Da der Wellensittich als Busch- und Steppenvogel zum Wanderer geworden ist und keine Standorttreue kennt, kann er höchstens durch Junge zeitweilig an diese gebunden werden. Aus diesem Grund verfliegt sich schnell der zahmste Wellensittich. Sind Wellensittiche aber durch Nachzucht an ihr Nest gefesselt, so kann der Käfig oder die Voliere geöffnet werden. Nach dem Ausfliegen der Jungvögel aber muß mit einem Abwandern gerechnet werden. Eine direkte Ansiedlung ist auf die Dauer nicht möglich.

Besonderheiten: Wellensittiche bewährten sich manchmal als Ammen. Bis zu einem Alter von 6 Wochen wurden z. B. Nymphensittiche von ihnen großgezogen. Nach dieser Zeit mußten die Nymphen vom Pfleger weiter gefüttert werden. Auch Schönsittiche sowie *Agapornis roseicollis* und *Agapornis personata fischeri* wurden schon von Wellensittichen großgezogen.

Gattungen: Rotloris *(Eos)*, Keilschwanzloris *(Trichoglossus)*, Breitschwanzloris *(Domicella)*

Folgende Arten werden besprochen:

Rotloris
Kapuzenlori, *E. squamata* (5 Rassen)
Rotlori, *E. bornea* (4 Rassen)

Keilschwanzloris
Allfarbloris, *T. haematodus* (22 Rassen)
Schmucklori, *T. ornatus*

Breitschwanzloris
Frauenlori, *D. lory* (8 Rassen)
Erzlori, *D. domicella*
Gelbmantellori, *D. garrula* (3 Rassen)

Herkunft und Lebensweise: Philippinen, O-Indonesien, Molukken, Neuguinea mit umliegenden Inseln und einige Gebiete von Polynesien und Australien. Die farbenprächtigen Loris sind Waldbewohner und leben in den gleichen Gebieten wie die Kakadus. Sie sind geschickte Kletterer und viele Arten besonders schnelle Flieger.
Die Loris ernähren sich vom Nektar und den Pollen der Blüten, von Früchten, Beeren und gelegentlich von Insekten. Mit ihrer an der Spitze aufgefaserten Zunge können sie den Saft aufnehmen. Sie sind Höhlenbrüter, die gerne hohle Gummibäume für ihre Aufzucht benutzen. Das Gelege besteht höchstwahrscheinlich bei allen Arten aus nur zwei Eiern.

Allgemeines: Manche Arten der Keilschwanzloris werden von den ausländischen Importeuren in großer Zahl eingeführt. In dieser Gruppe findet man zum Teil sehr stürmische, aufgeregte und nervöse Vögel, die bei menschlicher Annäherung unter großem Geschrei zu fliehen versuchen.

Breitschwanzloris und Rotloris kommen dagegen nur in einzelnen Paaren oder kleinen Gruppen bei den Großhändlern an. Entsprechend liegen die Preise in diesen Gattung wesentlich höher, zumal wenn es sich noch um handzahme Vögel handelt. Vor allem die Breitschwanzloris werden von den Eingeborenen gerne aus den Nestern genommen, aufgezogen und als Haustiere gehalten. Ein fester Leder- oder Knochenring ist der Beweis für solch einen Vogel, denn er wird ihm schon als Jungtier übergestreift, um eine Kette oder einen Lederriemen daran zu befestigen.
Im Gegensatz zu den Araras, Graupapageien und einigen Amazonenarten zeigen sich zahme Loris allen anderen Menschen gegenüber freundlich. Sie haben nicht ihre persönlichen Freunde, wie es meist bei den zuerst aufgeführten Papageien der Fall ist. Sie sind sehr verspielt und haben ein drolliges und amüsantes Wesen. Auf der Erde schlagen sie Purzelbäume, legen sich auf den Rücken und greifen mit den Füßen nach allem, was ihnen in den Weg kommt. Kurz, es sind die Clowns unter den Papageien.
Die weniger erfreuliche Seite ist die etwas mühevollere Fütterung sowie die flüssigen Exkremente. Kein Lori kann auf die Dauer nur von Körnern leben. Die Keilschwanzloris lassen sich leichter an eine Körnerzusatzfütterung gewöhnen als die Breitschwanzloris.

Ernährung: In Milch oder Wasser eingeweichter Zwieback; mindestens zweimal in der Woche wird die Flüssigkeit mit Traubenzucker, echtem Honig und etwas Vitaminen angereichert. Bei sehr warmer Temperatur ist besser Wasser zu nehmen, da die Milch dann leichter säuert. Es gibt heute aber auch schon in Pulverform sehr gute und nahrhafte Fabrikate (Früchtebrei mit Honig und Vitaminen), die für Babys gedacht sind und nur mit Flüssigkeit angerührt zu werden brauchen. Ferner süßes Obst und Beeren aller Art, Biskuit, eingeweichtes und ausgedrücktes Weißbrot, zerschnittene Möhren, gekochter, körniger Reis.
Als Zusatz zunächst gekeimte Sonnenblumenkerne, Spitzsaat oder Hafer reichen (eventuell unter den Reis mischen). Nach Gewöhnung (vor allem bei den Keilschwanzloris) angegebene Samen auch ungekeimt geben. Sämtliches Futter ist möglichst in Kopfhöhe anzubringen, da Loris nicht gerne am Erdboden fressen.

Haltung und Zucht. Im Haus: Wie schon kurz im allgemeinen Teil erwähnt, muß mit dünnflüssigen Entleerungen der Loris gerechnet werden. Da sie sich gerne an das Käfiggitter hängen, können sie so

auch die Stube beschmutzen. Ein sogenannter Kistenkäfig, welcher innen gut und leicht abzuwaschen ist, hat darum seine Vorteile. Glasscheiben müßten leicht und schnell auszuwechseln sein (jede Scheibe in doppelter Ausfertigung).
Eine ideale Unterbringung im Haus ist eine Mansarde, Dachkammer, Vogelstube oder eine praktische und extra für Loris eingerichtete Zimmervoliere.
Ein zahmes Einzeltier oder ein zahmes Paar ist am besten für die Haushaltung geeignet, da manche Arten eine recht kräftige Stimme haben. Die Sprechbegabung ist nicht sehr groß, bei den Keilschwanzloris geringer als bei den Breitschwanzloris. Auch werden letztere besser und schneller zahm, gleich ob es sich um Männchen oder Weibchen handelt.

Im Garten: Die neuesten Erfahrungen haben gezeigt, daß verschiedene Arten eingewöhnter oder hier gezüchteter Loris einige Minusgrade gut vertragen können. Bei stärkerem Frost sind zuerst ihre Füße gefährdet. Im Innenraum der Freivoliere sollte darum stets ein dickwandiger Schlafkasten hängen, in welchen sich die Loris nachts zurückziehen.
Vor allem die Keilschwanzloris sind schnelle Flieger und benötigen eine mindestens 3 m lange Voliere. Ein zu langer Flugraum dagegen würde bewirken, daß gerade diese Arten besonders scheu bleiben. Die Breitschwanzloris dagegen können schon in einer 2 m langen Freivoliere gehalten werden. Manche Art ist recht oft, andere Arten selten oder gar nicht gezüchtet worden. Die Schwierigkeit liegt in der Erkennung der Geschlechter. In Gefangenschaft wurden nur jeweils 2 Eier in einer Brut gelegt, aber an eine bestimmte Brutzeit scheinen die meisten Loris nicht gebunden zu sein. Drei oder sogar vier Bruten sind keine Seltenheit, wenn sich ein gutes Zuchtpaar gefunden hat. Voraussetzung ist dabei natürlich eine abwechslungsreiche Ernährung.

Rotloris

Kapuzenlori *(E. squamata)*

Molukken, Halmahera und kleinere umliegende Inseln.

Kennzeichen: 25 cm groß. Männchen: Rot, bläuliches Nacken- und Halsband, Bauchmitte violettblau, Handschwingen braun, Schnabel

rot. Weibchen: Gestalt kleiner als Männchen; violette Färbung kräftiger und samtartiger als beim Männchen.
In neuerer Zeit sind Kapuzenloris wieder im Handel erschienen. Der Preis ist nicht niedrig. Zuchten sind öfter gelungen; in Europa zuerst im Jahre 1927. Das Männchen umbalzt tänzelnd sein Weibchen. In den Bruten wurden immer 2 Eier gelegt. Nach gut 2 Monaten flogen die Jungtiere aus dem Brutkasten und wurden noch etwa 14 Tage von den Eltern gefüttert. Nestkontrollen wurden nicht übelgenommen.

Rotlori *(E. bornea)*

Amboina, Ceram und die Molukken.

Kennzeichen: 30 cm groß. Männchen und Weibchen: Rot, Schulter- und Unterschwanzdecken blau, Schnabel orangerot. Jungtiere: Die Federn der Unterseite sollen blaue Säume haben.
Auch diese Loriart wird hin und wieder angeboten und steht preislich auf gleicher Höhe mit voriger Art. Nur einige Zuchten sind bisher gelungen. Die Rotloris werden sehr zahm und können außerordentlich liebenswürdig sein.

Keilschwanzloris

Allfarblori *(T. haematodus)*

Molukken, Ceram, Amboina, Flores, Sumba, Bali, Lombok, Neuguinea und O-Australien.

Gebirgslori *(T. haematodus moluccanus)* (Farbbild 5 Seite 105)

O-Australien.

Kennzeichen: 33 cm groß. Männchen: Grün; Kopf und Bauchmitte blau, Brust gelborange bis orangerot, gelbgrünes Nackenband, Schnabel und Iris rot. Weibchen: Iris orangerot, Brustfärbung manchmal weniger intensiv gefärbt als das Männchen. Jungtiere: Wie Alttiere, aber kleiner (vor allem die Schwanzfedern) und Schnabel noch nicht rein rot.
Von allen Loriarten wird der Gebirgslori, der zu der Gruppe der Allfarbloris gehört, am meisten gehalten. Der Grund ist nicht nur in

den schönen Gefiederfarben, sondern auch in der guten Züchtbarkeit und Unempfindlichkeit gegen jegliche Witterung zu suchen.
An Sonnenblumenkerne, Haferkerne, Kanariensaat sind sie schnell zu gewöhnen. Trotzdem benötigen sie laufend Äpfel, Möhren und hin und wieder Weintrauben.
Sie sind paarweise zu halten; auch das Zusammensein mit Wellensittichen verläuft meistens gut. Die Stimme der Gebirgsloris ist nur zeitweise lautstark, so z. B. bei plötzlichen Aufregungen durch Katzen oder Raubvögel. Zur Brutzeit aber sind sie weniger zu hören. Bei der Balz wiegt das Männchen den Körper hin und her, und man kann dann eigenartig zischende Laute hören. Das Weibchen legt immer nur 2 Eier und bebrütet diese 25 Tage. Die Jungtiere werden von beiden Eltern gefüttert. Nach 7 bis 8 Wochen verlassen die Jungen das Nest und zeigen das Federkleid der Eltern. 2 bis 3 Bruten im Jahr sind möglich; sie sind an keine bestimmte Jahreszeit gebunden.
Bei der Suche nach einer Brutstätte sind Gebirgsloris nicht wählerisch; Staren- bis Spechtkastengröße mit einem Einflugdurchmesser von 8 cm. Auf den Nistkastengrund kommen einige Zentimeter Torfmull oder Holzmulm. Da die Loris diesen Platz auch zur Übernachtung benutzen, muß er hin und wieder gesäubert werden.

Forstenlori *(T. haematodus forsteni)*

Sumbawa.

Kennzeichen: 27 cm groß. Männchen und Weibchen: Grün; Kopf, Kehle und Bauch dunkelblau, Bauchseiten gelb, Nackenband grüngelb, Brust hellrot und Schnabel rötlich.
Bei den großen Importeuren ist dieser Lori oft in einer Vielzahl zu sehen und wird zu einem günstigen Preis angeboten. Zuchten sind mehrfach gemeldet worden.

Mitchell-Lori *(T. haematodus mitchellii)* (Abb. 39)

Insel Bali und Lombok.

Kennzeichen: 24 cm groß. Männchen: Grün; Kopf purpurbräunlich bis dunkelviolett, rote Brust, violettschwarzer Bauch mit grünen Bauchseiten, Schnabel orangerot. Weibchen: Kleiner als das Männchen und abgeflachte Kopfform.

Abb. 39. Mitchell-Loris. Links das Männchen, rechts das Weibchen.

Dieser kleine Lori wird hin und wieder angeboten und auch gezüchtet. Er ist sehr lebhaft und leicht erregbar. Eingewöhnte und hier geborene Vögel können kalt überwintert werden, wenn ihnen ein sehr dickwandiger Schlafkasten zur Verfügung steht.
Das Problem der Überwinterung liegt in der Ernährung, denn außer Sonnenblumenkernen müssen zumindest Äpfel und Möhren oder sogar aufgeweichter Zwieback geboten werden. Eine kleine Heizplatte (wie es sie in der Geflügelzucht für Küken gibt), worauf die Futterschalen gestellt werden, kann dieses Problem lösen.

Schmucklori *(T. ornatus)*

Celebes und umliegende Inseln.

Kennzeichen: 23 cm groß. Männchen und Weibchen: Grün; Oberkopf dunkelblau, ein gelber Fleck hinter dem Ohr; Kehle, Brust und Wangen rot; schwärzliche Querbänder über einer roten Brust, gelbe Körperseiten, Bauch und Nacken grün mit gelber Wellenzeichnung.
Ein sehr schönes Federkleid mit einer rundlichen Figur zeigt der Schmucklori. Sein Benehmen ist recht lebhaft und ungestüm und seine

starke Stimme oft zu hören. Mit der Hand aufgezogene Vögel können dagegen sehr anhänglich und zahm sein.
Auch Schmuckloris können kalt überwintert werden, wenn es sich um eingewöhnte oder hier gezüchtete Vögel handelt. Zuchten sind mehrfach gelungen.

Breitschwanzloris

Frauenlori *(D. lory)*

Neuguinea.

Kennzeichen: 30 cm groß. Männchen: Kopfplatte schwarz; Kopfseiten, Kehle, Nackenband, Körperseiten und Unterflügeldecken rot; übrige Unterseite, Brustbinde und Rücken blau, Flügel grün. Weibchen: Gleiche Färbung, aber Kopf, Schnabel und Gestalt kleiner als Männchen.
Diese herrlichen Vögel werden leider immer nur in einzelnen Exemplaren zu einem höheren Preis angeboten. Oft sind es schon zahme oder halbzahme Tiere, welche von den Eingeborenen großgezogen wurden.
Ihre Nachahmungsbegabung wird sehr gelobt, und die Stimme ist nicht so schrill wie bei den Keilschwanzloris. Das ganze Benehmen ist anmutiger und sanfter; ihr Wesen sehr verspielt. Ein zahmer Vogel läßt sich zu Kunststücken abrichten und kann dann von seinem Pfleger auf den Rücken gelegt werden und allerlei drollige Dinge mehr.
Diese Lorigattung ist sehr schwer an Körner zu gewöhnen. Ihre Hauptnahrung ist Weichfutter aller Art, wie im Teil „Ernährung“ berichtet. Man kann es auch mit frischem oder gekochtem Mais oder gequetschtem Hanf versuchen.
Frauenloris wurden 1921 in England gezüchtet; ein Junges wurde selbständig. Überwinterung nicht unter + 10 °C.

Erzlori *(D. domicella)* (Abb. 41)

Amboina und Ceram.

Kennzeichen: 30 cm groß. Männchen: Rot; Kopfplatte schwarz, Flügel grün, gelbes Kropfband und Flügelbug blau. Weibchen: Gleiche Färbung, aber Kopf, Schnabel und Gestalt kleiner als Männchen.

Abb. 40. Blaukrönchen-Männchen. Abb. 41. Erzlori. Das gelbe Kropfband ist noch nicht voll ausgefärbt.

Der Erzlori ist im Handel etwas leichter als voriger zu bekommen. In allen Teilen ähnelt er dem Frauenlori sehr. Es wurde bei dieser Art ein besonders großes Badebedürfnis festgestellt. Ein Erzlori soll nach dem Genuß von Brombeeren gestorben sein. Nur einige Male ist der Erzlori bisher gezüchtet worden; so in Belgien, USA und Japan.

Gelbmantellori *(D. garrula)*

Halmahera und einige umliegende Inseln.

Kennzeichen: 31 cm groß. Männchen: Rot; Flügel grün, gelber dreieckiger Rückenfleck (nicht alle Rassen!) und Flügelbug gelb. Weibchen: Gleiche Färbung, aber Kopf, Schnabel und Gestalt kleiner als Männchen.

Von allen Breitschwanzloris werden die Gelbmantelloris am häufigsten angeboten. Durch die verschiedenen Rassen ergeben sich Größen- und Färbungsunterschiede. So hatte der Verfasser Vögel mit gelbem Rückenfleck, aber es gibt auch Gelbmantelloris ohne gelben Rückenfleck. Letztere sind kleiner und haben ein dunkleres Rot.
Sie sind leicht heftig und schnell erregbar, wenn ein Fremder oder Ungewohntes zu sehen ist. Eine ihrer Eigenarten ist, daß sie sich nach Fledermausart an den Füßen aufhängen und so eine ganze Zeit verweilen.
Nach eigenen Erfahrungen wurden Sonnenblumenkerne gern gefressen. Die Zucht ist mehrere Male gelungen; in neuerer Zeit einem Schweizer Liebhaber.

Gattung: Fledermauspapageien *(Loriculus)*

Folgende Arten werden besprochen:

Frühlingspapagei, *L. vernalis* (3 Rassen)
Rotkäppchen, *L. philippensis* (11 Rassen)
Blaukrönchen, *L. galgulus* (2 Rassen)

Herkunft und Lebensweise: Indien, Indonesien, Philippinen, Neuguinea und umliegende Inseln. Diese Papageien haben nur eine Größe von 11 bis 16 cm. Sie leben in dichten Wäldern, im Bambusdschungel, auf den Pflanzungen und in den Obstplantagen. Zur Nacht hängen sie sich fledermausartig auf.
Ihre Nahrung besteht aus Blütennektar, süßen Beeren, Früchten und Zuckerrohr.
Das Nest befindet sich in einem hohlen Ast oder Baum, ziemlich nahe dem Boden. Wie die Unzertrennlichen befördern sie Nestmaterial in ihrem Gefieder. Das Gelege besteht aus 3 bis 4 Eiern.

Allgemeines: Durch die heute so schnellen Transportverbindungen kommen die Fledermauspapageien in besserem Zustand als in früheren Zeiten an. Die Zahl der importierten Vögel ist aber nie groß. Häufig sind es junge, noch nicht ausgefärbte Vögel, so daß sich erst später die Überzahl der Männchen herausstellt. Von den angebotenen Arten ist das Blaukrönchen am häufigsten im Handel zu finden.
In der ersten Zeit der Eingewöhnung dürfen sie nicht unter Zimmertemperatur gehalten werden. Sie sind überaus verträglich und harmlos gegenüber anderen Vogelarten. Die Geschlechter erweisen sich

untereinander keine Zärtlichkeiten. Ein Kraulen, wie man es bei den Unzertrennlichen sehen kann, ist noch nirgends beobachtet worden. Als geschickte Läufer und Kletterer benötigen sie viele Zweige in ihrer Unterkunft. Harte, rillige Schilfstengel verhindern weitgehend den starken Krallenwuchs. Die Stimme dieser kleinen, schönen Papageien ist ein angenehmes Zwitschern und Wispern und erinnert an die Töne eines Singvogels.

Ernährung: Süße Äpfel, Birnen und Bananen. Manchmal auch aufgeschnittene Feigen und körniger, gekochter Reis. Ferner eingeweichter Zwieback, geweichte Rosinen oder ein Weichfutter aus Biskuits, gehacktem Hartei und Ameisenpuppen. Später langsam an geschälten, geweichten Hafer und Kanariensaat gewöhnen! Auch gequetschte Kartoffeln können gereicht werden. Zum Trinken angerührte Frucht-Babynahrung (Konsistenz wie Suppe).

Frühlingspapagei *(L. vernalis)*

Hinterindien und Siam.

Kennzeichen. 16 cm groß. Männchen: Grün; hellblauer Kehlfleck, Bürzel braunrot, Schwanzfedern von unten hellblau, Schnabel rot. Weibchen: Gelbgrün und ohne blauen Kehlfleck. Jungtiere: Ohne Kehlfleck und graugrünes, mattes Federkleid.

Haltung und Zucht. Im Haus: Ein Käfig von mindestens 70 cm Länge oder eine Vogelstube sind für die Haltung geeignet. In Anbetracht der Futterzusammenstellung sind auch die Ausscheidungen flüssiger. Es sollten sich Zweige und Sitzstangen nicht so nahe an den Käfigseiten befinden, damit das Zimmer oder die Käfigwände nicht beschmutzt werden.
Die Zucht dieser Papageien ist nicht leicht und erst selten gelungen. Dem Verfasser sind erfolgreiche Zuchten aus den Jahren 1894/95 und 1907 bekannt. Erst in neuerer Zeit ist es einem dänischen Liebhaber gelungen, ein Junges großzubekommen. Dort brüteten die Vögel merkwürdigerweise in einer kleinen Pappschachtel. Nach Angaben des Züchters soll die Brutzeit 24 Tage betragen haben.
Für den Nestbau werden gern Rindenstücke der Weide genommen. Auch Schilf wird in kleine Stücke zerspleißt und im Gefieder in den Kasten transportiert. Der Nistkasten darf nicht größer als ein Wellensittichbrutkasten sein.

Die Balz des Männchens ist sehr interessant. Es zeigt dann eigenartige Bewegungen und Sprünge und tut so, als ob die Spitze eines Astes gefüttert werden soll. Vor der Paarung zittern die Flügel des Männchens, und es sieht aus, als ob der Vogel schwer krank sei.

Im Garten: Nach der Eingewöhnung können diese Vögel in den Sommermonaten in der Freivoliere sein. Sie müssen selbstverständlich einen Schutzraum aufsuchen können, in welchem sie vor Wind und Nässe geschützt sind.

Rotkäppchen *(L. philippensis)* (Abb. 42)

Philippinen.

Kennzeichen: 15 cm groß. Männchen: Grün; Stirn rot, untere Kehle orangerot, Wangen grün, Nackenfleck goldgelb, Schnabel rot. Weibchen: Untere Kehle blaßgelb und Wangen blau, die Stirn intensiver rot als beim Männchen.

Blaukrönchen *(L. galgulus)* (Abb. 40)

Malakka, Sumatra und Borneo.

Kennzeichen: 13 cm groß. Männchen: Grün; Oberkopf blau; Kehle und Bürzel rot, Unterrücken gelb, Schnabel schwarz. Weibchen: Das Blau auf dem Kopf nur angedeutet; das Rot an der Kehle fehlt und kein Gelb im Unterrücken. Jungtiere: Wie Weibchen, ohne Blau und Rot; Bürzel braunrot, Schnabel hornfarben.

Haltung und Zucht. Im Haus: Ein hiesiger Zuchterfolg ist aus dem Jahre 1907 bekannt und 1968 wieder eine gelungene dänische Zucht. Es wurde Blattgrün zerbissen und im Gefieder in den Nistkasten eingetragen. Das Weibchen legte 2 bis 3, selten 4 Eier, welche 19 bis 22 Tage bebrütet wurden. Es kam nur einige Male am Tage aus dem Nistkasten und nahm Futter vom Männchen, denn die ersten Tage füttert es allein die Jungen. Das Männchen füttert nicht sein Weibchen, sondern letzteres nimmt ihm das Futter vom Schnabel ab. Nach etwa 4 Wochen verlassen die Jungen das sehr schmutzige Nest. Die Jungen sind ungefähr nach einem Jahr voll ausgefärbt.
Im Sommer können die Blaukrönchen in einer Freivoliere mit Schutzraum fliegen; Haltung im Winter bei + 18 °C.

Abb. 42. Rotkäppchen-Männchen mit grünen Wangen. Das Weibchen hat blaue Wangen.

Gattung: Unzertrennliche *(Agapornis)*

Folgende Arten werden besprochen:

Taranta-Unzertrennlicher, *A. taranta* (2 Rassen)
Grauköpfchen, *A. cana* (2 Rassen)
Grünköpfchen, *A. swinderniana* (3 Rassen)
Orangeköpfchen, *A. pullaria* (2 Rassen)
Rosenköpfchen, *A. roseicollis*
Schwarzköpfchen, *A. personata* (4 Rassen)

Herkunft und Lebensweise: Afrika mit der Insel Madagaskar. Die Gruppe der Unzertrennlichen lebt zum Teil in busch- oder waldreichem Gelände, aber auch in steppenartigen, sandigen Landstrichen und auch im Gebirge bis 3000 m Höhe. Sie hüpfen und klettern geschickt durch die Zweige, laufen aber auch gewandt auf der Erde. In der Brutzeit leben sie paarweise und schließen sich nach dieser zu kleineren Gesellschaften zusammen.
Sie brüten in Baumhöhlungen, in welche sie ein Nest bauen. Bei manchen Arten sind es überwölbte Nester, bei anderen nur eine Nestunterlage. Einige Unzertrennliche bevorzugen die Nester anderer Vögel oder auch Termitenhügel als Brutstätte. Als Nistmaterial werden zerspleißte Baumrinde, Blattstückchen oder Halme im Schnabel oder im Rückengefieder in die Nisthöhle getragen. Sie ernähren sich von Samen, Beeren und Früchten aller Art.
Die Unzertrennlichen mit den weißen Augenringen *(A. personata)* bewohnen so dicht benachbarte Gebiete, daß man nur noch von *einer* Art mit einigen Unterarten oder von geographischen Rassen eines Formenkreises spricht.

Allgemeines: Die Unzertrennlichen sind äußerst beliebte Vögel der Stuben- und Volierenhaltung. Viele Arten werden häufig gezüchtet oder auch als zahmer Vogel in der Stube gehalten. Sie benötigen nicht viel Platz, und ihr Federkleid ist bei vielen äußerst anmutig. Dem heißblütigen Temperament mancher Arten muß Rechnung getragen werden. Sie beißen ihren Artgenossen oder anderen Vogelarten die Zehen ab.
Ihre Stimme ist ruhig bis mäßig laut; andere Arten lassen sogar nur ein singvogelartiges Gezirpe hören. Ein Sprechtalent konnte bisher nicht festgestellt werden.
Die Geschlechtsmerkmale sind bei einigen Arten deutlich, bei anderen Arten schwierig zu erkennen. Dabei spielt das Alter der Vögel eine

Rolle. Bei geschlechtsreifen Vögeln sind die Beckenknochen der Weibchen einige Millimeter auseinander; bei den männlichen Vögeln liegen sie fast aneinander.
Die Preise sind bei vielen Arten ziemlich konstant. Unzertrennliche, die wenig gezüchtet und selten importiert werden, sind dagegen teuer. Vögel, die früher in großer Zahl importiert wurden, sind heute gar nicht mehr oder selten auf dem Vogelmarkt zu finden. Zum Teil liegt es an den Fangexpeditionen, zum Teil aber auch an einigen neuen afrikanischen Staaten, die die Ausfuhr sämtlicher Tiere untersagen.
Es werden verschiedene Farbmutationen gezüchtet, und es ist damit zu rechnen, daß im Laufe der Zeit noch neue hinzukommen werden.

Ernährung: Sonnenblumenkerne, Kanariensaat, Kolben- und andere Hirse, geschälter und ungeschälter Hafer, Äpfel und Vogelmiere. Zur Zucht zusätzlich viel gekeimte Kolbenhirse oder anderes gekeimtes Futter; frische Zweige zum Nestbau und zum Benagen. Am besten eignen sich dünne Weidenzweige.

Haltung und Zucht. Im Haus: Ein ganz junger, eben selbständiger Unzertrennlicher kann ein äußerst lieber, amüsanter und zahmer Hausgenosse werden. Sein Gefährte darf aber dann nicht ein zweiter Vogel, sondern muß der Mensch bleiben, der sich viel mit ihm beschäftigt. Man kann dem emsigen Treiben eines zahmen Unzertrennlichen unermüdlich zuschauen; sie sind neugierig und sehr spielerisch veranlagt.

Der Käfig sollte nicht klein und muß aus Metall sein, da Holz mit der Zeit zernagt werden würde. Ein Zuchtkäfig für ein Paar Unzertrennliche muß mindestens 60 cm lang sein. Man kann auch Kistenkäfige herstellen, welche innen mit harten Kunststoffplatten ausgekleidet sein müssen, um ein Benagen zu verhindern. Auch ist solch ein Käfig gut zu säubern und die Vögel fühlen sich geborgen, weil nur die Vorderseite einzusehen ist.

Ein für Wellensittiche geeigneter Brutkasten wird in oder an die äußere Käfigwand gehängt. Bei vielen Arten sind Weiden-, Birken- oder Lindenzweige zum Nestbau erforderlich. Man stellt diese am besten in einen kleinen Wassertopf, um sie länger frisch zu erhalten, denn nur saftige Rinde wird abgeschält. Die Vögel brauchen die Feuchtigkeit der Rinde in ihrem Nest, um den Schlupf der Jungen zu erleichtern. Bei sehr trockener Luft werden die Jungen selten aus den Eiern schlüpfen; die feuchten Rindenstückchen helfen ihnen dabei. Ein

Paar Unzertrennliche kann erhebliche Mengen dieses Rindenmaterials verbrauchen. Wer diese frischen Zweige nicht laufend besorgen kann, sollte eine Stubenzucht gar nicht erst versuchen. Es gibt allerdings Arten (z. B. *A. cana* und *A. taranta*), die nicht auf diese Niststoffe angewiesen sind. Auch eine gute Bademöglichkeit darf nicht fehlen, da auch hierdurch Feuchtigkeit in die Nester getragen wird.
Auf dem Hausboden oder in einer nicht so kleinen Vogelstube können auch zwei oder drei Paare gehalten werden. Diese Vögel müßten aber zusammen eingesetzt werden und dürften nicht älter als einige Monate sein, da es sonst Beißereien geben könnte.

Im Garten: Unzertrennliche sind auch ideale Gartenvögel. Sie sollten einen gut isolierten Schutzraum haben, und eine kleine Wärmequelle muß dafür sorgen, daß die Temperatur nicht unter einige Minusgrade absinkt. Dieses gilt nur für hier gezogene Vögel. Importierte Unzertrennliche dürfen den ersten Winter nicht unter + 15 °C überwintert werden. Die Nistkästen werden im Sommer besser im Freien untergebracht, da hier die Luftfeuchtigkeit größer ist. Im Winter hängen die Schlafkästen selbstverständlich im Innenraum.

Die Volieren, die mit Holz verarbeitet sein können, kann man mit mehreren Paaren Unzertrennlichen besetzen. Die Vogelbesetzung muß auf einmal erfolgen. Zu einer späteren Zeit werden überzählige Männchen oder Weibchen entfernt. Nicht unbedingt müssen zwei Vögel, die in einem Kasten sitzen, auch ein Paar sein, da sich manchmal auch zwei Männchen oder zwei Weibchen zusammenschließen. Die Regel aber ist, daß überzählige Vögel in einem Schlafkasten allein übernachten. Die Brutkastenlöcher kann man im Dunkeln verschließen und am frühen Morgen untersuchen, wo die einzelnen Vögel sitzen. Voraussetzung sind entsprechend viele Übernachtungskästen, die in gleicher Höhe angebracht sind.

In der Regel werden 4 bis 6 Eier gelegt, die vom Weibchen 21 bis 25 Tage, je nach Art, bebrütet werden. Die Jungen verlassen mit 4 bis 6 Wochen ihr Nest und bekommen dann hauptsächlich vom Männchen noch etwa 2 Wochen ihr Futter. Nach dem Selbständigwerden sind die Jungen herauszufangen; sie könnten bei einer neuen Brut der Eltern stören und gebissen werden. Mit 8 bis 10 Monaten sind die Jungtiere zuchtreif. Die Weibchen sind durchweg in der Überzahl. Hat man mehrere Arten in einer Voliere, dann muß mit Kreuzungen gerechnet werden. Mit einer paarweisen Zucht erreicht man immer den größten Erfolg.

Taranta-Unzertrennlicher *(A. taranta)* (Abb. 43)

Äthiopien und S-Eritrea.

Kennzeichen: 16 cm groß. Männchen: Grün; Vorderkopf rot, Schnabel dunkelrot. Weibchen: Kein Rot am Kopf. Jungtiere: Schnabel gelbbraun, das Rot am Kopf mit 3 bis 4 Monaten; ausgefärbt mit etwa 9 Monaten. Kleine Unterflügeldecken beim Männchen schwarz, beim Weibchen braun.

Dieser Unzertrennliche wird auch Bergpapagei oder Tarantiner genannt. Er lebt in Höhen bis zu 3000 Metern. Er ist darum von allen Arten am härtesten, und selbst allerstärkster Frost macht ihm nichts aus. In Gesellschaften zu 10 Stück führen diese Vögel außerhalb der Brutzeit ein sehr unstetes Leben. Sie ziehen die einsamen Gebiete vor und sind selten in der Nähe menschlicher Wohnungen zu sehen.

Diese Unzertrennlichen werden nur sehr sporadisch importiert, da Teile Äthiopiens Ausfuhrverbot haben. Sie sind nicht besonders begehrt, da sie farblich nicht sehr schön und schwer zu züchten sind. Es

Abb. 43. Taranta-Unzertrennliche. Das Männchen (links) hat schwarze Handschwingen und eine rote Stirn.

sind Bruterfolge in einem 80 cm langen Käfig gelungen. Auch im Freiflug ist sogar im Winter eine Zucht geglückt; die Tarantas wurden nach geschlechtlicher Bindung freigelassen. Sie lebten sehr versteckt und waren schnell den Blicken entschwunden. Ohne Nestbau wurde im November bei nur + 4 °C in einem Starenkasten gebrütet. Im Dezember kam Schneetreiben mit –14 °C! Trotzdem wurden die Jungtiere groß und keines nahm Schaden. Das Männchen fütterte das Weibchen und dieses dann die Jungen. Später kümmerten sich beide Elternteile um die Fütterung.
Andere Züchter berichten, daß abgenagte Efeublattstücke vom Weibchen im Rückengefieder in den Nistkasten eingetragen wurden. Auf diese Weise wurde eine 3 cm hohe Laubstreu errichtet.
In der Regel werden 3 bis 5 Eier gelegt, welche 24 bis 25 Tage bebrütet werden. Nach 6 Wochen kommen die Jungen aus dem Kasten. Nestkontrollen wurden nicht übelgenommen. Nymphen- und Singsittiche wurden bei Brutbeginn in die Beine gebissen. Die Stimme der Bergpapageien ist ein leises Zirpen.

Grauköpfchen *(A. cana)* (Abb. 44)

Madagaskar und umliegende Inseln.

Kennzeichen: 13,5 cm groß. Männchen: Grün; Kopf bis Brust silbergrau, Schnabel grauweiß. Weibchen: Kopf bis Brust grün. Jungtiere: Importierte Jungmännchen ganz grün; gezüchtete Jungmännchen Kopf bis Brust grau, aber etwas weniger ausgedehnt und nicht ganz so hellgrau wie bei den Alttieren; Schnabel zum Teil schwärzlich.
Außerhalb der Brutzeit leben die Grauköpfchen in großen Gruppen, wobei die Paare stets zusammenhalten. Sie sitzen an den Waldrändern, fallen in die Reisfelder oder andere Kulturen ein, wo sie großen Schaden anrichten.
Früher waren sie auf dem Vogelmarkt eine alltägliche Erscheinung und für sehr wenig Geld zu bekommen. Frisch importierte Vögel sind scheu und neigen zu Erkältungen. Heute hat Madagaskar Ausfuhrverbot, und die Grauköpfchen sind selten geworden.
Die Haltung in einer Vogelstube oder einer Zimmervoliere ist zu empfehlen; in einem kleineren Käfig dagegen hat man ihrer Ängstlichkeit wegen wenig Freude. Aus eigenen Erfahrungen kann berichtet werden, daß am liebsten ein Wellensittichbrutkasten (Querformat) angenommen wird. In diesem wird auch übernachtet. Die Grauköpfchen des Verfassers trugen nur einige Sonnenblumenschalen

Abb. 44. Auch die Grauköpfchen sind geschlechtsmäßig gut zu unterscheiden. Rechts das Männchen.

und zwei vertrocknete Blätter in ihren Kasten, während bei anderen Liebhabern auch Gräser, Vogelmiere, kleine Streifen Zeitungspapier, Weidenrinde, Lärchen- und Kiefernnadeln, Preiselbeer- und andere Blätter im Rückengefieder zum Nestbau eingetragen wurden. Es ist auch schon ein überwölbtes Nest aus Heuhalmen gebaut worden

Das Gelege besteht fast immer aus 4 bis 5 Eiern, welche vom Weibchen 22 Tage bebrütet werden. Die Jungen verlassen nach fast 5 Wochen das Nest. Die jungen Männchen kommen mit silbergrauem Kopf aus dem Kasten, während importierte Jungmännchen einen grünen Kopf haben sollen. Wahrscheinlich wird in der Gefangenschaft die Jugendmauser übersprungen, wie man es auch bei anderen Vogelarten kennt (z. B. Rotkopfamadinen).
Nach dem Ausfliegen der Jungen kümmert sich vor allem das Männchen um diese, da das Weibchen erneut zur Brut schreitet. Beim Verfasser wurden die Jungvögel fast ausschließlich mit angekeimter Kolbenhirse großgezogen; hier überwintern diese Papageien kalt, aber frostfrei. Bei anderen Vogelhaltern haben sie bei –9 °C kein Unbehagen gezeigt. Das gilt aber nur für hier gezogene oder gut eingewöhnte Vögel. Ein Zusammenhalten mit anderen Vögeln ist nicht zu empfehlen.

Grünköpfchen *(A. swinderniana)*

Kamerun, Liberia und Kongo.

Kennzeichen: 13 cm groß. Männchen und Weibchen: Grün; Brust olivgelb, schwarzer Nackenring, Oberschwanzdecken blau, Schwanz an der Wurzel rot, Schnabel schwärzlich, Iris orangegelb. Jungtiere: Kein schwarzes Nackenband, Schnabel heller.
Die Grünköpfchen sind wahrscheinlich noch nie lebend nach Europa gekommen. Es sind ausgesprochene Waldvögel, welche sich hauptsächlich von wilden Feigen ernähren und auch in die Reisfelder einfallen sollen.

Orangeköpfchen *(A. pullaria)*

Sierra Leone, Kamerun, N-Angola, Uganda und Ruanda.

Kennzeichen: 14 cm groß. Männchen: Grün; Stirn, Scheitel, Kopfseiten und obere Kehle orangerot; Bürzel blau, Unterflügeldecken schwarz, Schnabel rot. Weibchen: Das Rot am Kopf blasser, Unterflügeldecken grün. Jungtiere: Stirn und Umgebung gelblich, Schnabel ein blasses Rot. Die männlichen Jungvögel sind schon im Nest an den schwarzen Unterflügeln zu erkennen.
Nach dem letzten Krieg wurden die Orangeköpfchen zu einem günstigen Preis häufig angeboten, aber heute ist dieser Unzertrennliche auf dem Vogelmarkt nicht mehr zu finden.

In den dichten, mit Bäumen und Büschen durchsetzten Gebieten sind diese kleinen Papageien zu Hause. Ihre Nahrung besteht aus Grassämereien und Hirsearten, welche in ihrer Heimat angebaut werden. Sie fressen aber auch wilde Feigen.
Die Wahl des Nistplatzes ist zum Teil recht ungewöhnlich, da sie Termitenhügel oder die Nester baumbewohnender Ameisen vorziehen. Letztere haben eine schwammähnliche Struktur, da sie von den Ameisen aus abgestorbenen und gekauten Blättern hergestellt werden. Die Orangeköpfchen graben in diese Nester oder Termitenhügel Höhlen und werden von den Ameisen nicht angegriffen. Es sind aber auch Nester im Stamm eines Baumfarnes gefunden worden. In diese Bruthöhlungen legen die Orangeköpfchen 5 bis 7 Eier.
Wegen der eigenartigen Nistweise sind diese Unzertrennlichen erst sehr wenig gezüchtet worden. Man hat viele Versuche unternommen, um sie zum Brüten zu bringen. In England wurde feuchter Torf in kleine Fässer gestampft, und die Weibchen gruben eine Brutkammer hinein. Ein Jungvogel kam im Oktober aus dem Nest, er starb aber nach 35 Tagen infolge eines Temperatursturzes. In Kapstadt wurden Korkstücke, welche eine Größe von 50×40×20 cm hatten, in den Zweigen befestigt und 5 cm große Löcher hineingebohrt. Diese Löcher wurden von den Vögeln weiter ausgehöhlt, und nach 16 Tagen saß das Weibchen im Nest. Mit dieser Methode wurden bei zwei Züchtern mehrere erfolgreiche Bruten getätigt und eine Reihe von Jungen großgezogen. Die jungen Orangeköpfchen flogen mit 30 bis 32 Tagen aus ihrem Korknest. Die Zucht erfolgte in sehr großen Volieren mit je einem Paar dieser Unzertrennlichen.
Jungvögel sind für die Käfighaltung sehr angenehm und reizvoll. Sie werden als Einzelvögel zahm und lassen nur eine zirpende, singvogelartig klingende Stimme hören.

Rosenköpfchen *(A. roseicollis)* (Abb. 45)

SW-Afrika.

Kennzeichen: 17 cm groß. Männchen: Grün; Stirn, Kopf, Hals und Kehle rosarot; Bürzel hellblau, Schnabel fleischfarben. Weibchen: Größer, Kopffarben blasser. Jungtiere: Schnabel schwärzlich und matte rosarote Farben.
Die Rosenköpfchen leben in trockenen Gebieten am Rande der Wüste. Ein Wasserfleck muß aber stets zu erreichen sein. Außerhalb der Brutzeit ziehen sie in Gesellschaften umher und lassen dabei ihr

Abb. 45. Rosenköpfchen. Jungvögel haben schwarze Flecken am Schnabel.

lautes „zick-zick-zick“ hören. Sie ernähren sich von Beeren und allerlei Sämereien.

Diese kleinen Papageien brüten in alten, morschen Baumhöhlungen oder übernehmen verlassene Nester der Siedelsperlinge oder Mahaliweber. Es kommt in diesen großen Kolonienestern vor, daß alle drei Arten friedlich beisammen wohnen.

Von Händlern oder Liebhabern werden laufend Rosenköpfchen zu einem recht günstigen Preis angeboten. Auch importierte Vögel sind hart und widerstandsfähig.

Ein junger Einzelvogel ist für die Zimmerhaltung durchaus geeignet. Er wird zahm und schließt sich seinem Pfleger schnell an. Zu einer Zimmerzucht kann allerdings nur bedingt geraten werden, da die Rosenköpfchen ihre harte Stimme laufend hören lassen und sich gegenseitig dazu noch anregen.

Im Garten dagegen ist es ein ausdauernder, idealer Zuchtvogel, der einem viel Nachwuchs bringen wird. Die Geschlechter sind nicht immer leicht zu unterscheiden. Die Weibchen haben eine viel breitere Fußsitzstellung als die Männchen; auch sind erstere größer. Bei zuchtreifen Tieren (mit 7 bis 9 Monaten) kann man auch die Beckenknochen abtasten. Beim Männchen stehen diese fast aneinander, während beim Weibchen ein Zwischenraum zu fühlen ist. Eine andere

Möglichkeit ist, mehrere Jungvögel zu gleicher Zeit in eine größere Voliere zu lassen, damit sich die Paare selber finden. Die überzähligen Vögel können später wieder herausgefangen werden. Zu einem älteren Zuchtpaar darf man keine neuen Vögel setzen, da es dann leicht zu Beißereien kommen kann.
Nur die Weibchen tragen abgeschälte Rindenstücke als Nestmaterial in ihrem Bürzelgefieder ein. Es war 1869 eine Sensation, als diese Art von Nisttransport erstmalig beobachtet wurde. Die kleinen Rindenstücke, welche am liebsten von der Weide, Birke oder Linde geschält werden, sind etwa 6 bis 8 cm lang. Das Weibchen trägt oft 5 bis 7 solcher Stücke zur gleichen Zeit in den Brutkasten. Hiermit wird ein sehr dichtes, überwölbtes Nest gebaut. Der Nesteingang befindet sich oben an der Seite des Brutkastens; nur die Hinterwand wird ziemlich freigelassen. Es wäre aus diesem Grunde recht von Vorteil, wenn die Brutkästen an ihrer Rückwand geöffnet werden könnten, um eine Zuchtkontrolle zu ermöglichen.
Die 3 bis 5 Eier werden 22 Tage vom Weibchen bebrütet. Mit 5 bis 6 Wochen verlassen die Jungen das Nest und fliegen sofort erstaunlich geschickt und zielbewußt umher. Fast 14 Tage werden sie vor allem vom Vater gefüttert, da das Weibchen bald zur neuen Brut schreitet. Nach dem Selbständigwerden der Jungvögel sind diese vorsichtshalber bald zu entfernen, weil sie nun von den Eltern gebissen werden könnten. Mehr als 3 Bruten im Jahr sollten nicht zugelassen werden.
Rosenköpfchen können in einem Schutzraum ungeheizt überwintert werden. Ein besonderes Aufzuchtfutter ist nicht notwendig. Vogelmiere, Löwenzahn oder Salat sollten aber nie fehlen. Angekeimte Kolbenhirse ist besonders zu empfehlen.

Besonderheiten: In freier Wildbahn wurde eine blaue Mutation beobachtet; diese ist auch schon in der Schweiz und in Holland gezüchtet worden. In Japan und S-Afrika wurde zuerst die gelbe Spielart gezogen, die in Europa wieder in der Schweiz erstmalig Nachwuchs bekam. Gut durchgezüchtete Vögel sind kanariengelb und haben den Rosakopf behalten. Man nennt sie auch noch „Golden Cherry Love Birds“. Mit gelben und blauen Rosenköpfchen müßten eines Tages weiße Vögel gezüchtet werden, was genetisch durchaus möglich ist. Die Vererbung der gelben und gescheckten Vögel ist rezessiv.
Es kommen auch stark rot gefleckte Vögel vor. Hierbei handelt es sich aber um keine Mutation, sondern um eine Modifikation, welche nicht erblich ist.

Schwarzköpfchen *(A. personata personata)* (Farbbild 6 Seite 108)

N-Tanganyikaland.

Kennzeichen: 16 cm groß. Männchen und Weibchen: Grün; Kopf schwarz; Nacken, Kehle und Brust gelb; weißer, nackter Augenring, Schnabel rot. Jungtiere: Kopf helleres Braunschwarz, trübes Gelb, Schnabelwurzel schwärzlich. Erste Mauser mit 8 bis 9 Monaten.
Die 4 Rassen der Unzertrennlichen mit den weißen Augenringen haben ein verhältnismäßig kleines Verbreitungsgebiet. Sie haben nicht nur die weißen Augenringe gemeinsam, sondern tragen auch alle das Nestmaterial mit dem Schnabel zum Nest.
Grassteppen, bewachsen mit Akazien und Mimosensträuchern, sind der Lebensraum des Schwarzköpfchens. In Schwärmen von 20 bis 40 Tieren halten sie sich gerne an den Flußufern auf, meiden aber den eigentlichen Hochwald. Sie ernähren sich von Gras- und anderen Samen, auch von Beeren. Ihre Nester bauen sie in hohlen Bäumen oder Ästen.
Schwarzköpfchen sind im Handel und von Züchtern stets zu bekommen. Sie zählen zu den beliebtesten aller Unzertrennlichen. Die Geschlechtsbestimmung ist auch hier nicht einfach. Auf die Beinstellung und den Beckenknochenabstand wurde schon bei den Rosenköpfchen verwiesen. Einige weitere Merkmale im Verhalten der Vögel sind zu beachten. Das Männchen sitzt aufrechter und geht selten in den Brutkasten; ferner ist der Augenring schmaler. Die männlichen Vögel kratzen sich oft mit dem Fuß am Kopf, was besonders vor dem Tretakt zu beobachten ist. Das Weibchen trägt das Nistmaterial alleine in den Kasten und der weiße Augenring ist überall gleich breit. Auch sind die Weibchen größer und schwerer.
Ein junger Einzelvogel wird im Käfig schnell zutraulich und die Stimme ist weniger aufdringlich als die des Rosenköpfchens. – In einem 80 cm langen Käfig ist eine Zucht oft gelungen. Es empfiehlt sich, immer nur ein Paar einzusetzen, da es sonst früher oder später arge Beißereien geben würde.
In eine Freivoliere dagegen können auch mehrere Vögel auf einmal gesetzt werden, wenn diese noch jung sind und sie sich schon frühzeitig aneinander gewöhnen. Ist das nicht möglich, dann muß ein älteres Zuchtpaar allein bleiben, da es auch andere Vogelarten beißen könnte.
Auch hier gilt es, mehr Brutkästen aufzuhängen als Paare vorhanden sind. Weidenzweige dürfen nie fehlen, denn die überbauten Kugel-

nester verbrauchen viel Material und die Feuchtigkeit in diesem ist ja von großer Wichtigkeit.
Wie bei allen Unzertrennlichen mit weißen Augenringen dauert die Brutzeit 21 bis 23 Tage; die Nestlingszeit 4 bis 5 Wochen.
Diese kleinen Papageien können einige Grad Frost vertragen, wenn man ihnen zur Nacht Schlafkästen gibt. Frisch importierte Vögel müssen den ersten Winter selbstverständlich bei Zimmertemperatur gehalten werden, denn sie sind in der Akklimatisierungszeit etwas empfindlich.

Besonderheiten: Die blaue Mutation der Schwarzköpfchen wurde 1927 als Wildfang erstmals gesehen. Heute werden sie nicht nur in Japan, Formosa, Hongkong und USA, sondern auch bei uns mit mehr oder weniger Erfolg gezüchtet (Farbbild 6 Seite 108).
Man sollte nicht laufend blaue×blaue Vögel in der Zucht zusammenstellen, sondern hin und wieder durch einen normalfarbigen Partner spalterbige Vögel in Blau züchten, um das Blut aufzufrischen und die Erbanlagen zu verbessern.

Blaue × blaue Vögel	→ nur blaue Vögel
Blaue × normale Vögel	→ nur normale, welche aber spalterbig in Blau sind
Blaue × spalterbige Vögel	→ etwa die Hälfte blaue Vögel und die andere Hälfte spalterbige Vögel
Spalterbige × spalterbige Vögel	→ zur Hälfte spalterbige, zu einem Viertel blaue und zu einem Viertel normale Vögel

Man erkennt die blauen Vögel schon im Brutkasten, da sie einen weißen Flaum zeigen, während die normalen Vögel rötliche Flaumfedern haben. Beschreibung der blauen Altvögel: Alles Grüne ist blau, alles Gelbe ist grauweiß und der Schnabel hellrot.
Weitere Mutationen sind die sogenannten gelben und weißen Schwarzköpfchen (letztere fallen aus blauen und gelben Vögeln). Die Farbbezeichnungen sind aber irreführend, da die Tiere weder reingelb, noch reinweiß sind. Diese Zuchtziele sind hier noch nicht erreicht.
Auch eine Graufügel-Mutation ist aufgetreten, die aus gelben und weißen Tieren gezüchtet wurde. Der Kopf und die Schwingen dieser Vögel waren fast weiß. Ferner wurden zimtfarbene Schwarzköpfchen aus Japan bekannt.

Fischers Unzertrennlicher *(A. personata fischeri)*

NW-Tanganyikaland.

Kennzeichen: 16 cm groß. Männchen und Weibchen: Stirn, Wange und Kehle orangerot; Hinterkopf olivgelb, Nacken gelb, Brust orangegelb, Oberseite grün, nackter weißer Augenring, Oberschwanzdecken blau und Schnabel rot. Jungtiere: Mattere Farben.
Der Fischers Unzertrennliche wird auch noch Pfirsichköpfchen genannt. Er ist verträglicher als die Schwarzköpfchen und kann leichter in Gesellschaft seinesgleichen sein. Es sollte auf reinrassige Vögel mit klaren, schönen Farben geachtet werden. Ansonsten verhält sich alles so, wie schon beim Schwarzköpfchen berichtet.

Besonderheiten: Aus Kalifornien wird von einem blauen „Fischeri" berichtet, welcher einen weißgrauen Kopf und himmelblaues Gefieder haben soll. Selten sind die gelben Pfirsichköpfchen; die Vererbung ist rezessiv.

Erdbeerköpfchen *(A. personata lilianae)* (Abb. 46)

N-Rhodesien bis Nyassaland.

Kennzeichen: 14 cm groß. Männchen und Weibchen: Stirn, Scheitel, Kopfseiten und Kehle orangerot; Nacken olivgrün, Oberseite grün, nackter weißer Augenring, Oberschwanzdecken *grün* und Schnabel rot. Jungtiere: Mattere Farben.
Leider ist diese Rasse in den letzten Jahren sehr selten geworden, was mit dem Ausfuhrverbot von Nyassaland zusammenhängt.
Die Erdbeerköpfchen sind kleiner als die Fischers Unzertrennlichen und haben rein grüne Oberschwanzdecken. Schon einige blaue Federn besagen, daß in ihnen das Blut der Fischers Unzertrennlichen fließt.
Die Geschlechter sind nur nach dem Benehmen zu unterscheiden. Große Friedlichkeit untereinander oder mit anderen Papageienarten zeichnet diese Vögel besonders aus. Mehrere Paare vertrugen sich bei dem Verfasser in einer 4 m langen Voliere ausgezeichnet. Von allen Unzertrennlichen mit weißen Augenringen gelingt die Zucht der Erdbeerköpfchen am schwierigsten. Es ergeben sich viele unbefruchtete Eier und die Sterblichkeit der Nestlinge und erwachsenen Vögel ist groß. Erdbeerköpfchen müssen frostfrei und nicht unter + 10 °C überwintert werden.

Abb. 46. Erdbeerköpfchen. Links das Männchen, rechts das Weibchen.

Besonderheiten: Sehr selten sind gelbe und Lutino-Erdbeerköpfchen, welche wahrscheinlich nur noch in England und Dänemark zu finden sind.

Rußköpfchen *(A. personata nigrigenis)* (Abb. 1, Farbbild 13, Seite 122)

N-Rhodesien.

Kennzeichen: 14,5 cm groß. Männchen und Weibchen: Oberkopf und Wangen dunkelbraun; Hinterkopf und Halsseiten gelbgrün, Kehle orangebraun, Oberseite dunkelgrün, nackter Augenring weiß und Schnabel rot. Jungtiere: Mattere Farben.
Auch die Rußköpfchen sind in den letzten Jahren seltener geworden, aber es gibt zum Glück noch gute Zuchtstämme. Reinrassige Vögel

dürfen keinen schwarzen Kopf und kein Gelb auf der Kehle und kein Blau in den Oberschwanzdecken haben. Sie sind kleiner als die Schwarzköpfchen. Auch hier sind die Geschlechter hauptsächlich nach dem Benehmen zu unterscheiden. Sie sind friedlich untereinander und anderen Papageienarten gegenüber. Es gibt sehr gute Zuchtvögel, welche 3 Bruten im Jahr machen.
Bei uns gezüchtete Rußköpfchen können einige Grad Frost vertragen. Importierte Vögel dürfen nicht unter + 15 °C überwintert werden. Sonst verhält sich alles so, wie beim Schwarzköpfchen beschrieben.

Gattung: Sperlingspapageien *(Forpus)*

(Farbbild 15 Seite 126)

Folgende Arten werden besprochen:

Blaubürzel-Sperlingspapagei, *F. cyanopygius* (4 Rassen)
Grüner Sperlingspapagei, *F. passerinus* (10 Rassen)
Sclaters Sperlingspapagei, *F. sclateri* (2 Rassen)
Blaunacken-Sperlingspapagei, *F. coelestis*
Augenring-Sperlingspapagei, *F. conspicillatus* (2 Rassen)

Herkunft und Lebensweise: Mexiko, Kolumbien, Venezuela, Guayana, Ecuador, Peru, Brasilien und Paraguay. Die kleinsten Papageien Amerikas sind nur 12 bis 14 cm groß; die Flügel sind länger als der keilförmige Schwanz. Sie leben in busch- und baumreichen Gebieten, meiden aber den dichten Regenwald. Sperlingspapageien streichen in Gruppen umher und ernähren sich von Sämereien, Beeren und Früchten. Sie führen ihre Nahrung nicht mit dem Fuß zum Schnabel.
Sie brüten in hohlen Bäumen oder Ästen, aber auch in Erdlöchern oder Töpfervogelnestern. Das Gelege besteht aus 3 bis 7, manchmal sogar aus 8 und 9 Eiern.

Allgemeines: Einige Arten erscheinen sporadisch in größerer Zahl auf dem Vogelmarkt, andere Arten werden selten angeboten. Importierte Vögel sind scheu und leiden oft unter Akklimatisierungsschwierigkeiten. Solche Vögel müssen zunächst bei Zimmertemperatur gehalten werden. Nach meinen Erfahrungen neigen diese Frischfänge in der ersten Zeit zu Erkältungserscheinungen, die chronisch werden können und nach langer Zeit noch tödlich verlaufen. Ganz anders ist es mit hier geborenen Sperlingspapageien, denn diese sind absolut nicht empfindlich und können außerordentlich zahm werden. Ihre Stimme ist nicht laut und stört auch im Zimmer nicht.

Importierte Sperlingspapageien sind sehr preisgünstig zu bekommen, während hier gezogene Vögel etwas teurer sind. Diese Mehrausgabe aber lohnt sich immer. Ein großer Vorteil ist, daß man die Geschlechter schon im Nest bestimmen kann.

Ernährung: Kanariensaat, Kolbenhirse, geschälter Hafer, kleine Sonnenblumenkerne, Silberhirse, Goldhirse; ferner Äpfel und Möhren, Vogelmiere, Sauerampfer und Löwenzahn. Zusätzlich zur Zucht eingeweichtes Weißbrot oder gehacktes Hartei, gekeimte Kolbenhirse oder Hafer, in Milch stehender Hafer, Biskuit und Insektenweichfutter. Zerstoßene Eierschalen als Kalkquelle. Im Verhältnis zu ihrer Größe haben Sperlingspapageien einen großen Futterverbrauch.

Haltung und Zucht. Im Haus: Sperlingspapageien kann man sehr gut in einem Käfig halten. Ganz junge oder aus dem Nest genommene und mit der Hand aufgezogene Vögel werden sehr zahm. Sie lernen Worte, niesen, lachen und ahmen allerlei andere Dinge nach. Solch ein Vogel muß aber allein gehalten werden und der Pfleger muß sich viel mit ihm beschäftigen.
Zur Zucht kommt nur ein Paar in einem mindestens 50 cm großen Käfig in Frage. Importierte Vögel setzt man besser in einen Kistenkäfig, welcher nur von vorn einzusehen ist und in Augenhöhe aufgestellt wird. Er gibt den Tieren mehr Ruhe und Sicherheit. Der Brutkasten, welcher dem des Wellensittichs entspricht, kann innen oder auch außen an den Käfig angehängt werden. Einige Paare beziehen lieber einen hochformatigen-, andere lieber einen querformatigen Nistkasten. Auf den Nistkastenboden kommt eine Schicht Torfmull oder Sägespäne. Manche Sperlingspapageien zerbeißen Rinde und tragen diese als Nestunterlage ein.
Das Gelege besteht in der Regel aus 4 bis 6, aber auch aus 8 und 9 Eiern. Alle 35 bis 48 Stunden wird ein Ei gelegt. Das Weibchen brütet 19 bis 21 Tage, während das Männchen vor dem Kasten Wache hält. Gibt das Männchen einen Warnruf von sich, geht das Weibchen vom Nest. Nach etwa 4 Wochen verlassen die Jungvögel das Nest und werden noch 12 bis 18 Tage von den Alten gefüttert. 2 bis 3 Bruten sind keine Seltenheit, wenn sich ein gutes Zuchtpaar gefunden hat. Es gibt allerdings auch Paare, die überhaupt nicht zur Brut schreiten. Hier empfiehlt es sich, das eine oder andere Tier auszutauschen, da das Paar aus irgendeinem Grund nicht zusammen harmoniert.
Hier gezogene Vögel können ohne Bedenken in ungeheizten Räumen überwintert werden. Die Verträglichkeit mit anderen Vogelarten ist

unterschiedlich. Die grünbürzeligen Arten sind in der Regel anderen Vögeln gegenüber friedlicher als die blaubürzeligen Arten. Das Zusammenhalten mit Finkenvögeln in Vogelstuben oder sehr großen Käfigen geht fast immer gut. Untereinander können zur Brutzeit Beißereien entstehen.

Im Garten: Im Sommer können alle Arten in einer Freivoliere gehalten werden. Ein trockener und zugfreier Innenraum muß vorhanden sein. Im Winter sollte dieser möglichst frostfrei gehalten werden. Die Zucht in einer Freivoliere gelingt noch leichter als im Zimmerkäfig. Frisch importierte Vögel dürfen nur bei gutem Wetter in die Freivoliere. Sonst gilt das unter „Im Haus" Gesagte.

Blaubürzel-Sperlingspapagei *(F. cyanopygius)*

Mexiko.

Kennzeichen: 13 cm groß. Männchen: Gelbgrün; Bürzel, Flügelränder blau, Unterflügeldecken dunkelblau. Weibchen: Flügel mattgrün. Jungtiere: Mattere Farben; Geschlechter zu erkennen.

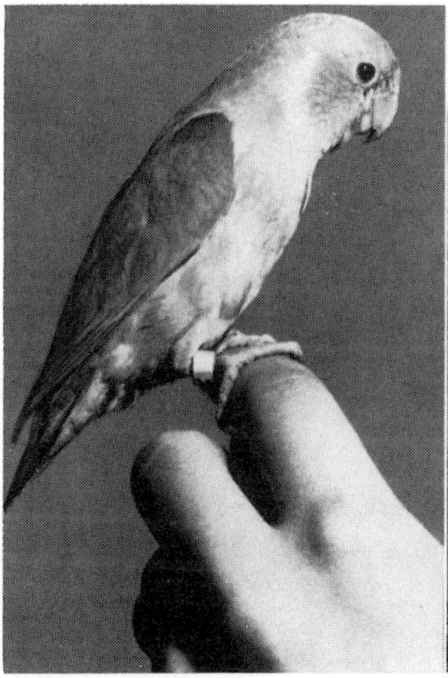

Abb. 47. Blaunacken-Sperlingspapagei, auch Himmelspapagei genannt.
Abb. 48. Grüne Sperlingspapageien.

Grüner Sperlingspapagei *(F. passerinus)* (Abb. 48)

Kolumbien, Venezuela, Guayana, Peru, Brasilien und Paraguay.

Kennzeichen: 13 cm groß. Männchen: Grün; Unterseite gelbgrün, Bürzel grün, Unterflügeldecken blau, Armschwingen und Handdecken blau. Weibchen: Unterflügeldecken mattgrün. Jungtiere: Mattere Farben; Geschlechter schon im Nistkasten zu erkennen.

Sclaters Sperlingspapagei *(F. sclateri)*

O-Ecuador, O-Peru, O-Venezuela, Guayana und W-Brasilien.

Kennzeichen: 12 cm groß. Männchen: Dunkelgrün; Bürzel, Armschwingen und Unterflügeldecken blau, *Schnabel* bleigrau, unten weißlich. Weibchen: Bürzel und Unterflügeldecken grün.
Letztere Art wird seltener eingeführt; manchmal aber auch als diese nicht erkannt.

Blaunacken-Sperlingspapagei *(F. coelestis coelestis)* (Abb. 47)

Ecuador und Peru.

Kennzeichen: 12 cm groß. Männchen: Grün; eine blaue Schläfenbinde und ein hellblaues Genick, Bürzel, Unterflügeldecken und Armschwingen blau, Vorderkopf und Kopfseiten gelbgrün, Rücken graugrün. Weibchen: Grün; ohne blaue Farbtöne. Jungtiere: Mattere Farben; die Geschlechter sind schon im Nistkasten zu erkennen.
Diese kleinen Papageien werden auch Himmelspapageien genannt. *Forpus xanthops* aus N-Peru hat ein gelbes Gesicht und daher den Namen Gelbgesicht-Sperlingspapagei. Heute wird diese Art nicht mehr als Rasse aufgestellt.

Augenring-Sperlingspapagei *(F. conspicillatus)*

Kolumbien.

Kennzeichen: 12 cm groß. Männchen: Grün; Bürzel, Armschwingen und Handdecken blau, *Augenring* blau. Weibchen: Bürzel, Armschwingen und Handdecken grün.
Dieser Sperlingspapagei wird von allen am seltensten eingeführt.

Gattung: Schmalschnabelsittiche *(Brotogeris)*

Folgende Arten werden besprochen:

Tirikasittich, *B. tirica*
Weißflügelsittich, *B. versicolorus* (3 Rassen)
Feuerflügelsittich, *B. pyrrhopterus* (4 Rassen)
Tovisittich, *B. jugularis* (4 Rassen)

Herkunft und Lebensweise: Mittel- und S-Amerika. In den warmen Gebieten der Küsten, in den Wäldern und buschreichen Gebieten, leben in großen Schwärmen die kleinen Schmalschnabelsittiche. In Massen fallen sie in die Kulturgebiete ein und plündern die Obstgärten, Reis- und Maisfelder. Alle Tätigkeit führen sie gemeinsam aus, sei es Fressen, Trinken oder Schnattern. Aus diesem Grunde können sie leicht in großer Zahl mit Netzen gefangen werden. Das Nest befindet sich in Baumhöhlen und enthält 3 bis 5 Eier. Während der Brutzeit leben sie paarweise.

Allgemeines: Diese kleine Papageiengruppe ist zwischen 17 und 25 cm groß. Die Vögel sind ziemlich einfarbig grün und die Geschlechter schwer zu bestimmen. Auch ihr Benehmen kann hierüber keine Aufschlüsse geben, da selbst zwei männliche oder zwei weibliche Vögel zusammenhalten würden. Einige Arten sind ständig im Handel zu einem günstigen Preis zu bekommen. Ihre Stimme ist recht kräftig und kann lästig fallen. Junge Vögel können außerordentlich zahm werden und machen dann auch als Einzelvogel weniger Geschrei. Zur Nacht suchen alle Schmalschnabelsittiche einen Schlafkasten auf. Sie sollten frostfrei überwintert werden.

Ernährung: Kanariensaat, Hirsearten, kleine Sonnenblumenkerne, geschälter Hafer, Äpfel, Möhren und Vogelmiere. Zur Zucht angekeimte Samen.

Tirikasittich *(B. tirica)*

Ost- und S-Brasilien.

Kennzeichen: 25 cm groß. Männchen: Grün; Nacken und Schwanzfedern bläulich, Schnabel hell fleischfarben. Weibchen: Matt graugrün.

Haltung und Zucht: Der Tirikasittich ist der größte aller Schmalschnabelsittiche. Er wurde im Käfig gezüchtet. Das Gelege bestand

Abb. 49. Kanarienflügelsittiche.

aus 5 Eiern; jeden zweiten Tag wurde ein Ei gelegt. Die Brutzeit dauerte 22 bis 23 Tage. Nach 6 Wochen kamen die Jungen aus dem Kasten, gingen aber bei jeder Beunruhigung sofort in diesen zurück. Nestkontrollen störten die Eltern sehr. Zur Brut wurde zusätzlich Biskuit, hart gekochtes, gehacktes Ei und gekochte Hirse gefressen.
Vor etwa 70 Jahren soll im Schloß Schönbrunn bei Wien eine blaue Mutation gezüchtet worden sein.

Kanarienflügelsittich *(B. versicolorus chiriri)* (Abb. 49)

Bolivien, Brasilien und Paraguay.

Kennzeichen: 22 cm groß. Männchen und Weibchen: Grün; große, gelbe Armdecken.
Dieser Papagei ist eine Rasse des Weißflügelsittichs *(B. v. versicolorus).*

Haltung und Zucht. Im Haus: Der Kanarienflügelsittich kann bei einer Einzelhaltung sehr zahm werden, aber die laute Stimme kann dem Vogelpfleger lästig werden. Manche dieser Sittiche lernen Wörter nachahmen. Die Zucht ist selten gelungen (in USA).

Feuerflügelsittich *(B. pyrrhopterus)*

Westliches S-Amerika; von Ecuador bis NW-Peru.

Kennzeichen: 21 cm groß. Männchen und Weibchen: Grün; Kopfseiten, Kinn und Stirn gräulich, Scheitel blaugrün, Handschwingen blau und Unterflügeldecken orangerot.

Haltung und Zucht. Im Haus: Dieser Sittich mit den Feuerflügeln kann sehr zahm und anhänglich werden. Auch von seiner Stimme macht er nicht viel Gebrauch, so daß er besonders zu empfehlen ist. Seine Zucht ist öfter gelungen. Das Gelege bestand aus 4 Eiern, welche 26 bis 27 Tage bebrütet wurden. Mit ungefähr 6 Wochen verlassen die Jungen das Nest. Feuerflügelsittiche haben einige Worte gesprochen.

Im Garten: Es ist berichtet worden, daß dieser Sittich zwei strenge Winter in einer Voliere mit Schutzraum (ungeheizt) ohne Schaden überstanden hat. Ein Schlafkasten ist natürlich unbedingt erforderlich. Nach geschlechtlicher Bindung sind die Vögel an den Freiflug gewöhnt worden.

Tovisittich *(B. jugularis)* (Abb. 50, Farbbild 7 Seite 109)

Mexiko bis N-Kolumbien, N-Venezuela und N-Peru.

Kennzeichen: 18 cm groß. Männchen und Weibchen: Grün; orangeroter Kinnfleck, kleine Flügeldecken goldbraun und Handdecken blau.

Haltung und Zucht. Im Haus: Wenn dieser Papagei auch ein schlichtes Federkleid hat, so kann er doch ein sehr liebenswerter Hausgenosse sein. Er kann durch seine Zahmheit fast lästig werden, wenn er auf Schritt und Tritt seinem Pfleger nachfliegt oder immer auf der Schulter sitzen will. Man muß vorsichtig sein, daß er nicht zwischen eine Tür geklemmt wird. Selbst alte Wildfänge werden als Einzelvogel zahm, wenn man sich viel mit ihnen beschäftigt. Die Stimme ist nicht laut und kann nicht unangenehm werden. Importierte Vögel müssen zunächst bei Zimmertemperatur gehalten werden. Ein Schlafkasten darf keinesfalls fehlen, so daß der Vogel vor Zugluft geschützt wird.
Die Zucht der Tovisittiche ist öfter gelungen. Es wurden aber nur 2 bis 3 Junge großgezogen, welche von den Eltern vor allem mit Grießbrei ernährt wurden. Der Brutkasten entspricht dem der Wellensittiche. Sie benötigen nur eine Schicht Torfmull oder Säge-

Abb. 50. Tovisittiche. Die Geschlechter sind sehr schwer zu bestimmen.

späne. In der warmen Jahreszeit können Tovisittiche auch in der Freivoliere gehalten werden.

Gattung: Mönchssittiche *(Myiopsitta)*

Mönchsittich *(M. monachus)* (Abb. 51)

Kennzeichen: 29 cm groß. Männchen und Weibchen: Graugrün; Stirn, Vorderkopf, Wangen, Kehle, obere Brust grau mit dunkler Wellenzeichnung, Armschwingen blau, sonstige Ober- und Unterseite grünlich. Jungtiere: Weniger lebhaftes Grün, Kopf mattgrün, Iris dunkel, Wellenzeichnung wenig entwickelt; Schwungfedern mehr grün als blau, Schwanzfedern kürzer.

Herkunft und Lebensweise: Bolivien bis Uruguay und O-Argentinien. Der Mönchssittich lebt in feuchteren Gegenden und ist auch im Gebirge bis etwa 1000 m Höhe zu finden. Er lebt das ganze Jahr, also auch während der Brutzeit, gesellig. Große Schwärme fallen in die Obst- und Maisplantagen ein. Dabei vernichten sie mehr, als sie fressen können. Der „Calita“, wie er drüben genannt wird, baut kugelförmige Nester in hohen Bäumen und ist ein Koloniebrüter. Die

Kolonienester, oft 2 bis 3 Meter groß, dienen mehreren Paaren. Auf Grund ihres großen Gewichtes brechen sie manchmal herunter. Auch alte Raubvogelnester werden ab und zu als Nestunterlage benutzt.

Allgemeines: Der Mönchssittich ist ein sehr interessanter Vogel. Es ist die einzige Papageienart, die Reisignester baut. Auf dem Boden unbeholfen, bewegt er sich geschickt im Geäst hoher Bäume. Dieser Sittich wird in großen Mengen importiert und ist daher zu einem günstigen Preis zu jeder Jahreszeit zu bekommen. Sein Federkleid ist ziemlich schlicht; seine Stimme recht laut. Seiner Eigenschaften wegen wird er vor allen Dingen in Freivolieren und im Freiflug gehalten.

Ernährung: Sonnenblumen, Hafer, Kanariensaat, Hirse, halbreife Maiskolben, Erdnüsse, auch Früchte. Zur Zucht altes, eingeweichtes, ausgedrücktes Weißbrot, viel Salat, auch die dunkelgrünen Blätter der Runkelrübe.

Haltung und Zucht. Im Haus: Als Stubenvögel seien diese Papageien wegen ihrer lauten Stimme nicht empfohlen. Alte Tiere sind dummscheu und benagen alles was erreichbar ist. Es kommen nur Jungvögel in Betracht, welche einige Worte lernen und Laute imitieren können.

Im Garten: Es bietet sich stattdessen die Haltung in der Freivoliere an. Mehrere Paare können in einem Flugkäfig gehalten werden, da sie sich als Koloniebrüter gut vertragen. Die Haltung mit anderen Arten ist nur selten möglich. Es ist sehr interessant, dem Leben und Treiben dieser Sittiche zuzuschauen. In einer geschützten Ecke gibt man ihnen eine Unterlage (z. B. ein Kreuz aus dicken Knüppeln), auf der sie ihr Nest bauen können. Natürlich dürfen entsprechende Zweige nicht fehlen. Das Männchen schleppt unermüdlich bis bleistiftstarke Zweigstückchen herbei, welche vom Weibchen verbaut werden. Die Reiser können bis zu einem halben Meter lang sein. Die eigentliche Nestkammer bekommt eine Überdachung, so daß der ganze Bau ein kugelförmiges Aussehen erhält. Die Eingangsröhre zum Nestinneren liegt an der Seite oder zeigt nach unten. Auf diese Art sind die Bewohner vor unliebsamen Besuchern, wie Baumschlangen usw., geschützt. Das eigentliche Nest wird mit Gräsern ausgepolstert. Der Nesteingang wird vom Männchen bewacht, während sich das Weibchen zur Brutzeit kaum sehen läßt. Die Vögel halten Sommer und Winter an ihrem Haus fest. Hat ein Sturm Schaden angerichtet, so wird dieser bald ausgebessert sein. Auch in große

Abb. 51. Mönchssittich.

Abb. 52. Aymarasittiche.

Nistkästen tragen sie Zweige ein und benutzen diese als Brutstätte. Der Bau eines Nestes kann 3 bis 4 Monate dauern.
Sie sind sehr zuchtwillig, 2 Bruten mit 4 bis 6 Jungen sind keine Seltenheit. Die Brutzeit ist sehr schwer zu bestimmen, da eine Kontrolle der Reisignester fast unmöglich ist und das Weibchen schon einige Zeit vor der eigentlichen Brut verschwindet. Die Geschlechter lassen sich schwer und nur auf Grund ihres Benehmens bestimmen. Man sollte sich mehrere Vögel beschaffen und später die überzähligen Tiere abgeben. Auf diese Weise kann eine richtige Brutkolonie aufgebaut werden. Die Mönchssittiche werden mit einem Jahr zuchtreif.
Da sie einen kräftigen Schnabel haben, darf die Voliere nicht mit dünnem Drahtgeflecht bespannt werden. Auch jegliches Holz ist in Gefahr, zernagt zu werden. Als Volierengerüst ist eine Eisenkonstruktion vorzuziehen. Auch die Schutzwand und das Dach sollten aus einem harten Baumaterial (Eternit, Stein) sein, Kälte macht ihnen nichts aus, sie haben −25 °C gut überstanden, weil sie nachts ihr Nest oder den Nistkasten aufsuchen.

Freiflug: Da diese Sittiche das ganze Jahr an ihrem Nest festhalten und es bewohnen, sind sie bestens für den Freiflug geeignet, denn sie zeigen Standorttreue. Sobald der Bau fertiggestellt ist, kann das Volierengeflecht entfernt werden. Man hat dann eine Mönchssittichkolonie im Freiflug. Allerdings muß man Rücksicht auf Nachbarn nehmen, weil diese ihr Obst natürlich nicht geplündert haben wollen. Selbst wenn Mönchssittiche keinen Hunger mehr haben, macht es ihnen ungeheure Freude, Äpfel, Birnen und Kirschen abzubeißen und herunterfallen zu lassen. Auch Zweige und Äste werden benagt. Denjenigen, die abseits wohnen, kann man zu solch einer Zucht im Freiflug raten. Es wurde bei Versuchen festgestellt, daß die Vögel mindestens bis zu 6 km vom Standort fortfliegen. Sicher wird sich hier und da ein Vogel verfliegen, vom Raubvogel geholt werden oder einem Schießer zum Opfer fallen. Eine Koloniezucht kann jedoch nur dort unternommen werden, wo man dem Urwaldbiotop einigermaßen gerecht werden kann. So müssen größere Bäume, Büsche und Wasser vorhanden sein. Zum Ausbessern und Verbauen der Nester werden laufend neue Zweige benötigt.

Besonderheiten: Gelbe und blaue Mutationen sind schon, allerdings zu hohen Preisen, angeboten worden.

Gattung: Aymarasittiche *(Amoropsittaca)*

Aymarasittich *(A. aymara)* (Abb. 52)

Kennzeichen: 20 cm groß. Männchen: Grün; Kopf braungrau; Wangen, Vorderhals grau, Weichen gelblichgrün. Weibchen: Kleiner als Männchen, Wangen helleres Grau.

Herkunft und Lebensweise: Bolivien, N-Chile, Nordhälfte von Argentinien. Nach einem Indianerstamm, den Aymaras, wurde dieser kleine Sittich benannt. Er lebt in Höhen bis zu 2600 m, wo die Nächte schon recht kalt sind. In dieser Region, wo nur noch Kaktusarten wachsen, brütet er in sandigen Wänden oder Schluchten, im Gestein oder in Erdlöchern.

Allgemeines: Vor etwa 10 Jahren wurde diese kleine Sittichart erstmalig bei uns eingeführt. Durch diesen sehr großen Import wurden auffallend viele Aymarasittiche zu einem günstigen Preis angeboten.

Die Liebhaber waren zunächst recht skeptisch diesem Vogel gegenüber und kauften ihn nur zögernd, da über die Haltung in den Schriften kaum etwas zu lesen war. Heute ist dieser kleine Sittich mit seinem ruhigen, friedlichen Wesen und seiner melodischen Stimme sehr beliebt geworden.

Ernährung: Sonnenblumen, Hanf, Waldvogelfutter, Kanariensaat, Kolbenhirse, viel Äpfel, Möhren, Vogelmiere, Spinat, Hirtentäschelkraut. Zum Benagen frische Triebe der Holunderzweige.
Zur Zucht angekeimte Sonnenblumen, halbreifes Getreide. Manchmal wird auch Weichfutter (gehacktes Hartei mit Zwiebackmehl zu einer flockigen Masse vermischt) genommen.

Haltung und Zucht. Im Haus: Der Aymarasittich ist für die Käfighaltung recht gut geeignet. Ein junger Vogel wird, wenn allein gehalten, sehr schnell zahm und zutraulich. Man sollte ihm einen Wellensittichbrutkasten an den Käfig hängen, da er gerne in diesem übernachtet.
In einem etwa 80 cm großen Käfig ist auch die Zucht schon gelungen. Das Gelege des Aymarasittichs kann aus 10 Eiern bestehen. Jeden 2. Tag wird ein Ei gelegt, welches nach einem Zuchtbericht 30 Tage bebrütet werden soll (Unwahrscheinlich! Verfasser). Das Weibchen ist zu dieser Zeit fast nie zu sehen. Der Hahn ist tagsüber nur teilweise im Brutkasten, während er die ganze Nacht bei dem brütenden Weibchen weilt. Eine Nistkastenkontrolle kann unbesorgt vorgenommen werden. 5 Wochen dauert es bis zum ersten Lebensausflug der jungen Aymaras. Zur Nacht gehen erst die Kinder, dann die Eltern in den vertrauten Brutkasten schlafen. Die Jungtiere sind so zutraulich, daß sie auf dem Finger sitzen bleiben.

Im Garten: Auch in der Gartenvoliere kann dieser Sittich ohne Bedenken gehalten werden, wenn ihm ein Schutzraum zur Verfügung steht. Es liegen Berichte vor, nach denen dieser Vogel auch im Winter die Freivoliere aufsuchte. Da er in der Natur in großen Höhen vorkommt, wäre die Unempfindlichkeit gegen Kälte wohl zu verstehen. Ein weiterer beruhigender Vorteil ist, daß diese Vögel zur Nacht ihren Schlafkasten aufsuchen und schon dadurch gegen Kälte oder Beunruhigungen geschützt sind. Eine Zucht gelingt in einer Freivoliere leichter als in einem großen Käfig.
Erfahrungen haben gezeigt, daß sich dieser Sittich mit Wellensittichen, Finkenvögeln aller Art und Honigsaugern vertragen hat.

Gattung: Dickschnabelsittiche *(Bolborhynchus)*

Katharinasittich *(B. lineola,* 3 Rassen)

Kennzeichen: 17 cm groß. Männchen: Grün; Unterseite gelbgrün, Ober- und Körperseite schwarz quergebändert, heller Schnabel. Weibchen: Gestalt kleiner als Männchen; wenige schmale, schwarz gesäumte Federn. Jungtiere: Gefieder, Schnabel und Füße heller als die der Alttiere.

Herkunft und Lebensweise: Mexiko, Panama, Kolumbien und Peru. In öden, fast baumlosen, steinigen Gebieten lebt diese Vogelart. Bis zu 2000 m Höhe ist er in gebirgigen Landschaften zu finden. Er ist ein geschickter Läufer und versucht bei Gefahr, sich durch starres Verhalten am Boden zu verbergen. Gras- und Unkrautsämereien bilden seine Nahrung. Das Nest findet man in abgestorbenen, alten Bäumen.

Allgemeines: Nur beschränkt wird der Katharinasittich eingeführt. Trotz seiner Seltenheit wird er zu einem günstigen Preis angeboten. Sein so schlichtes, einfaches Federkleid trägt dazu bei, daß er von den Liebhabern oft übersehen wird, obgleich dieser Vogel verträglich ist und eine angenehm plaudernde Stimme besitzt. Leider zeigt der Katharinasittich ein recht scheues Wesen, wenn man ihn als Importvogel erhält.

Ernährung: Sonnenblumenkerne, Kanariensaat, Hirsearten, Löwenzahnblätter, Salat, Kirschen, Äpfel, Birnen und zur Aufzucht eingeweichtes, ausgedrücktes Weißbrot, welches mit gehacktem Hartei vermischt wird.

Haltung und Zucht. Im Haus: Ein Jungvogel, in einem Käfig allein gehalten, wird langsam zutraulich werden. Er lernt sogar Worte nachahmen, wenn auch nur in sehr beschränktem Maße. Zum Übernachten sollte man ihm einen Schlafkasten anbringen. Die Zucht im Zimmer ist in einem nur 60 cm großen Käfig gelungen. Der Brutkasten war 25×15×15 cm groß mit einem Einflugloch von 7 bis 8 cm Größe. Da die meisten Katharinasittiche eine Nestunterlage ablehnen, genügt eine zwei Finger hohe Schicht Torfmull oder Sägespäne. Das Gelege besteht aus 4 bis 5 Eiern, welche 22 bis 23 Tage vom Weibchen bebrütet werden. Das Männchen ist rührend besorgt und füttert das Weibchen sowie auch die Jungen. Nestkontrollen wurden nicht übelgenommen. Nach 4 bis 5 Wochen Nestlingszeit fliegen die Jungen aus und sind mit 6 bis 7 Wochen selbständig. Die ganze Familie benutzt den Nistkasten auch weiterhin als Übernachtungsplatz. Im Alter von 2 Monaten sind die Jungtiere von den Elterntieren kaum noch zu unterscheiden.

Im Garten: Auch für die Freivoliere ist dieser Sittich gut geeignet. Er wurde in Holland ungeheizt überwintert und dann gezüchtet. Der Katharinasittich zeigte sich Bourkesittichen, Nymphensittichen, Pflaumenkopfsittichen und Finkenvögeln gegenüber sehr verträglich.

Gattung: Felsensittiche *(Cyanoliseus)*

Felsensittich *(C. patagonus,* 3 Rassen) (Abb. 53)

Kennzeichen: 45 cm groß. Männchen und Weibchen: Olivbraun; Bauch schmutziges Gelb mit rotem Fleck.

Herkunft und Lebensweise: Argentinien, Chile und Uruguay. Der Felsen- oder Patagoniensittich lebt weit südlich des Äquators. Da die Winter dort recht kalt und unangenehm sind, zieht er in den kalten Monaten in die wärmeren Gebiete des Nordens bis nach Uruguay. Er

Abb. 53.
Zahmer Felsensittich.

lebt gesellig in den felsigen Landstrichen der Anden und Kordilleren. Hier gibt es in den Felsen genügend Verstecke und Höhlungen, welche er als Brutplätze wählt, denn in dieser Landschaft gibt es keine Bäume. Manchmal werden auch Gänge in Lehmwände oder steinigen Boden gegraben. Am Ende des Ganges befindet sich die Nestmulde mit 3 Eiern. Selbst zur Brutzeit lebt er in Kolonien. Unkrautsämereien, Getreide und Beeren bilden seine Nahrung.

Allgemeines: Er wird gelegentlich angeboten, ist aber in Liebhaberkreisen nicht sehr begehrt. Die laute Stimme, das große Nagebedürfnis, die schwierige Zucht und das nicht sehr schöne Federkleid tragen zu seiner Unbeliebtheit bei. Hinzu kommt der nicht geringe Preis.

Ernährung: Sonnenblumenkerne und andere Sämereien, Erdnüsse und Äpfel.

Haltung und Zucht. Im Haus: Die Haltung im Haus ist aus oben genannten Gründen nicht zu empfehlen.

Im Garten: Der Felsensittich ist ein harter, unempfindlicher Vogel, welcher unser Klima gut vertragen kann. Da er ein großes Nagebedürfnis hat, muß die Voliere aus einer Eisenkonstruktion und einem starken Drahtgeflecht bestehen. Dieser Sittich läuft sehr geschickt, klettert aber ungern. Einige dicke Stämme sind darum vorteilhafter als dichtes Gezweig.
Vor einigen Jahren ist die wohl erste Zucht der größeren Rasse in England gelungen. Es wurde in einem Nistkasten gebrütet. Das Gelege bestand aus 3 Eiern, welche 24 bis 25 Tage bebrütet wurden.

Gattungen: Araras *(Ara)*, Blauararas *(Anodorhynchus)*

Folgende Arten werden besprochen:

Araras
Rotbugarara, *A. severa* (2 Rassen)
Arakanga, *A. macao*
Grünflügelarara, *A. chloroptera*
Soldatenarara, *A. militaris* (4 Rassen)
Ararauna, *A. ararauna*

Blauararas
Großer Hyazintharara, *Anodorhynchus hyacinthinus*

Herkunft und Lebensweise: Von Mexiko bis zum südlichen Brasilien. Die größten Papageien der Welt leben im tropischen Amerika; sie sind die Charaktervögel des Urwaldes entlang den großen Strömen. Außer dem Menschen haben sie keine Feinde, trotzdem ist eine Art ausgestorben. Es gibt Arten, welche bis zu 3000 m hoch leben. Am Boden sind sie ungeschickt und schreiten seitwärts. Sie benötigen große Nisthöhlen und sind darum an bestimmte Gegenden gebunden. Jahr für Jahr wird von einem Paar immer der gleiche Brutplatz benutzt. Diese Brutbäume waren früher oft indianischer Familienbesitz, denn die Araras waren schon immer die Lieblingstiere der Eingeborenen. Die Federn dienten ihnen als Schmuck. Die Jungen wurden aus den Nestern genommen und gezähmt; hierfür haben die Südamerikaner eine besondere Begabung.
In der Natur ernähren sich die Araras von Baumfrüchten, Obst und Getreide; in Kulturen können sie beträchtlichen Schaden anrichten. Außerhalb der Brutzeit ziehen sie in großen Gesellschaften umher, aber die Paare halten immer zusammen. Es werden 2 Eier gelegt, welche nur vom Weibchen bebrütet werden. Durch Klopfen mit dem Schnabel gegen die Baumhöhlenwand geben die Jungtiere ihrem Futterbedürfnis Ausdruck.

Allgemeines: Nach Europa kommen fast nur halbzahme oder zahme Vögel, welche schon jung eingefangen oder aufgepäppelt wurden. Ein weiterer Vorteil ist, daß sie sich sehr schnell mit ihrer neuen Situation abfinden; so z. B. mit der Kettenhaltung in vielen Tiergärten. Trotzdem ist diese Haltungsart abzulehnen. Obgleich die Araras leider in den zoologischen Gärten vielen Neckereien ausgesetzt sind, gibt es doch nur wenig bösartige Vögel. Bei Zorn sträuben sich die Kopffedern, und die weißen Backen werden mit einem rosa Hauch überzogen.
Ihr Name entstand aus ihren Naturlauten „Ara". Nur bei jungen Tieren hat man die Chance, daß sie diesen Laut fast ganz aufgeben. Das Nachahmen einzelner Wörter erreichen sie schnell; zu kleinen Sätzen reicht es seltener. Diese Vögel können recht liebenswerte Familienmitglieder sein und 100 Jahre alt werden.

Ernährung: Verschiedene Nußarten, Sonnenblumenkerne oder frische Sonnenblumenscheiben, Mais oder frische Maiskolben, Weizen und Hafer, Äpfel und anderes Obst, Mohrrüben, Zwieback und frische Äste zum Benagen. Das Futter sollte möglichst abwechslungsreich geboten werden.

Haltung und Zucht. Im Haus: Es gibt im Haus zwei Haltungsmöglichkeiten; entweder auf dem Ständer oder in einem Käfig. Zur Nacht oder ohne Aufsicht kommt der Vogel in einen sehr großen Käfig, welcher mindestens 1,50×1,50×1,50 m sein muß; tagsüber auf einen Ständer ohne Kette. Da jeder Vogel einen anderen Grad der Zutraulichkeit besitzt, muß der Pfleger selbst entscheiden, wie weit er seinem Vogel Freiheit zugestehen kann. Selbstverständlich muß der Käfig aus einer Metallkonstruktion und starkem Drahtgeflecht bestehen und als Sitzgelegenheit armstarke Äste aus Buche oder Eiche haben; keinesfalls eine Metallstange, welche kranke Füße zur Folge haben würde. Man muß in Kauf nehmen, daß auch Hartholz mit der Zeit durchgenagt wird, wenn man dem Vogel nicht laufend frische Äste zum Benagen reicht. In der Baumrinde befinden sich verschiedene Substanzen, welche der große Vogel unbedingt benötigt. Nur so und durch abwechslungsreiche Fütterung wird der Arara ein herrliches Gefieder zeigen. Ein tägliches Abbrausen ist unbedingt zu empfehlen.

Der frisch eingetroffene, unbekannte Arara kommt zunächst in seinen Käfig. Nach längerer Zeit lernt man sein Verhalten, Benehmen und seinen Charakter kennen. Hiernach richtet sich, ob der Vogel schon reif ist, auf einen Ständer zu kommen. Als ausgesprochener Klettervogel wird er nur in größter Angst vom Ständer abfliegen. Er wird nach einer gewissen Zeit gar kein Bedürfnis mehr haben, von seinem vertrauten Platz abzuwandern. Falls es nicht überhaupt ohne Fußkette geht, muß die Kette mindestens zwei Wirbel haben, damit diese sich nicht aufdreht. Ist die Kette zu dünn, wird sie vom Arara leicht durchgebissen; ist sie zu dick, wird das Gewicht zu groß. Auf die Dauer müßte das Kettenbein gewechselt werden, um es zu entlasten und Schwellungen zu verhindern. Alle diese Umstände sind nicht vorteilhaft.

Im Kreise der Familie wird ein Arara seinen bevorzugten Freund haben, sei es der Mann, die Frau oder das Kind. Dieser bevorzugte Freund kann sich bei einem Arara aber auch alles erlauben. Unerwünschten Personen gegenüber kann sein riesiger Schnabel schon gefährlich werden.

Im Garten: Natürlich können Araras in einer Freivoliere im Garten untergebracht werden. Schutzraum und Voliere müssen aus hartem, festem Material gebaut sein. Araras sind nicht kälteempfindlich, müssen aber trotzdem frostfrei überwintert werden, da sonst besonders die Füße Schaden erleiden würden. Auch eine Haltung im Frei-

flug ist mit einigen standorttreuen Arten möglich, wenn ein entsprechendes Grundstück oder Land vorhanden ist. Auch kann man ein ummauertes Gehege mit glatten Wänden bauen, so daß es dem Vogel mit *einem* gestutzten Flügel nicht möglich ist, herauszukommen. Ein entsprechender Kletterbaum steht in der Mitte des ummauerten Geheges. Zahme Vögel können auch auf dem Ständer in den Garten gebracht werden. Die Sonnenstrahlen oder eine Regendusche werden ihnen gut tun.
Verschiedene Arten sind schon mit Erfolg gezüchtet worden, darunter ganz besonders der Zwergarara. Sie benötigen dabei gar keine sehr großen Volieren. Die Schwierigkeit liegt bei einigen Arten in der Erkennung der Geschlechter. Man weiß noch nicht, mit welchem Alter sie zuchtreif werden. Bei den großen Arten muß man Geduld haben und warten können. Näheres über bekannte Zuchten bei den einzelnen Arten.

Araras

Rotbugarara *(A. severa)*

Panama, Kolumbien, Ecuador, Bolivien.

Kennzeichen: 48 cm groß. Männchen: Grün; rotbraunes Stirnband, Flügelrand rot, Handschwingen blau; Schwanzfedern rotbraun mit blauer Spitze. Nackte Wangen, schwarzer Schnabel, Iris gelb. Weibchen: Das rotbraune Stirnband weniger ausgeprägt als beim Männchen; Hinterkopf abgeflacht. Jungtiere: Bis zu 6 Monaten schwarze Augen, dann wird die Iris langsam gelb.
Der Rotbug- oder Zwergarara ist nur halb so groß wie seine größten Vettern. Seine Stimme ist nicht so laut und sein Schnabel besitzt nicht die Kraft der Großen. Das Federkleid ist schlicht und zeigt nicht die Farben der anderen Araras. Sie ahmen menschliche Laute und Worte nach, und die Jungtiere werden ungemein zahm.
Der Zwergarara ist mehrfach mit Erfolg gezüchtet worden. Größe des Brutkastens 30×30×70 cm. Auf dem Nistkastenboden eine etwa 10 cm dicke Schicht Gartenerde, mit Torf vermischt. Durchmesser des Einflugloches 10 cm. Brut in der Außenvoliere. Das Männchen sitzt fast immer vor dem Einschlupfloch, ist aber auch manchmal im Kasten verschwunden. Die Nacht bringt es meist im Brutnest zu. Das Gelege besteht aus 3 bis 5 rundlichen, weißen Eiern,

welche 24 bis 26 Tage bebrütet werden. Die Jungvögel fliegen nach etwa 2 Monaten aus dem Kasten. Das Geschlecht ist sofort zu erkennen, da die Männchen einen starken, roten Stirnfleck haben, während die Weibchen erst nach 6 Monaten eine rote Andeutung bekommen, die sich dann nach und nach verstärkt.
Nestkontrollen werden manchmal übelgenommen. Gegen andere Volierenbewohner zeigen sie sich während der Brutzeit angriffslustig. Gegen Kälte scheinen sie unempfindlich zu sein.

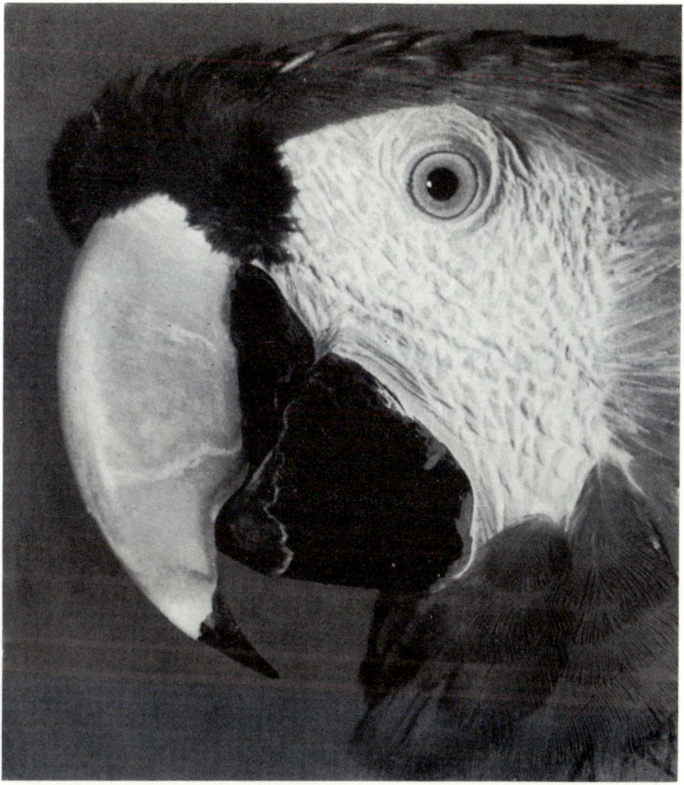

Abb. 54. Eine ausdrucksvolle Kopfstudie des Arakanga.

Zur Zucht gehacktes Hartei, gekochter, körniger Reis, rote Möhren und Obst, gekeimte Sonnenblumen und Hafer. Ferner wurden gern Blätter gefressen.

Arakanga *(A. macao)* (Abb. 54)

Mexiko bis Paraguay.

Kennzeichen: 85 cm groß. Männchen: Rot; Flügel- und Schulterdecken goldgelb; nackte Wangen. Weibchen: Schnabel kleiner, breiter und mehr gekrümmt als beim Männchen. Jungtiere: Vordere und mittlere Flügeldecken noch grün; hintere Schulterdecken grün, in der Mitte gelb, größte untere Flügeldecken rötlich bis olivengrüngelb; nur an den Enden deutlich rot.
Dieser Arara wird auch Hellroter Arara genannt. Seiner herrlich bunten Federn wegen ist er früher sehr verfolgt worden. Es gibt kaum einen Tiergarten, der diese Art nicht in seinen Anlagen hat. Es soll einmal einen Arakanga gegeben haben, der an die 100 Worte nachahmte.
In Kalifornien und Florida gibt es einige Zuchtpaare. Sie legten dort 2 bis 3 Eier, aber oft wurden nur 1 bis 2 Junge groß, selten auch 3. Die Zucht erfolgte in einer riesigen Voliere. Das Weibchen brütete allein, wenn auch das Männchen manchmal daneben saß. Der Brutkasten hatte eine Höhe von 60 cm und eine Grundfläche von 120×120 cm und wurde ohne Boden auf die Erde gesetzt. Im Alter von 2 Monaten kamen die Jungen aus dem Brutkasten. In einer sehr großen Voliere haben sie sich anderen Volierenvögeln gegenüber freundlich benommen. Arakangas haben schon kalt überwintert.
Zur Aufzucht wurden besonders Bananen, Apfelsinen, Tomaten, Brot, Sonnenblumen und in verschiedener Form Kalk genommen.

Grünflügelarara *(A. chloroptera)* (Abb. 55)

Panama bis Paraguay.

Kennzeichen: 85 cm groß. Männchen: Dunkelrot; große obere Flügel- und Schulterdecken olivgrün, die nackte Wange zeigt kleine rote Federchen; Oberschnabel hell mit schwarzer Spitze, Unterschnabel schwarz. Weibchen: Kleinere Gestalt und kleinerer Schnabel als Männchen.
Der Grünflügelarara wird auch noch Dunkelroter Arara genannt.

Abb. 55. Grünflügelarara.

Abb. 56. Großer Hyazintharara.

Eine Kreuzung in der Natur mit dem Ararauna und dem Soldatenarara ist bekannt geworden.

Soldatenarara *(A. militaris)*

Mexiko bis Argentinien.

Kennzeichen: 65 cm groß. Männchen und Weibchen: Grasgrün; Stirn rot, Bürzel und Oberschwanzdecken blau, Unterseite olivgrün; vier Streifen rötlicher, kleiner Federn auf den nackten Wangen, Schnabel schwarz. Jungtiere: Viel matter, mehr bräunlichrot; die grünen Ränder der Nackenfedern sind breiter.
Die schlichtgrüne Färbung gab diesem Arara seinen Namen. Der Große Soldatenarara *(A. ambigua)* ist 20 cm größer und das Federkleid gelbgrün. Er ist nicht so begabt im Nachahmen von Worten wie die anderen Araraarten und deshalb weniger begehrt.

Ararauna *(A. ararauna)* (Abb. 57)

Panama bis N-Paraguay.

Kennzeichen: 90 cm groß. Männchen: Oberseite blau, Unterseite gelb, Vorderkopf olivgrün; einige Reihen dunkelgrüner Federn auf den weißen Wangen. Weibchen: Kleiner als Männchen; besonders Kopf und Schnabel.

Der Ararauna wird auch noch Blaugelber Arara genannt. In ihm kennen wir die intelligentesten und liebenswürdigsten aller Araras. Aus diesem Grund ist er sehr beliebt und besonders für die Stubenhaltung geeignet. So erzählt ein Liebhaber, daß seine überaus große Anhänglichkeit manchmal nicht zu ertragen sei. Er verstände es, auf alle mögliche Art und Weise auf sich aufmerksam zu machen. Erst wiegende Körperbewegungen, dann merkwürdiges Verdrehen des Kopfes oder sonderbare Laute. Alles nur, um eine Unterhaltung und Beschäftigung mit den Menschen zu erreichen. Er kann mit heller Kinder- oder mit tiefer Männerstimme plappern. Rund 60 Worte soll ein Ararauna nachgeahmt haben.

Abb. 57. Der Ararauna ist intelligent und hat einen liebenswürdigen Charakter.

Dieser Arara wurde schon vor langer Zeit in Frankreich gezüchtet; 1965 auch im Magdeburger Zoologischen Garten. Dort hatte die Voliere nur die Größe von 350×175×240 cm; der Brutkasten 50×50×80 cm; das Einschlupfloch einen Durchmesser von 17 cm. Die Bretter des Brutkastens waren 4 cm dick. Im Abstand von 2 bis 3 Tagen wurden 2 bis 3 Eier gelegt, welche 24 bis 26 Tage bebrütet wurden. Der Schnabel der Jungvögel war hell und wurde erst mit 6 Wochen schwarz. Nach 10 Wochen kamen die Jungen aus dem Brutkasten. Die Schwänze waren höchstens 20 cm lang. Erst mit 15 Monaten erreichten sie die Größe der Elterntiere. Auch im Zoo Amsterdam haben sogar freifliegende Ararauna erfolgreich Junge großgezogen. Zur Zucht Eifutter mit erweichtem Weißbrot, Tomaten, Äpfel, Birnen, Pflaumen, Weintrauben, Apfelsinen, verschiedene Nußarten und Sonnenblumenkerne.

Blauararas

Großer Hyazintharara *(Anodorhynchus hyacinthinus)* (Abb. 56)

Inneres Brasilien.

Kennzeichen: 95 cm groß. Männchen und Weibchen: Tiefblau; nackter Augenring goldgelb.

An den Strömen des dichten Urwaldes leben diese Blauararas. Sie sind wenig scheu und in ihrer Heimat nicht so häufig wie die anderen Araras. Die Nahrung besteht vor allem aus Palmnüssen, welche mit Leichtigkeit zertrümmert werden.

Der Hyazintharara lebt paarweise oder zieht nach der Brutzeit in Familienverbänden umher. Die Bruthöhle soll auch in Uferhöhlungen zu finden sein. Im Zoologischen Garten Posen sind in neuerer Zeit Zuchten geglückt. Die Kinderwiege war eine alte Holzkiste; der Brutraum nur 150×150×180 cm groß und ohne Außenvoliere. Ernährung und Haltung wie bei anderen Araraarten.

Der Hyazintharara ist der größte Papagei der Welt. Er wird nie häufig auf dem Vogelmarkt angeboten und ist immer teurer als alle anderen Araraarten. Sein gewaltiger Schnabel wird nur noch von dem des Ararakakadus übertroffen. Der blaue Arara kann dem Pfleger gegenüber von einer rührenden und liebenswürdigen Anhänglichkeit sein. Fremden gegenüber ist Vorsicht geboten. Sein Sprechtalent bleibt hinter anderen Araraarten zurück.

Gattung: Keilschwanzsittiche *(Aratinga)*

Folgende Arten werden besprochen:

Sonnensittich, *A. solstitialis* (4 Rassen)
Elfenbeinsittich, *A. canicularis* (2 Rassen)
Goldstirnsittich, *A. aurea* (2 Rassen)

Herkunft und Lebensweise: Mittel- und S-Amerika. Als artenreichste Papageiengattung hat diese Gruppe auch die weiteste Verbreitung. Manche wandern als Zugvögel; andere sind Strichvögel. Die meisten Arten leben in tropischen Wäldern, andere in Steppengebieten, an Flußläufen oder auch im Gebirge bis zur Baumgrenze. Es sind sehr gesellige Vögel, und es gibt Arten, die sogar während der Brutzeit in Gruppen zusammenbleiben.
Ihre Nahrung besteht aus Sämereien aller Art, Baumfrüchten und Beeren; einige nehmen auch Insekten. An Getreide- oder anderen Anpflanzungen können sie großen Schaden anrichten.
Die Keilschwanzsittiche legen in Baumhöhlungen ihre Nester an, aber einige auch in Felslöchern oder Steinspalten.

Allgemeines: Der keilförmige, gestufte Schwanz gab dieser Gruppe ihren Namen. Einige Arten sind sehr schön, leider aber auch ziemliche Schreier. Ihr Wesen ist unruhig und ihr kräftiger Schnabel zerstört das Holz. Sonst sind diese Sittiche ausdauernd und anspruchslos. Die Haltung mit anderen Arten ist nicht immer möglich, da sie diesen u. U. die Beine zerbeißen. Im Handel sind Keilschwanzsittiche immer zu einem günstigen Preis zu bekommen.

Ernährung: Kanariensaat, Sonnenblumenkerne, Hirsearten, Hafer, Weizen, Früchte und Beeren; Grünes und frische Zweige zum Benagen.

Jendajasittich *(A. solstitialis jandaya)* (Abb. 58)

Ost- und Südost-Brasilien.

Kennzeichen: 30 cm groß. Männchen. Kopf und Hals gelb, Ohr- und Augengegend manchmal orange überlaufen; Rücken grün, Bürzel und Unterseite orange, Flügel und Schwanzfedern blau, Iris graubraun. Weibchen: An der Unterseite weniger orange als das Männ-

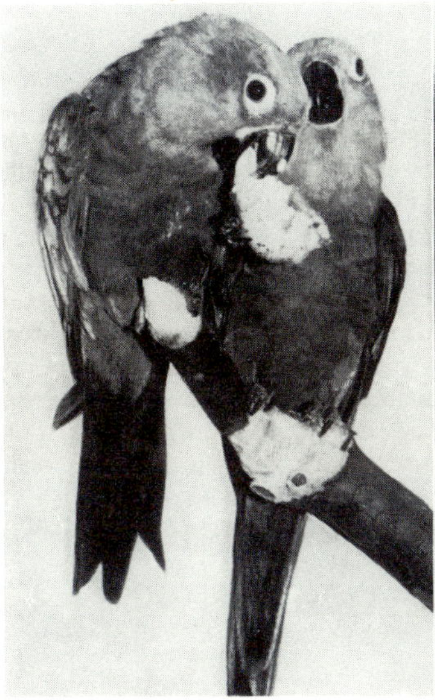

Abb. 58. Jendajasittiche.

Abb. 59. Elfenbeinsittiche.

chen. Jungtiere: Unterseite grünlich mit wenig Orange, Iris schwarz. Dieser Sittich ist eine Rasse des Sonnensittichs *(A. s. solstitialis).*

Haltung und Zucht: Im Haus: Nur zahme Einzelvögel können in einem Metallkäfig gehalten werden. Alte Wildfänge sind recht ungestüm und haben eine laute Stimme.

Im Garten: Eine Gartenvoliere, gebaut aus einer Eisenkonstruktion, starkem Drahtgeflecht und einem Innenraum aus Stein oder anderem harten Material, gibt diesen Keilschwanzsittichen die richtige Unterkunft. Über ihr zeitweiliges Kreischen sollte man ihrer Schönheit wegen hinwegsehen.
Sie sind einige Male gezüchtet und auch kalt überwintert worden. Mit anderen Vogelarten haben sie sich gut vertragen. Die Paare halten eng zusammen und die Partner kraulen sich gegenseitig.
In einer Voliere von 3×6×2 m wurden 4 Eier gelegt, nachdem vorher kleine Zweige in den Nistkasten getragen und dort völlig zer-

kleinert wurden. Der Hahn macht vor dem Weibchen tänzelnde Verbeugungen. Nestkontrollen werden manchmal übelgenommen. Nach 10 bis 14 Tagen beteiligt sich auch das Männchen zeitweise am Brutgeschäft. Bei vermeintlichen Eindringlingen werden die Halsfedern wie ein Kragen aufgestellt, um unter merkwürdigen Gebärden und Verrenkungen des Halses den Feind zu scheuchen. Bleibt der Erfolg aus, verschwinden die Vögel in den Brutkasten.
Jendajasittiche wurden auch im Freiflug gehalten. Beide Teile (Männchen und Weibchen) mußten zunächst wechselseitig an die Freiheit gewöhnt werden, nachdem sie einen Nistkasten bezogen hatten. Sie blieben immer in Rufweite; auch die Jungvögel blieben später immer in der Nähe ihrer Eltern.
In der Freiheit fällt die starke Stimme nicht ins Gewicht. Davon konnte sich der Verfasser in einem kleinen Tiergarten überzeugen, in welchem auch Jendajasittiche im Freiflug gehalten wurden. Es ist ein herrliches Bild, diese Vögel im Fichtengrün zu beobachten.

Elfenbeinsittich *(A. canicularis)* (Abb. 59)

Costa Rica und Mexiko.

Kennzeichen: 25 cm groß. Männchen: Grün; Stirnfleck orangerot, unbefiederter Augenring gelborange, Schnabel hell. Weibchen: Stirnfleck und Kopf kleiner als beim Männchen.

Haltung und Zucht. Im Haus: Der kleine Elfenbeinsittich ist für die Käfighaltung durchaus geeignet. Die Stimme ist nicht so laut und jüngere Vögel werden sehr anhänglich und zahm. Es besteht die Begabung zum Nachahmen von Worten und anderen Lauten.

Im Garten: Dieser Papagei kann mit anderen Vogelarten zusammen gehalten werden; Holz wird von ihm nur wenig beschädigt. Einige Male war seine Zucht erfolgreich. Es wurden 4 Eier in einen halboffenen Kanariennistkasten gelegt, woraus 3 Junge schlüpften.

Goldstirnsittich *(A. aurea)* (Abb. 60)

Brasilien, Bolivien und Paraguay.

Kennzeichen: 28 cm groß. Männchen und Weibchen: Grün; Stirn und Scheitel orangegelb, Augenumgebung gelblich, Iris orange und Schnabel schwärzlich. Jungtiere: Iris dunkelbraun.

Haltung und Zucht. Im Haus: Der Goldstirnsittich ist von allen Keilschwanzsittichen am angenehmsten zu halten. Er lernt pfeifen, niesen, schnalzen, husten, Worte sprechen und scheint der gelehrigste dieser Gattung zu sein. Auch seine Stimme ist nicht unangenehm und das Nagebedürfnis gering.

Seine Zucht ist auch im Käfig gelungen; sogar in Gesellschaft mit Sing- und Kaktussittichen. Es wurden 2 bis 3 Eier gelegt, welche 26 Tage bebrütet wurden. Die Nistkastengröße hatte eine Grundfläche von 20×20 cm; die Höhe 27 cm; das Einflugloch 5 bis 6 cm Durchmesser. Mit etwa 50 Tagen verließen die Jungen das Nest. Die erste Brut fiel in den April und eine zweite Brut in den Juli. Die jungen Vögel wurden so zahm, daß man sie auf dem Finger durch die Stube tragen konnte.

Im Garten: Dieser Sittich ist kalt, aber frostfrei überwintert worden und brütete auch in der Freivoliere mit Erfolg. Es ist eine Kreuzung mit einem Jendajasittich vorgekommen.

Abb. 60. Goldstirnsittiche. Links das Weibchen, rechts das Männchen.
Abb. 61. Nandaysittiche. Links das Weibchen, rechts das Männchen.

Gattung: Nandaysittiche *(Nandayus)*

Nandaysittich *(N. nenday)* (Abb. 61)

Kennzeichen: 31 cm groß. Männchen: Grün; Kopf und Schnabel schwärzlich; Füße fleischfarben und Schenkel rot. Weibchen: Kleinerer Kopf, Schnabel schärfer gebogen als beim Männchen. Jungtiere: Füße schwärzlich.

Herkunft und Lebensweise: Mittel- und S-Amerika, von Mexiko bis Argentinien. In seiner Heimat ist er recht häufig und wird nicht gern gesehen, da er in großen Schwärmen die Feldfrüchte und Obstplantagen plündert. Obgleich diese Sittiche recht scheu und vorsichtig sind, werden sie doch in großer Zahl mit Lockvögeln gefangen.

Allgemeines: Im Handel ist dieser Sittich keine Seltenheit und wird zu einem günstigen Preis angeboten. Die Paare halten eng zusammen und verrichten alle Dinge gemeinsam. Sie zeigen durch merkwürdige Gebärden, sei es das Knicksen oder Party Federsträuben, ein komisches Wesen. Ihre Stimme und ihr Nagen halten sich in Grenzen.

Ernährung: Sonnenblumenkerne, Hafer, Kanariensaat, Äpfel, Möhren, Pflaumen, Grünes in üblicher Form; oft gern Stachelbeeren und Kirschen. Zur Zucht gehacktes Ei mit Zwiebackmehl vermischt.

Haltung und Zucht. Im Haus: Für die Käfighaltung eignet sich nur ein junger, zahmer Vogel. Alte Wildfänge sind stürmisch und haben eine laute Stimme. Es kommen nur Ganzmetallkäfige in Frage.

Im Garten: Die Freivoliere mit Schutzraum ist gut geeignet für ein Paar dieser schwarzköpfigen Sittiche. Eine kalte Überwinterung ist möglich. Die Zucht ist mehrfach gelungen. Bei einem Liebhaber wurden in einem Jahr 12 Junge groß; Größe der Voliere 3×4×2 m, Nistkasten 40 × 40 cm. Das Weibchen legte 4 Eier, jeden 2. Tag eins. Es brütete 25 Tage allein, während der Hahn nur nachts im Kasten war. Eine Eikontrolle wurde nicht übelgenommen; das Weibchen rückte lediglich zur Seite, aber verließ den Brutkasten nicht. Nach 7 Wochen flogen die Jungtiere aus, aber alle übernachteten gemeinsam im Brutnest. Nur bei Annäherung von Fremden, Katzen oder Hunden entwickelten die Eltern ein ziemliches Geschrei. Mit Finkenvögeln lebten sie in Frieden. Es wurde viel gebadet; auch ließen sich die Nandaysittiche gern abregnen.

Gattung: Rotschwanzsittiche *(Pyrrhura)*

Folgende Arten werden besprochen:

Weißohrsittich, *P. leucotis* (5 Rassen)
Braunohrsittich, *P. frontalis* (3 Rassen)

Herkunft und Lebensweise: Costa Rica und Panama in Mittelamerika; S-Amerika bis nach N-Argentinien. An den Waldrändern der Küsten, in den bergigen Landschaften und im Inneren Brasiliens leben diese eleganten Rotschwanzsittiche. Sie streifen in Gruppen von 10 bis 20 Tieren umher und fallen in die Getreide- und Maisfelder ein, wo sie erheblichen Schaden anrichten können. Wie ihre anderen Verwandten brüten sie in ausgehöhlten Ästen oder Bäumen.

Allgemeines: Die rotbraune Färbung der Schwanzfedern (meist nur die Unterseite) gab dieser Gruppe ihren Namen. Einige Arten werden hin und wieder zu einem günstigen Preis im Handel angeboten. Besonders schön ist der Weißohrsittich. Der Braunohrsittich wird leicht im Handel verwechselt mit dem Braunwangensittich *(Aratinga pertinax).* Rotschwanzsittiche benötigen einen Schlafkasten.

Ernährung: Sonnenblumenkerne, Kanariensaat, verschiedene Hirsearten, etwas Hanf, Hafer, Weizen, Buchweizen, kleine Gerste, Kolbenhirse, Äpfel. Zur Zucht vor allem gekeimte Kolbenhirse, Haferschleim und in Milch stehende Saat.

Weißohrsittich *(A. leucotis)* (Abb. 62)

Brasilien, Venezuela.

Kennzeichen: 22 cm groß. Männchen: Grün; Oberkopf graubraun, Nacken graublau, Wangen rotbraun, Ohrgegend grauweiß, Kropfgegend grau mit weißen Federsäumen, Flügelbug rot, Bauchmitte und Bürzelgegend braunrot, Schnabel schwarz, eckige Kopfform. Weibchen: Gefieder gleicht dem des Männchens, aber kleinere runde Kopfform. Jungtiere: Farben matt und verwaschen, Schnabel grau.

Haltung und Zucht. Im Haus: Dieser Sittich eignet sich gut zur Einzel- oder paarweisen Haltung in einem großen Käfig. Es sind ruhige und angenehme Vögel, welche sehr zahm werden können.

Abb. 62. Die Weißohrsittiche sind sehr schöne, für die Käfig- und Volierenhaltung gut geeignete Vögel. Beim Zusammenbringen mit anderen Arten ist allerdings Vorsicht geboten, zumal wenn sich der Bruttrieb regt.

Im Garten: Schon mehrfach ist der Weißohrsittich gezüchtet worden, aber bisher immer in einer Freivoliere. Wellensittichen aus einer Nachbarvoliere wurden durch den Draht hindurch einige Zehen abgebissen. Untereinander vertragen sie sich gut, und es können mehrere Paare in einer großen Voliere gehalten werden. Die Vögel entschieden sich für einen Naturniststamm, welcher im überdachten Teil der Voliere angebracht war. Das Weibchen nagte unentwegt im Stamm und schaffte sich eine Mulde, welche 20 cm tief lag. Der Bodengrund war mit Holzmulm und kleinen Federn bedeckt. Es wurden 4 Eier gelegt; jeden 2. Tag ein Ei. Das Weibchen brütete allein 22 Tage. Im Brutstamm fütterte das Männchen sein Weibchen. Manchmal kommt es vor, daß das Männchen am Tage einige Stunden beim Weibchen sitzt, aber nachts sind sie immer gemeinsam im Kasten. Bei jeglicher Störung verschwindet das Männchen sofort im Brutstamm. Gegen Nestkontrollen sind diese Vögel empfindlich; man sollte sie ganz in Ruhe lassen. Besonders vor dem Schlupf der Jungen badet das Weibchen recht viel. Ein Zeichen, daß zum Schlupf eine große Feuchtigkeit nötig ist. Nach 5 Wochen fliegen die Jungen aus ihrem Nest und werden noch 10 bis 14 Tage von den Eltern gefüttert. Nach 2 bis 3 Monaten gleicht das Gefieder dem der Altvögel. 2 Bruten im Jahr sind möglich.

Braunohrsittich *(P. frontalis)*

SO-Brasilien, Paraguay.

Kennzeichen: 28 cm groß. Männchen und Weibchen: Grün; rote Stirnbinde, Ohrgegend und Brust fahlbräunlich mit dunklen Querbinden, Bauchfleck rot. Jungtiere: Rote Stirnbinde und Bauchfleck weniger ausgeprägt; Kopf, Hals und Brust fahlgelb.

Haltung und Zucht. Im Haus: Dieser schlanke Sittich wird als Jungvogel sehr zahm. Auch seine ruhige Stimme stört den Hausbewohner nicht. Eine Nachahmung von einigen Worten ist bekannt geworden. In einem großen Käfig von etwa 1 m Länge oder einer Zimmervoliere könnten Zuchtversuche gemacht werden.

Im Garten: In einer Freivoliere von 4 m Länge vertrugen sie sich mit Weißohrsittichen und Grauköpfchen *(Agapornis cana).* Im April legte das Weibchen 4 Eier und bebrütete diese allein. Das Männchen war zu dieser Zeit sehr angriffslustig, tat aber den anderen Volliereninsassen nichts. Die Jungen wurden von beiden Eltern gefüttert.

Im Winter nahmen die Tiere in der Freivoliere bei –22 °C keinen Schaden, denn die Nacht verbrachten sie in einem dickwandigen Schlafkasten.

Gattung: Weißbauchpapageien *(Pionites)*

Folgende Arten werden besprochen:

Grünzügelpapagei, *P. melanocephala* (2 Rassen)
Rostkappenpapagei, *P. leucogaster* (2 Rassen)

Herkunft und Lebensweise: Venezuela, Guayana, W-Brasilien, O-Peru, O-Ecuador und O-Kolumbien. Selten nähern sich die Papageien dieser Gattung den menschlichen Ansiedlungen. Sie leben in den dichten Wäldern, an den Flußläufen oder den überschwemmten Gebieten. Weißbauchpapageien fliegen nach der Brutzeit in lockeren, kleinen Gruppen, ohne eine eng zusammenhaltende Geselligkeit zu zeigen. Ihre pfeifenden Stimmen sollen dem des Tapir gleichen. Sie ernähren sich von Früchten, Beeren, Knospen und Nüssen.

Allgemeines: Die beiden Arten der Weißbauchpapageien sind seltener im Handel zu finden; trotzdem werden sie preisgünstig angeboten. Sie sind die erste Zeit etwas anfällig und müssen zunächst sorgsam beobachtet werden. Einmal akklimatisiert, sind es harte, ausdauernde Vögel. Man entschließe sich nicht zu ganz frisch importierten Vögeln.

Ernährung: Sonnenblumenkerne, Früchte aller Art, verschiedene Nußarten, Zwieback, Biskuit und Beeren.

Haltung und Zucht. Im Haus: Diese Gattung ist wärmebedürftig und sollte nicht unter +15 °C gehalten werden. Nur ganz junge Vögel werden in Einzelhaltung zahm. Nähert man sich älteren Vögeln, dann machen sie sofort von ihrem kräftigen Schnabel Gebrauch. Eine Nachahmungsbegabung ist nicht bekanntgeworden.
In England ist über eine Kreuzungszucht vom Grünzügel- und Rostkappenpapagei berichtet worden. Die Vögel waren empfindlich gegen Kälte und züchteten in einem Innenraum. Das Weibchen brütete fast 4 Wochen auf 4 Eiern. Das Männchen griff jeden an, der in die Nähe kam. Nach etwa 10 Wochen kam ein Junges aus dem Brutkasten. Nachts schlief die Familie gemeinsam im Brutnest. Das Jungtier nahm die erste Zeit nur angekeimte Samen, Biskuit und Nüsse. Der Rost-

kappenpapagei wurde 1932 in den USA gezüchtet. Drei Junge verließen im April ihr Nest und wurden selbständig.

Grünzügelpapagei *(P. melanocephala)* (Abb. 63)

O-Venezuela, O-Peru, O-Kolumbien und Teile Guayanas.

Kennzeichen: 25 cm groß. Männchen: Flügel, Rücken und Schwanz grün, Kopfplatte schwarz, Nackenring gelbbraun, Kopfseiten, Kehle, Schenkel gelblich, Brust und Bauch weißlich, Schnabel, Füße schwärzlich, Iris rot, Augenring dunkel. Weibchen: Hellere Augenringe. Jungtiere: Die schwarzbraunen Federn der Kopfplatte haben grüne Endsäume.

Rostkappenpapagei *(P. leucogaster)* (Abb. 64)

O-Venezuela, O-Peru, O-Kolumbien und Teile Guayanas.

Kennzeichen: 23 cm groß. Männchen und Weibchen: Flügel, Rücken und Schwanz grün, Kopfplatte und Nacken rostbraun, Kopfseiten,

Abb. 63. Grünzügelpapagei.

Abb. 64. Rostkappenpapagei.

Kehle und Unterbauch weißlichgelb, Schnabel und Füße hell fleischfarben, Iris rot.

Gattung: Rotsteißpapageien *(Pionus)*

Schwarzohrpapagei *(P. menstruus)* (Farbbild 8 Seite 112)

Kennzeichen: 27 cm groß. Männchen und Weibchen: Körper und Flügel überwiegend grün; Kopf und Hals blau, Ohrgegend schwarz, Unterschwanzdecken rot mit grüner Spitze, Schnabel schwärzlich, aber an der Basis des Oberkiefers rot. Jungtiere: Schnabel horngelblich, Kopf grün, Stirnband manchmal rot.

Herkunft und Lebensweise: S-Costa Rica, Panama und S-Amerika bis Bolivien. Gesellig ziehen die Rotsteißpapageien in großen Schwärmen umher. Sie suchen die Bäume mit den reifen Früchten auf und verschmähen auch nicht die Maisanpflanzungen. Daher werden sie viel abgeschossen und als Wildbret angeboten. Zur Nistzeit leben sie paarweise und legen meist 4 Eier in Baumhöhlungen.

Allgemeines: Seit Aufhebung der Papageiensperre wurden wieder verschiedene Arten Rotsteißpapageien importiert. Sie kommen fast immer im Jugendgefieder bei den Importeuren an. Ihr dann noch schlichtes grünliches Federkleid verrät noch nichts von den herrlichen Farben, die diese Papageien im Altersgefieder bekommen.
Die Jungtiere sind zunächst recht anfällig, aber wenn sie sich erst akklimatisiert haben, werden es sehr zahme und liebenswürdige Papageien. Sie lernen selten Worte nachzusprechen. Der Preis ist nicht hoch für diese amazonenähnlichen Miniaturausgaben.

Ernährung: Sonnenblumen, Kanariensaat, Hirse, geschälter Hafer, Erdnüsse, Früchte, Grünes wie Vogelmiere, Salat, Löwenzahn und Spinat. Jungtiere müssen unbedingt Biskuit, Zwieback, gekochten, körnigen Reis oder Mais und gekeimte Sonnenblumenkerne haben.

Haltung und Zucht. Im Haus: Die Einzelhaltung von Jungvögeln kann sehr empfohlen werden, da diese außerordentlich zahm und anhänglich werden. Zimmertemperatur ist bis zur völligen Ausfärbung erforderlich. Ihre Stimme ist nicht laut und selten zu hören. Der Schwarzohrpapagei kann auch in Gesellschaft mit anderen Vogelarten gehalten werden. Er wurde bisher sehr selten gezüchtet.

Gattung: Fächerpapageien *(Deroptyus)*

Fächerpapagei *(D. accipitrinus)* (Farbbild 16 Seite 127)

Kennzeichen: 35 cm groß. Männchen: Kopf dunkles Braun, Federn des Hinterkopfes und Nackens rötlich mit breiten, blauen Säumen; Bauch- und Brustfedern ebenfalls rötlich mit blauen Säumen; an der Schwanzunterseite rötliche Flecke; übriges Federkleid grünlich. Weibchen: Gestalt kleiner, kleinerer Schnabel und hellerer äußerer Augenring.

Herkunft und Lebensweise: Nördl. S-Amerika, O-Venezuela, Guayana bis O-Ecuador, Nordufer und teilweise Südufer des Amazonas. Der Fächerpapagei ist nicht häufig und lebt in lichten tropischen Wäldern. Manchmal kommt er in die Nähe von Ansiedlungen. Er ist nicht gesellig und wird daher in den meisten Fällen nur paarweise oder als Einzelgänger beobachtet. Brut in Baumhöhlen mit einem Gelege bis zu 4 Eiern.

Allgemeines: Es handelt sich um den einzigen Papagei, der einen Fächer oder Kragen zeigen kann. Dies kann Ausdruck von Zorn, häufiger aber von guter, freudiger Stimmung sein. Den Verfasser hat der Anblick des herrlichen Kragenschmucks fasziniert. Beim Köpfchenkraulen standen die Nackenfedern steil hoch, so daß man in aller Ruhe das hinreißende Federgebilde beobachten konnte. Der Vogel kam auf den Finger, war sanft, ruhig und überaus liebenswürdig. Leider ist er recht selten im Handel und durchweg nur in einigen Tierparks zu sehen. Trotzdem soll er hier erwähnt werden, da er nicht nur außergewöhnlich interessant ist, sondern auch sehr gute Eigenschaften hat. Wenn dieser Vogel durch einen glücklichen Zufall angeboten wird, muß man mit einem hohen Preis rechnen.

Ernährung: Sonnenblumenkerne, Kanariensaat, Hafer, Erdnüsse, Mais, gute Früchte (besonders Weintrauben, manchmal auch Feigen und Apfelsinen), in Milch eingeweichter Zwieback, Biskuit. Der Fächerpapagei liebt die Abwechslung im Futter. Zum Benagen sollten frische Obst- oder Weidenzweige nicht fehlen.

Haltung und Zucht. Im Haus: Hin und wieder läßt er eine etwas durchdringende Sitmme hören, besonders wenn er sich einsam fühlt. Man wird ihm das bald verzeihen. Der Kragenpapagei ist klug und wird leicht zahm. Es ist für das Wohlbefinden des Vogels von Wichtigkeit, ihn häufig aus seinem Käfig zu lassen. Es wird berichtet, daß er die Namen ihm bekannter Personen nachahmte. Eine Begabung zum Erlernen von Worten ist also vorhanden.

Im Garten: Diese Art ist kälteempfindlich. Es käme also nur ein geheiztes Vogelhaus in Frage, da selbst die sommerlichen Temperaturen noch zu feucht und kühl sein können. Die erste Zucht glückte dem Zoo von Chikago, USA.

Gattung: Amazonen *(Amazona)* (Farbbild 11, 12 – Seite 118, 119)

Folgende Arten werden besprochen:

Kubaamazone, *A. leucocephala* (4 Rassen)
Blaukronenamazone, *A. ventralis*
Weißstirnamazone, *A. albifrons* (3 Rassen)
Grünwangenamazone, *A. viridigenalis*
Blaukappenamazone, *A. finschi*
Gelbwangenamazone, *A. autumnalis* (4 Rassen)
Goldmaskenamazone, *A. dufresniana* (2 Rassen)
Rotschwanzamazone, *A. brasiliensis*
Blaubartamazone, *A. festiva* (2 Rassen)
Gelbschulteramazone, *A. barbadensis* (2 Rassen)
Blaustirnamazone, *A. aestiva* (2 Rassen)
Gelbscheitel- und Gelbkopfamazone, *A. ochrocephala* (7 Rassen)
Amazonenpapagei, *A. amazonica* (3 Rassen)
Mülleramazone, *A. farinosa* (4 Rassen)
Taubenhalsamazone, *A. vinacea*

Herkunft und Lebensweise: Mittel- und S-Amerika, Jamaika, Kuba, Bahamas, San Domingo, Porto Rico und Kleine Antillen. Die meisten Arten leben in heißen und gemäßigten Zonen. Einige ziehen aufgelockerten oder dichten Wald, andere steppenartiges Gelände vor. Hauptsächlich aber die bewaldeten Teile der Flußniederungen, die Küsten oder sumpfige Gebiete sind ihre Aufenthaltsorte. Ihr Laufen auf der Erde und ihr Flug sind schwerfällig, aber in den Bäumen klettern sie mit äußerstem Geschick.
Außerhalb der Brutzeit trifft man sie in Scharen, und dann wird jede Tätigkeit gemeinsam verrichtet. Die Amazonen haben bestimmte

Schlafbäume, fliegen in großen Trupps zu den Futterstellen, um abends wieder unter großem Geschrei auf ihren alten Plätzen einzutreffen. Trotzdem halten die Paare in dieser Gesellschaft zusammen. Beim Fressen der Früchte und Beeren sowie in den Plantagen sind sie völlig still, so daß man das Herabfallen der Schalen hören kann. Die Brutzeit in ihrer Heimat liegt durchweg in unserer Winterzeit. Ihre Nester sind in Höhlungen der großen Urwaldbäume. Das gleiche Paar sucht jedes Jahr den gleichen Brutplatz auf.

Allgemeines: Die importierten Amazonen sind Wildfänge. Es sind aber auch halbzahme oder ganz zahme Vögel dabei zu finden, welche in ihrer Heimat als Jungtier aufgezogen wurden. In ihrer anfänglichen Ängstlichkeit lassen sie ein lautes Geschrei hören und sträuben ihre Nackenfedern. Jüngere Vögel werden schnell ruhig; bei alten Tieren dauert es entsprechend länger.
Nachdem die Papageienimporte unter bestimmten Voraussetzungen wieder erlaubt sind, ist der Handel mit Amazonen sprunghaft in die Höhe gestiegen. Neben den Graupapageien sind es die am häufigsten gehaltenen Großpapageien. Sie werden fast immer in Einzelkäfigen gehalten, damit sie zahm werden und Gehörtes nachahmen. Es ist Glückssache, ob man einen guten oder einen schlechten Sprecher bekommt, sofern der Vogel nicht schon eine Redebegabung gezeigt hat. Es gibt Amazonen, die bis an die 100 Worte wiedergeben, pfeifen, singen und andere Laute hören lassen. Die Wiedergabe hört sich bei den Amazonen aber meistens „papageienhaft“ an, denn sie können nicht so gut die gleiche Tonlage der menschlichen Stimme wiedergeben wie ein Graupapagei. Auch ihre Naturlaute lassen die Amazonen nie völlig fallen, von welchen sie bei Langeweile Gebrauch machen. Dagegen kann man sich auf zahme Amazonen immer verlassen. Sie beißen nicht plötzlich und haben ein liebes Wesen, was man vom Graupapagei nicht unbedingt sagen kann. Amazonen sind nie tückisch oder hinterhältig und für jede Unterhaltung dankbar. Es gibt intelligente und weniger intelligente Amazonenarten, worauf bei den einzelnen Arten näher hingewiesen wird.
Der Wirrwarr der deutschen Namensbezeichnung ist immer noch nicht behoben. Eine Art hat oft 3 bis 4 Namen, so daß sich der Unkundige kaum zurechtfinden wird. Man sollte sich darum den lateinischen Namen sagen lassen, denn der Preisunterschied bei den verschiedenen Arten ist groß. Eine weitere Schwierigkeit sind bei manchen Amazonen die Rassenunterschiede und der Unterschied zwischen Jugend- und Altersgefieder. Die endgültige Ausfärbung kann

Jahre dauern. Die Iris der Jungvögel ist schwarz oder dunkelbraun und wird oft später erst gelb oder orange.
Da von Amazonen in der Literatur verhältnismäßig wenig berichtet und im Bild gezeigt wird, soll in diesem Buch näher darauf eingegangen werden, um durch Farbzeichnungen die Unterschiede der Arten leichter verständlich zu machen (s. Farbbilder 11 und 12).
Beim Kauf einer Amazone sollte man es nie eilig haben, denn solch ein Vogel soll eines Tages zur Familie gehören und eine „Persönlichkeit“ werden. Die Familie gewöhnt sich an den gefiederten Freund und der Gefiederte an die Familie. Aus diesem Grund darf ein Kauf keine „Augenblicksidee“ sein, sondern muß *vorher* gut überlegt werden.

Ernährung: Große Sonnenblumenkerne, geweichter Mais, Hafer, Weizen, etwas Hanf und Kanariensaat, Wal-, Erd- und Haselnüsse. Süßes, unverdorbenes Obst; Äpfel, Birnen, Bananen, Apfelsinen, Kirschen, Pfirsiche, Aprikosen, verschiedene Beeren: Johannis-, Stachel-, Erd-, Blau-, Him- und Ebereschenbeeren. Ferner Erbsen, auch in Hülsen, in Milch stehender Hafer und frische, knospige Zweige von Obst-, Pappel-, Weiden- oder Holunderbüschen zum Benagen.
Junge, frisch importierte Vögel: Frische Maiskolben oder gekochten Mais (20 Minuten kochen), gekochten, körnigen Reis, gekeimte Sonnenblumenkerne und Obst. Langsam auf härteres Futter übergehen.

Haltung und Zucht. Im Haus: Für die Amazonen werden 50 bis 70 cm große Käfige benutzt, welche auch für Graupapageien in Frage kommen. Es müssen Metallkäfige sein mit gut verschließbaren Türen, praktischen und starken Näpfen. Runde und weiße Käfige sind abzulehnen, da der Vogel von innen aus nächster Nähe gegen die grelle Rundung sehen muß und dadurch die sogenannte Drehkrankheit entstehen kann. Man neigt zur Annahme, daß auf den Markt kommende Vogelkäfige *immer* für den Vogel ideal sein *müssen.* Leider aber werden Käfige manchmal auch von Theoretikern und Ästheten entworfen und bewähren sich in der Praxis nicht. Gerade bei Amazonen, die etwas weichere Exkremente als reine Körnerfresser haben, muß auf das Praktische geachtet werden, denn Sauberkeit ist erstes Gebot.
Eine weitere Haltungsmöglichkeit ist der Ständer. Die Sitzstange muß etwa 60 cm lang und unbedingt aus Holz sein. Das Auswechseln einer schlechten Sitzstange muß ohne Schwierigkeit möglich sein. Jeweils am Ende der Sitzgelegenheit befindet sich ein Gefäß, welches

nur von dem Pfleger herausgenommen werden kann, nicht vom Vogel! Eine Klettermöglichkeit am Ständer kann der Amazone eine weitere Bewegungsmöglichkeit verschaffen. Unter dem Ständer müßte sich ein Sandkasten von etwa 60 bis 70 cm Länge und 50 bis 60 cm Breite befinden, wohin Schmutz und Futterreste fallen (Abb. 6 Seite 17).

Eine zahme Amazone wird ihren Ständer nur bei ganz besonderen Anlässen verlassen, darum ist auch eine Kette mit Fußring abzulehnen. Die Gewöhnung an den Ständer muß immer unter Aufsicht geschehen; zur Nacht kommt der Vogel wieder in seinen Käfig. Dieses Ziel sollte sich jeder Amazonenhalter setzen. Um es leichter zu erreichen, sollte man möglichst nur Jungtiere kaufen, da alte Vögel oft störrisch bleiben können und ewig vor Angst kreischen, sobald sich jemand nähert. Am gefleckten Schnabel, an schwarzen oder braunen Augen, an den jungen Füßen und dem noch nicht ausgefärbten Gefieder ist der Jungvogel von dem Altvogel zu unterscheiden.

Viele Amazonen geben ihre Naturlaute nie völlig auf, zumal wenn sie Langeweile haben und sich der Pfleger wenig mit ihnen beschäftigt. Andere Papageien als Zimmergenossen können ihre Stimme nur noch mehr herausfordern.

Es kann nicht nachgewiesen werden, ob männliche oder weibliche Vögel zahmer oder intelligenter sind, denn das Geschlecht der meisten Amazonen ist schwer oder gar nicht zu erkennen. Hier liegt auch einer der Gründe, warum Amazonen bisher so selten gezüchtet wurden. Ein weiterer Grund ist, daß sie erst mit einigen Jahren geschlechtsreif werden und bei Zimmertemperatur gehalten werden müssen. Eine Dachkammer, ein kleines Zimmer oder eine Zimmervoliere wäre der richtige Zuchtversuchsplatz. Das Drahtgeflecht muß stark sein, und es darf kein Holz zur Verarbeitung kommen, da viele Amazonen gern nagen.

Wer zur Zucht mehrere Amazonen zur gleichen Zeit einsetzt, hat die größere Chance, daß sich eines Tages ein gutes Paar zur Brut absondern will, so daß dann die überzähligen Vögel herausgenommen werden können. Nur die Blaustirnamazone wurde bisher mehrmals mit Erfolg gezüchtet. Auch sind etliche Kreuzungen anderer Arten vorgekommen.

Hohle Baumstämme oder kleine, dickwandige Fässer können für diesen Zweck hergerichtet werden. Wer einen Brutkasten bauen will, muß dickes Hartholz verwenden. Das Einschlupfloch hat einen Durchmesser von 10 bis 15 cm, je nach Größe der Art. Als Sitzgelegenheiten finden starke Hartholzäste und ein Kletterbaum Verwendung.

Im Garten: Eine zahme Amazone, die an einem Flügel etwas beschnitten ist, kann zur Sommerzeit in den Garten. Ein warmer wöchentlicher Regenguß schadet nicht, sondern ist sogar notwendig. Andernfalls muß die Amazone mit einer Blumenspritze und lauwarmem Wasser abgeduscht werden. Auch in einem heizbaren Vogelhaus können Amazonen überwintert werden: frisch importierte Vögel bei Zimmertemperatur; bei alt eingewöhnten Tieren genügen + 10 bis 15 °C. Bei Zuchtversuchen gilt das in den allgemeinen Ausführungen hierzu Gesagte.

Kubaamazone *(A. leucocephala)* (Farbbild 11/1)

Kuba, Bahama-Inseln und Kaiman-Inseln.

Kennzeichen: 31 cm groß. Männchen und Weibchen: Grün; schwarz gesäumte Federn, Vorderkopf weiß, Wange und Kehle rosarot, Bauchmitte weinrot, Schnabel gelbweiß. Jungtiere: Nur Stirn weiß, Wangen grün mit einigen roten Federn.
Durch Urwaldrodungen ist diese Art auch in ihrer Heimat seltener geworden. Sie ernährt sich dort von Früchten und Beeren. Von April bis Juli werden in hohle Löcher alter Palmen 3 bis 4 Eier gelegt.
Leider ist diese schöne Amazone nur selten im Handel. Frisch importierte Vögel sind die ersten Wochen etwas empfindlich, aber eingewöhnt ausdauernde Tiere. Ihr Charakter ist sanft und gutmütig, und ihre Gelehrigkeit wird gelobt. Die Wiedergabe von Worten ist nicht immer von großer Deutlichkeit, aber ihre Schönheit ist unbestritten. Eine Zucht mit einer männlichen Kubaamazone und einer weiblichen Rotbugamazone ist gelungen. Es wurden 3 Junge geboren, aber nur ein Jungvogel ist groß geworden. Ein englischer Liebhaber hatte 1909 von der Rasse *A. l. bahamensis* 3 Eier. Ein Junges schlüpfte, starb aber nach kurzer Zeit.

Blaukronenamazone *(A. ventralis)* (Farbbild 11/2)

San Domingo.

Kennzeichen: 30 cm groß. Männchen und Weibchen: Grün; schwarz gesäumte Federn, Stirn und Augenkreis weiß, Scheitel und Wangen dunkelblau, schwarze Ohrflecken, Bauchmitte rötlich, Schnabel gelbweiß, Afterflügel, Handdecken und Armschwingen blau.

Über diese Amazone ist bisher sehr wenig bekanntgeworden. Sie wird auch San-Domingo-Amazone genannt.

Weißstirnamazone *(A. albifrons)* (Farbbild 11/3)

Guatemala, Mexiko, Honduras, Nicaragua, Costa Rica.

Kennzeichen: 27 cm groß. Männchen: Grün; dunkel gesäumte Federn, Stirn weiß, Scheitel blau, Augengegend scharlachrot, Schnabel gelb, Handdecken und Afterflügel rot. Iris orange. Weibchen: Handdecken und Afterflügel sollen grün sein. Jungtiere: Iris braun.
Die auffällige breite und rote Augenumrahmung gab ihr auch den Namen Brillenamazone. In ihrer Heimat wird diese kleine Amazone häufig im Käfig gehalten und soll ein gutes Sprechtalent besitzen. Sie wurde 1949 in den USA gezüchtet.

Grünwangenamazone *(A. viridigenalis)* (Farbbild 11/4)

Nordost-Mexiko.

Kennzeichen: 34 cm groß. Männchen und Weibchen: Grün; Oberkopf rot, Rückenfedern dunkel gesäumt, jederseits des Auges zieht sich ein bläuliches Band entlang der Kopfseiten; Handschwingen dunkelblaue Spitzen, roter Flügelspiegel, Schwanzfedern nur grün, Schnabel hell, Iris gelbbraun. Jungtiere: Nur Stirn rot.
Des roten Oberkopfes wegen wird diese Art auch noch Rotmaskenamazone genannt. Nahe steht ihr die Blaukappen- oder auch Finsch-Amazone. Zwei dieser Amazonen wurden bei uns zuerst von Fräulein Hagenbeck im Jahre 1878 eingeführt. Es gibt sehr gute Sprecher unter ihnen. Bei Erregung gehen ihre Halsfedern hoch, so daß sie kragenähnlich wirken.
Im Jahre 1934 ist eine Kreuzung mit einer Weißstirnamazone gelungen. Es wurden 4 Junge geboren, von denen 3 groß wurden.

Blaukappenamazone *(A. finschi)* (Farbbild 11/5)

Mexiko.

Kennzeichen: 32 cm groß. Männchen und Weibchen: Grün; Stirn und Zügel dunkelrot, Ober- und Hinterkopf blau, Unterkörperfedern schwarz gesäumt, kein Rot in den Schwanzfedern, der Schnabel ist hornfarben.

Diese Amazone wird nach ihrem Entdecker bzw. Erstbeschreiber auch noch Finsch-Amazone genannt. Sie ist in letzter Zeit häufiger eingeführt worden, wird aber nicht immer als diese erkannt. Auch diese Amazone wurde in Kalifornien gezüchtet.

Gelbwangenamazone *(A. autumnalis autumnalis)* (Farbbild 11/6)

Mexiko, Guatemala, Honduras, Nicaragua, Costa Rica, Kolumbien, Ecuador und NW-Brasilien.

Kennzeichen: 35 cm groß. Männchen und Weibchen: Grün; schwärzlich gesäumte Nackenfedern, Stirn und Zügel rot, Oberkopf hellblau, untere Augenpartie gelblich, roter Spiegel in den kleinen Handschwingen, Schnabel horngrau.
Diese auch als Herbstamazone bezeichnete Art ist hin und wieder im Handel. Als Sprecher wird sie auf den zweiten Platz verwiesen.

Diademamazone *(A. autumnalis diadema)*

NW-Brasilien.

Kennzeichen: Diese Rasse der Gelbwangenamazone hat einen lilafarbenen Scheitel, grüngelben Hinterkopf, die Federn des Nackens sind grün mit lilafarbenen Spitzensäumen.

Goldmaskenamazone *(A. dufresniana)* (Farbbild 11/7)

Guayana, SO-Brasilien.

Kennzeichen: 36 cm groß. Männchen und Weibchen: Grün; Stirn und Zügel orangegelb, Oberkopf grüngelb, die Wangen- und Kehlfederspitzen blau, die 4 ersten Handschwingen bilden einen orangefarbenen Spiegel, die 4 äußersten Schwanzfedern an der Spitze der Innenfahne orangegelb, Oberschnabel am Grunde rötlich, sonst dunkelhornfarben. Jungtiere: Grüner Kopf ohne Rot, orangefarbener Flügelspiegel, Schwanz grün.
Diese Art wird weniger im Handel angeboten und auch Granadaamazone genannt. Die Meinungen und Beurteilungen über die Zahmheit und ihr Nachahmungsvermögen sind sehr verschieden. Manche Pfleger rühmen ihre Gelehrigkeit und das Sprechtalent und andere bestreiten diese Eigenschaften.

Rotschwanzamazone *(A. brasiliensis)* (Farbbild 11/8)

S-Brasilien.

Kennzeichen. 36 cm groß. Männchen und Weibchen: Grün; Stirn, Zügel, Flügelrand und Wurzeln der Schwanzfedern rot, Scheitel gelb, Kopfseiten violettblau, Schnabel hornbraun.
Rotmaskenamazone heißt diese Art auch noch; sie ist weniger häufig im Handel, lernt gut sprechen und ist nicht bissig.

Blaubartamazone *(A. festiva festiva)* (Farbbild 11/9)

O-Ecuador, O-Peru.

Kennzeichen: 35 cm groß. Männchen und Weibchen: Stirnrand und Zügel rot, Schläfen und Augenbrauenstreif und Kinnfleck blau, Hinterrücken und Bürzel rot, Schnabel fleischfarben und kein Flügelspiegel.
Ihr weiterer Name ist Blaukinnamazone. Sie ist weniger im Handel, aber keine Seltenheit. Es gibt sehr gelehrige und deutliche Sprecher unter ihnen.
Es sind auch schon gelbe Vögel aufgetreten, aber es ist zweifelhaft, ob es wirklich Lutinos waren, welche ja nur rote Augen und blasse Füße haben. Die Eingeborenen in S-Amerika haben die Möglichkeit, die giftigen Ausscheidungen einer bestimmten Froschart über die Federn zu streichen, wodurch diese gelb werden sollen.

Rotstirnamazone *(A. festiva bodini)* (Farbbild 12/10)

Venezuela und NW-Guayana.

Kennzeichen: 34 cm groß. Männchen und Weibchen: Grün; aber gelbgrüne Unterseite; das Rot ausgedehnt bis auf den Oberkopf, Unterrücken und Bürzel rot, bläuliche Wangen, schwarzer Zügelstrich und schwärzlicher Schnabel.
Sie wird auch noch Bodinus-Amazone genannt und ist weniger als die typische Art im Handel.

Gelbschulteramazone *(A. barbadensis)* (Farbbild 12/11)

Venezuela und vorliegende Inseln.

Kennzeichen: 34 cm groß. Männchen: Vorderkopf, Wangen, Kinn und Schenkel gelb, Flügelbug gelb, Flügelspiegel rot und Schnabel grauweiß. Weibchen: Soll an Brust und Bauch bläulich sein.
Es gibt für diese Amazone noch weitere Namen: Gelbflügel-, Kleine Gelbkopfamazone und Sonnenpapagei. Diese Namen sind aber abzulehnen, um Verwechslungen mit anderen Amazonenarten zu vermeiden. Die breite, gelbe Schulter ist ein sehr markantes Zeichen, auf welches ihr Name treffend hinweist.
Die Gelbschulteramazone wird sehr zahm und besitzt eine gute Nachahmungsgabe. Sie ist darum als Stubengenosse besonders zu empfehlen.

Blaustirnamazone *(A. aestiva aestiva)* (Farbbild 12/12)

Brasilien, Bolivien, Paraguay und N-Argentinien.

Kennzeichen: 36 bis 38 cm groß. Männchen: Grün; Stirn hellblau, Scheitel, Backen und Kehle gelb, Flügelbug rot oder gelb (nur oberer Flügelrand), Flügelspiegel rot, Schnabel schwärzlich, Iris orangerot. Weibchen: Mehr Blau am Kopf, Iris orange, Schnabel kleiner als beim Männchen. Jungtiere: Kopf verwaschen blaugrüngelb, verwaschene Farben am Flügelbug und Iris schwarz.
Die häufigste Amazone auf dem Vogelmarkt wird auch noch Rotbugamazone genannt. Da aber die Rasse *A. aestiva xanthopteryx* einen gelben Flügelbug mit schmalem, roten Rand hat, ist dieser Name irreführend. Auch die blauen und gelben Farben variieren bei dieser Amazone sehr, was natürlich auch mit dem Alter zusammenhängt.
Bezüglich der Erkennung der Geschlechter haben Liebhaber beobachtet, daß das Männchen mehr gelbe Federn im Flügelbug besitzt, während das Weibchen einen fast roten Flügelbug zeigt. Die Amazonen mit gelben Bugfedern haben gebalzt und wollen füttern und treten. Auch der Verfasser konnte diese Beobachtung an einem Paar bestätigen. Auffällig ist ferner der sehr viel kräftigere Schnabel des Männchens.
Von dieser Amazonenart ist schon häufiger berichtet worden. Nachahmungstalent und Zahmheit werden immer wieder hervorgehoben. Manche Vögel lernen auch Lieder singen und ahmen Hunde, Katzen oder andere Laute ihrer Umgebung nach. Eine Blaustirnamazone soll ein Alter von 117 Jahren erreicht haben.
Die Zucht ist schon wiederholt gelungen, ebenso Kreuzungen. In Schottland wurden sogar in einem Käfig 60×60×30 cm zwei Junge

großgezogen. Das erstemal im Mai und im nächsten Jahr im Juni. Auch in der Freivoliere sind Zuchten gelungen. Bei der Balz nähert sich das Männchen dem Weibchen, nickt mit dem Kopf, verbeugt sich und klopft mit dem Schnabel gegen einen Ast; ein Blatt wird als Hochzeitsgabe überreicht. Nach der Annahme durch das Weibchen füttert der Hahn die Henne.

In der Regel werden 3 bis 5 Eier gelegt und vom Weibchen 28 – 30 Tage bebrütet. Während dieser Zeit wird es vom Männchen gefüttert. Zur Brut werden ausgehöhlte Naturstämme am liebsten angenommen, die nicht sehr lang sein müssen. Schlupflochdurchmesser etwa 12 bis 14 cm.

Die Jungen verlassen mit ungefähr 60 Tagen ihre Bruthöhle und werden dann noch längere Zeit von den Eltern gefüttert. Viel Obst, Beeren, halbreifes Getreide, gekeimte Sonnenblumen, manchmal auch Fasanen- oder Weichfresserfutter, müssen unbedingt zusätzlich gereicht werden.

Auch im Freiflug sind Amazonen gehalten und gezüchtet worden.

Besonderheiten: Es ist über hellblaue, gelbgescheckte und Lutino-Blaustirnamazonen berichtet worden.

Gelbscheitel- und Gelbkopfamazone *(A. ochrocephala)*

Kolumbien, Venezuela, Guayana, Surinam, Ecuador, Peru, Panama, Costa Rica, Honduras und Mexiko.

Kennzeichen: 36 bis 43 cm groß. Männchen und Weibchen: Grün; Vorderkopf oder ganzer Kopf gelb, roter Flügelspiegel, Flügelbug und Flügelrand gelb bis rot, Schnabel schwärzlich oder weißlich.

Bei dieser Amazonenart treten die meisten Rassen auf, so daß auch große Farbunterschiede gegeben sind. Es sollen darum die häufigsten Rassen herausgenommen und einzeln besprochen werden.

Surinamamazone *(A. ochrocephala ochrocephala)* (Farbbild 12/13)

Kolumbien, Venezuela, Guayana und Surinam.

Kennzeichen: 40 cm groß. Männchen und Weibchen: Grün; Unterseite gelblich mit schmalen, schwärzlichen Federsäumen; Vorderkopf gelb mit einigen grünen Federn an der Stirn, Flügelspiegel und Flügelbug rot, Schnabel an der Basis rötlich und an der Spitze

schwärzlich. Jungtiere: Vorderkopf wenig und mattes Gelb; am Flügelbug und am Flügelspiegel wenig Rot.
Diese Rasse tritt im Handel auch unter dem Namen Gelbscheitelamazone auf. Sie kann sehr zahm werden und hat ein großes Nachahmungsvermögen. Es gibt Vögel, die man auf den Rücken legen, kraulen und mit ihnen spielen kann. Sie lernen das Miauen, Bellen, Husten, Niesen, Pfeifen und das Nachsprechen vieler Worte.
Mindestens 56 Jahre pflegte ein Liebhaber diese Amazone, obgleich er sie schon als älteres Tier bekam.

Panamaamazone *(A. ochrocephala panamensis)* (Farbbild 12/14)

Panama und N-Kolumbien.

Kennzeichen: 36 cm groß. Männchen und Weibchen: Diese Rasse wird von voriger durch gelblichen Unterschnabel unterschieden. Ferner ist die Stirn blaßgelb, die Oberseite ohne schwärzliche Federränder und das Gefieder deutlich blaugrün.
Auch diese Rasse ist gelehrig und liebenswürdig. Sie wird in neuester Zeit häufiger eingeführt. Im Jahre 1945 ist in den USA ein Junges großgezogen worden.

Gelbnackenamazone *(A. ochrocephala auropalliata)* (Farbbild 12/15)

W-Mexiko, NW-Costa Rica und N-Honduras.

Kennzeichen: 37 bis 39 cm groß. Männchen und Weibchen: Kopf grün, Nackenfleck gelb, manchmal einige gelbe Stirnfedern, Flügelbug und Flügelrand rot und Schnabel dunkelhorngrau. Jungtiere: Der gelbe Nackenfleck soll diesen fehlen.
Die Gelbnackenamazone wird seltener importiert. Über das Nachahmungsvermögen ist nicht viel bekannt. Sie soll in Übersee gezüchtet worden sein.

Große Gelbkopfamazone *(A. ochrocephala oratrix)* (Farbbild 12/16)

Mexiko und Britisch Honduras.

Kennzeichen: 39 bis 43 cm groß. Männchen: Grün; keine dunklen Federsäume, der ganze Kopf gelb, Schenkel gelb, Flügelbug und Flügelspiegel rot, Flügelrand gelb und Schnabel gelblichweiß. Weib-

chen: Kleiner als Männchen und kürzerer, breiterer Schnabel. Jungtiere: Zunächst Kopf fast grün; allmählich Stirn, Oberkopf und Kopfseiten gelb werdend. Verfärbung dauert mindestens zwei Jahre.
Diese Rasse wird auch noch Doppelgelbkopf, Großer- oder nur Gelbkopf genannt. Sie ist eine der größten, schönsten und begehrtesten Amazonen. Junge Vögel werden sehr zahm, Altvögel dagegen schwer. Die Große Gelbkopfamazone wird ihrer guten Auffassungsgabe wegen besonders geschätzt. Worte und andere Laute werden naturgetreu nachgeahmt, Lieder gesungen und ganze Sätze gesprochen. Die Naturstimme ist seltener zu hören.
Leider ist diese Amazone immer nur in kleinen Gruppen oder einigen Exemplaren auf dem Vogelmarkt zu finden. Aus diesem Grund und ihren anderen Vorzügen liegt der Preis recht hoch. Im Jahre 1944 sollen in den USA Doppelgelbköpfe Junge gehabt haben. Ob diese selbständig wurden, ist dem Verfasser nicht bekannt.

Amazonenpapagei *(A. amazonica)* (Farbbild 12/17)

Kolumbien, Venezuela, Guayana, O-Brasilien, O-Ecuador, NO-Peru und Surinam.

Kennzeichen: 33 cm groß. Männchen und Weibchen: Grün; Augenbrauenstreif, Stirn und Zügel blau; Scheitel, Wangen und Handwurzel gelb, Flügelspiegel rot und Schnabel gelbbraun.
Vielfach wird dieser Papagei auch Venezuelaamazone genannt und mit der Blaustirnamazone verwechselt. Bei den Amazonenpapageien ist der Flügelbug stets grün, aber bei der Blaustirnamazone immer rot. Der Schnabel bei ersterer gelbbraun, aber bei der Blaustirnamazone schwärzlich. Die blaugelbe Färbung variiert sehr, so daß es hier kein sicheres Unterscheidungsmerkmal gibt.
Junge Amazonenpapageien können sehr lieb, zahm und gelehrig sein, ältere Vögel dagegen bleiben fast immer wilde Schreier.

Mülleramazone *(A. farinosa)*

O-Venezuela, Guayana, Surinam, Peru, Panama; ferner nordwestliches S-Amerika bis Ecuador, Venezuela, Nicaragua, Costa Rica, Mexiko, Honduras und Guatemala.

Kennzeichen: 40 cm groß. Männchen und Weibchen: Grün; schwarz gesäumte Nackenfedern, Rücken grau bepudert, manchmal gelbrot-

violettfarbener Scheitel, Flügelspiegel rot, kleiner roter Flügelrand, Oberschnabel an der Basis fleischfarben, aber zur Spitze hin schwärzlich, Unterschnabel schwärzlich.
Diese große Amazone hat ihren Namen von dem mehlartig bepuderten Rückengefieder (Puderdunen). Sie ist einer der besten Sprecher, aber manche unterlassen nicht, hin und wieder arg zu schreien. Andere wieder verhalten sich recht still.
Die Mülleramazone ist nicht häufig im Handel und liegt auf einer höheren Preisebene als die üblichen Amazonen. Sie ist schon kalt überwintert worden.

Taubenhalsamazone *(A. vinacea)* (Farbbild 12/18)

SO-Brasilien und Paraguay.

Kennzeichen: 36 cm groß. Männchen: Grün; schwarz gesäumte Federn, Zügel und Schnabel rot, Oberhals und Brust weinrot, Nackenfedern bläulich und Iris orangerot. Weibchen: Trübere Färbung und Schnabel weniger rot. Jungtiere: Zügel schwach rot, Unterseite weniger leuchtend und Federn mit breiten grünen Rändern, Schnabel nur an der Basis rot, Iris gelb.
Die Taubenhalsamazone wird auch Weinrote Amazone genannt. Sie ist keine Seltenheit im Handel. Ihr Benehmen ist ruhig und sanft, aber ihr Sprachtalent und ihre Lernfähigkeit sind nicht sehr groß.

Gattung: Langflügelpapageien *(Poicephalus)*

Mohrenkopfpapagei *(P. senegalus,* 3 Rassen) (Abb. 65)

Kennzeichen: 24 cm groß. Männchen: Grün; Kopf dunkelgrau, Brust und Bauch gelb bis orangerot, gelbe Iris. Weibchen: Gefieder matter, Kopf grau, Unterbauch, Steiß und Unterschwanzdecken gelb, aber mit grünen Federn durchsetzt. Jungtiere: Schwarze Iris, Kopfplatte sehr dunkelgrau, aschgraue Wangen. Irisumfärbung im 2. Lebensjahr.

Herkunft und Lebensweise: W-Afrika; von Senegal bis Kamerun. Nördlich des Äquators leben im westlichen Afrika die Mohrenköpfe, auch Senegalpapageien genannt, in 3 Rassen. Am schönsten ist die Rasse *P. s. versteri* mit stark orangeroter Unterseite, welche in Obervolta, Elfenbeinküste, Togo und Nigeria zu finden ist. In ihrer

Abb. 65.
Junge Mohrenkopfpapageien können sehr zahm werden.

Heimat sind die Mohrenköpfe sehr zahlreich. Sie richten in den Bananen- und Maisplantagen großen Schaden an.

Allgemeines: Von der Gattung Langflügelpapageien wird nur der Mohrenkopf ständig und zu einem billigen Preis im Handel angeboten. Die großen Importeure des Auslandes haben oft Hunderte in ihrem Lager. Die gelben bis orangeroten Farben der Unterseite haben (wie man früher annahm) für die Geschlechtserkennung nichts zu sagen, denn es sind lediglich Rassenunterschiede. Junge Tiere können sehr liebe, anhängliche und zahme Vögel werden, an denen man große Freude hat. Alte Wildfänge bleiben dagegen recht störrisch und ewig ängstlich. Junge Vögel lernen Worte nachahmen, wenn auch nicht immer deutlich; andere können besser pfeifen. Schreier sind diese Papageien keinesfalls, nur aus Angst lassen sie ein Kreischen hören.

Ernährung: Sonnenblumenkerne, Hafer, Kanariensaat, verschiedene Nußarten, Beeren, Maiskolben oder angequellten Mais, Weizen, Äpfel und Möhren. Zur Zucht hauptsächlich Äpfel und Möhren, Nüsse und gekeimte Sonnenblumen, Hafer und Weizen. Weichfutter wird nicht immer angenommen.

Haltung und Zucht. Im Haus: Ein typischer Papageienkäfig mit starken Metallstäben ist erforderlich, denn die Schnabelkraft ist groß. Eine dicke Sitzstange aus Eiche oder Buchenholz ist zu empfehlen. Da nur junge Vögel sehr zahm und anhänglich werden, sollte man sich einen Mohrenkopf mit dunklen Augen beschaffen. Erst in einem Alter von 12 Monaten sind die Augen bzw. die Iris ganz gelb ausgefärbt.
Eine Zucht im Käfig, 44×44 cm und 60 cm hoch, ist vor einigen Jahren einem Dänen gelungen. Der Brutkasten wurde von außen an den Käfig gehängt und hatte die Größe 25×25 cm und war 35 cm hoch. Es wurden 3 bis 4 Eier gelegt. Die Legemonate waren Januar und März.

Im Garten: In einer Freivoliere mit Innenraum gelingt eine Zucht natürlich leichter. Die Schwierigkeit liegt vor allem in der Erkennung der Geschlechter, die durch Alter und Rassenunterschiede erschwert wird. Oft kann man nur aus dem Benehmen der Tiere Rückschlüsse ziehen. Im Jahre 1957 gelang in England die Zucht in einer Freivoliere; drei Junge wurden großgezogen. Hier hatte der Brutkasten eine Größe von 25×25 cm und eine Höhe von 60 cm. Er hing unter dem Dach einer Freivoliere und war somit den Außentemperaturen unterworfen. 1967 wurden auch in Leipzig Mohrenköpfe gezüchtet. Die Innenvoliere hatte die Maße von nur 2×1×2 m. Ein aufgestellter Naturstamm aus Eiche, Höhe 2 m, Höhlung 35 cm, wurde nicht angenommen. Dagegen ein alter selbstgebauter Brutkasten; Größe 25 cm breit, 20 cm tief und 40 cm hoch. In diesen Kasten wurde ein zweites Eingangsloch hineingenagt und von den Spänen eine Art Nestmulde gemacht. Das Männchen führte mit fächerartig gelüfteten Flügeln Balztänze auf. Hals- und Nackenfedern wurden dabei gesträubt, und es waren eigenartige Balzlaute zu hören. Im März wurden 3 Eier gelegt, welche vom Weibchen 22 Tage bebrütet wurden. Das Männchen hielt Wache vor dem Einschlupfloch.

Nach 11 Wochen flog ein völlig befiederter Jungvogel aus. Er war kleiner als die Elterntiere und hatte blasse Farben. Die Bauchunterseite zeigte nur eine gelbe Andeutung. Die Temperaturen der Überwinterung betrugen + 10 bis 12 °C, zur Zuchtzeit nicht unter + 15 °C; am Tage bis + 28 °C.
Zum Volierenbau soll noch gesagt werden, daß unbedingt starkes Drahtgeflecht und kein Holz Verwendung finden sollte, da die Schnabelkraft viel zerstören würde. So kennt der Verfasser einen Fall, wo Mohrenköpfe sämtliche Krampen mühelos aus dem Holz zogen.

Gattung: Graupapageien *(Psittacus)*

Graupapagei *(P. erithacus,* 3 Rassen) (Abb. 66)

Afrika; Elfenbeinküste bis zum Kongo, Insel Principe und Fernando Póo.

Kennzeichen: 35 bis 39 cm groß. Männchen: Grau; nacktes Gesicht, Wachshaut weiß, Schnabel schwarz und Schwanz rot, Iris blaßgelb bis maisgelb. Weibchen: Kopf, Schnabel und Gestalt kleiner als Männchen, Unterseite oft heller. Jungtiere: Iris zuerst schwarz, nach einigen Monaten dunkelgrau bis hellgrau, dann blaßgelb bis maisgelb. Dauer der Irisverfärbung sehr verschieden.

Insel-Graupapagei *(P. erithacus princeps)*

Inseln Principe und Fernando Póo.

Kennzeichen: Groß und dunkelgrau.

Timneh-Graupapagei *(P. erithacus timneh)*

Guinea, Sierra Leone, Liberia und westlicher Teil der Elfenbeinküste.

Kennzeichen: Klein, dunkelgrau, *rotbraune* Schwanzfedern, Oberschnabel an der Wurzel horn- bis fleischfarben, aber Spitze und Unterschnabel schwarzgrau.

Herkunft und Lebensweise: Westliche Waldgebiete von Guinea, Sierra Leone, Liberia, Elfenbeinküste, Kongo und Angola. Die 3 Ras-

Abb. 66. Zuchtpaar Graupapageien. Links das Weibchen.

sen des Graupapageis leben nördlich und südlich des Äquators. Aus den südlichen Teilen kommen die hellgrauen Vögel, während aus dem Norden die selteneren dunkelgrauen Tiere stammen.
Außerhalb der Brutzeit halten sie in großen Gesellschaften zusammen, und jede Tätigkeit wird gemeinsam unternommen. Auf den höchsten Bäumen haben sie ihre bestimmten Schlafplätze. Am Morgen ist großer Aufbruch zur Futtersuche; Früchte und Mais, große Samen und Beeren werden gefressen.
Ihr Feind ist der Mensch und der Geierseeadler. Die Eingeborenen holen die Jungen aus den Baumhöhlennestern oder fangen sie mit Netzen.

Allgemeines: Früher bedeutete der lange Transport mit den Segelschiffen für die meisten Graupapageien früher oder später den Tod. Heute kommen die Transporte in recht gutem Zustand zu den Importeuren. Es werden viele Vögel mit schwarzer oder grauer Iris mitgebracht, da sie als Jungvögel am leichtesten zahm werden. Vögel mit gelber oder orangefarbener Iris sind ältere Vögel, welche nur selten und schwer gezähmt werden können. Sie behalten oft dem Menschen gegenüber ein ewiges Mißtrauen. Die Pupillen und die Nackenfedern verraten die Gemütserregungen des Vogels. Die Pupillen werden groß und klein, was höchste Erregung und Vorsicht für den Pfleger bedeutet. Auch das Sträuben der Nackenfedern zeigt nichts Gutes an, und man sollte dann keinen Finger riskieren. Diese innere Unausgeglichenheit ist ein Nachteil vieler Graupapageien. Junge oder gar aufgepäppelte Vögel können sehr zahme und liebe Hausgenossen werden. Eine einzige zornige Entgleisung des Pflegers kann den Graupapagei für immer verderben.

Die Nachahmungsfähigkeit dieser Papageienart steht unzweifelhaft an der Spitze aller Vögel. Nicht nur, daß die menschliche Stimme im gleichen Tonfall des Pflegers nachgeahmt wird, sondern sie verstehen auch, Gehörtes den Umständen entsprechend von sich zu geben. So hört man z. B. zur Abendstunde nur „Gute Nacht“, zur Morgenstunde nur „Guten Morgen“ usw. Der Graupapagei hat auch die Fähigkeit, Ereignisse vorwegzunehmen. Ein Beispiel: Das Telefon klingelt, und sofort hört man vom Graupapagei „Hallo, hier Oldenburg“. Die menschliche Stimme wird im gleichen Tonfall des Gehörten wiedergegeben. Der Pfiff Herrchens nach dem Hund „Michel“, das Korkenziehen oder das Niesen, Lachen oder Husten, das Pfeifen einer Melodie, eine knarrende Tür, das Eingießen des Weines, kurz, es gibt keine Nachahmungsschwierigkeit für diesen Papagei. Nur die beste Amazone wird diesen genauen Nachahmungstonfall erreichen.

Auf seine Naturlaute verzichtet er völlig in der Gefangenschaft. Es gibt kein mörderisches Schreien, nur ganz junge Tiere oder alte Wildfänge lassen ein Angstkrächzen hören.

Selbstverständlich sind die Nachahmungsfähigkeiten der Graupapageien sehr verschieden. Frauen- oder Kinderstimmen eignen sich allgemein besser zur Wiedergabe als Männerstimmen. Die Größe, Farbe, Rasse oder das Geschlecht haben mit der Intelligenz nichts zu tun. Es kann manchmal viele Monate dauern, bis der Graupapagei Worte wiedergibt. Nur eine sanfte, gleichmäßige Behandlung, keine Veränderungen des Standortes oder anderer Gewohnheiten können dem Vogel von Nutzen sein. Es wäre völlig sinnlos, einen Papagei mit einem Stock oder Anschreien strafen zu wollen.

Ernährung: Sonnenblumenkerne, Erd- und andere Nüsse, Zwieback, Obst, Grünes (Spinat, Salat, Löwenzahn, Vogelmiere). Linden-, Weiden- oder Fichtenzweige zum Benagen.

Jungtiere mit schwarzer Iris: Eingeweichter Zwieback mit Rührei und gekochtem Reis (körnig), eingeweichte Kolbenhirse oder andere gekeimte Saat.

Haltung und Zucht. Im Haus: Der Metallkäfig sollte nicht aus Kupfer oder Messing sein, da er Grünspan ansetzt. Die Putzmittel können genauso schädlich sein wie Farbe. Es gibt im Handel verschiedene Käfiggrößen und Käfigformen. Kleine runde und weiße Käfige lehnt der Verfasser ab. Auch quadratische Käfige sind nicht immer vorteilhaft. Ein großer rechteckiger Käfig mit festsitzenden Porzellannäpfen und einer gut verschließbaren Tür dürfte das richtige sein. Eine Platzveränderung oder ein Besitzerwechsel wird den Graupapagei für längere Zeit zum Schweigen bringen. Der Käfig sollte weder an der Heizung noch viel in der sommerlichen Sonne stehen. Die Morgen- oder Abendsonne dagegen ist den Tieren sehr zuträglich. Ein- oder zweimal in der Woche ein Sprühbad oder ein Regenguß bei warmem Wetter tragen zum Wohlbefinden bei. Die ersten 2 bis 3 Wochen sollte man den Neuling völlig in Ruhe lassen, damit er sich an alles gewöhnen kann. Ein Graupapagei, der zahm werden und sprechen lernen soll, muß einziger Vogel im Zimmer sein.

Menschliche Nahrung, vor allem Fleisch, ist sehr schädlich. Der Vogel kann zum Rupfer werden.

Diese Papageien erreichen ein gutes Menschenalter. So starb ein Vogel mit 73 Jahren an reiner Altersschwäche. Schon einige Jahre vor dem Tode wurde er zusehends schwächer. Die letzten zwei Jahre konnte er nicht mehr auf der Stange sitzen, und zum Ende seiner Lebenszeit stellte er das Fressen völlig ein.

Im Garten: In Volieren werden Graupapageien eigentlich nur zur Zucht gehalten. Mehrere erfolgreiche Zuchten sind gerade in den letzten Jahren gemeldet worden. Es ist anzunehmen, daß dieser Papagei frühestens mit 5 Jahren zuchtreif wird, obgleich er sich schon mit 2 Jahren geschlechtlich bindet. So wird der Züchter oft auf eine große Geduldsprobe gestellt, zumal Männchen und Weibchen nicht immer harmonieren. Wer in der glücklichen Lage ist, sich mehrere Graupapageien leisten zu können, wird schneller zum Zuchterfolg kommen, da man die Gattenwahl den Tieren überlassen kann.

Die Geschlechter sind nicht immer leicht zu erkennen. Nur das Weibchen stößt einen hellen, harten Ton aus, welcher sich wie „pink“ anhört.

Die aus Eisenrohren und starkem Geflecht gebaute Voliere muß einen Schutzraum haben, wo die Vögel den Winter verbringen können. Mehr als –3 °C kann den Füßen schaden. Der Brutkasten muß dickwandig und etwa die Maße 35×35 cm haben und 60 cm hoch sein. Das Einschlupfloch hat einen Durchmesser von 12 cm. Die Futterschalen müssen hoch angebracht werden.
Das Männchen führt mit hängenden Flügeln Paarungstänze auf und füttert das Weibchen. Bei uns beginnen die Bruten in der Freivoliere oft im Sommer oder Herbst. Es werden 2 bis 4 Eier in einem Abstand von 3 Tagen gelegt. Das Weibchen brütet 29 bis 30 Tage und wird oft durch das Einschlupfloch vom Männchen gefüttert. Die Mutter bedeckt lange Zeit die kleinen Jungen. Später beteiligt sich auch das Männchen an der Fütterung im Brutkasten. Die Jungen sehen fleischfarben aus und haben helle Schnäbel und Füße. Mit rund 10 Wochen verlassen sie ihr Nest.
Kommt man zur Brutzeit an die Voliere, plustern sich die Graupapageien zur runden Kugel auf, um durch diese Imponierstellung den vermeintlichen Gegner zu erschrecken (ähnlich wie die Eulen). Bei ungewohnten Begebenheiten verschwinden die Jungtiere schnell in ihrem Nistkasten. Sie werden bis zu einem Alter von 4 Monaten noch hin und wieder von den Elterntieren gefüttert.
Im Alter von 2 Jahren wurden schon Paarungstänze und gegenseitiges Füttern beobachtet. Mit 6 Jahren wurden 4 Eier gelegt und Junge großgezogen.
Zur Zucht gibt man viel Vogelmiere und Löwenzahn, eingeweichtes und ausgedrücktes Weißbrot, vermengt mit Traubenzucker; viel gekeimte Samen, gekochten Reis, Reis und Erbsen.

Besonderheiten: Das Gefieder kann zur Rotfärbung neigen.

Gattung: Edelsittiche *(Psittacula)*

Folgende Arten werden besprochen:

Großer Alexandersittich, *P. eupatria* (6 Rassen)
Halsbandsittich, *P. krameri* (6 Rassen)
Bartsittich, *P. alexandri* (7 Rassen)
Chinasittich, *P. derbyana*
Pflaumenkopfsittich, *P. cyanocephala* (3 Rassen)

Herkunft und Lebensweise: Indien und östlich anliegende Länder; Afrika. In sehr großen Schwärmen streichen die Edelsittiche nach der

Abb. 67. Der Halsband- oder Kleine Alexandersittich hat eine schwarze Binde vom Nasenloch zum Auge. Abb. 68. Der Große Alexandersittich, ohne Augenbinde.

Brutzeit umher. Sie werden dreist und zutraulich, wenn sie nicht gestört werden. Ihr Flug ist äußerst gewandt, und in den Zweigen klettern sie schnell und geschickt, während sie auf dem Boden unbeholfen watscheln. In manchen Gebieten Indiens sind sie geschützt. Verfolgungen gehen sie listig aus dem Wege und schlüpfen in die höchsten Baumkronen, wo sie ihrer grünen Färbung wegen nicht mehr zu erkennen sind. Außerhalb der Brutzeit verbringen sie die Nacht in großen Schwärmen auf ihren Schlafbäumen. Hügelige und feuchte Gebiete mit dichtem Baumbestand sowie die Niederungen der Ströme sind ihre Aufenthaltsorte. Manche Arten leben im Gebirge bis 3500 m Höhe.

Als Baumvögel ernähren sie sich von Früchten und Sämereien aller Art. Auch in Getreide-, Reis-, Mais- und andere Feldfruchtkulturen fallen die Edelsittiche ein.
Sie sind Baumhöhlenbrüter, benutzen aber auch Felsen- und Mauerlöcher oder Nischen der alten Pagoden als Brutplatz. Die Hauptbrutzeit in Indien ist zwischen November und März.

Allgemeines: Die Vögel dieser Gattung gehören zu den ältesten Freunden des Menschen, denn sie waren im Altertum schon bekannt. Die Römer bezahlten für einen sprechenden Edelsittich mehr als für einen Sklaven.
Alexander- und Halsbandsittiche werden auf dem Vogelmarkt immer angeboten. Einige Arten kommen in großer Zahl bei den namhaften Importeuren an und werden zu einem recht günstigen Preis abgegeben. Es handelt sich dabei immer um Wildfänge, worunter auch viele junge Tiere sind. Schwierigkeiten bereitet im Jugendkleid die Unterscheidung der Geschlechter, die oft erst im 2. Lebensjahr zu erkennen sind. Es kann 3 Jahre bis zum fertigen Alterskleid dauern.

Ernährung: Sonnenblumenkerne, Hafer, Weizen, Kanariensaat, etwas Hanf, Hirse, Apfel, Zwieback und Grünes. Für die großen Arten zusätzlich kleine Nüsse, frischen Mais und ungehülsten Reis. Ferner frische Zweige zum Benagen.

Haltung und Zucht. Im Haus: Junge Edelsittiche können sehr zahm werden und lassen sich zu allerlei Dingen abrichten, wenn sie in einem Käfig allein gehalten werden. Sie lernen Worte nachahmen und flöten recht gut. Die männlichen Vögel sind begabter als die Weibchen. Alte Wildfänge sind nicht zu zähmen, sie sind bissig und unbeugsam.
Die Stimme der großen Arten ist recht kräftig, die des Pflaumenkopfsittichs dagegen nicht. So können letztere auch im Haus gut zur Zucht gehalten werden.

Im Garten: Die großen Edelsitticharten sind zur Zucht nur für die Freivoliere zu empfehlen. Starkes Drahtgeflecht, eine Eisenkonstruktion und ein Innenraum aus hartem Material, der den starken zerstörerischen Schnäbeln dieser Sittiche standhält. Die Volieren sollten eine Länge von 2 bis 4 Metern, je nach Größe der Vögel, haben. Auch die Brutkästen müssen sehr dickwandig oder aus Hartholz sein. Die Zucht ist bei vielen Arten häufiger gelungen, so daß es sogar zu schönen Mutationen gekommen ist.

Nach einer Eingewöhnungszeit können Edelsittiche kalt überwintert werden. Mehr als einige Grad Frost sollten ihnen nicht zugemutet werden, da bei einigen Arten die Gefahr von Fußerfrierungen besteht. Sie müssen in einem gut isolierten Innenraum belassen werden. Mit Ausnahme des Pflaumenkopfsittichs müssen diese Sittiche paarweise gehalten werden, denn sie würden schwächeren Vögeln die Zehen abbeißen.

Großer Alexandersittich *(P. eupatria)* (Abb. 68)

Indien, Ceylon, Burma und Kambodscha.

Kennzeichen: 45 cm groß. Männchen: Grün; Halsband im Nacken rosa, an den Halsseiten schwarz, braunroter Fleck auf den Schultern,

Abb. 69. Der Alexander-Lutino ist kanariengelb mit weißlichen Flügeln.

Schnabel rot. Weibchen: Ohne Nackenband. Jungtiere: Wie Weibchen; mit ca. 18 Monaten erscheinen braune Schulterflecken und im 3. Jahr sind sie erst voll ausgefärbt.

Haltung und Zucht: Der Große Alexander brütet schon im Februar/März. In der Balz breitet das Männchen die Flügel aus, springt und verbeugt sich vor seinem Weibchen, um es dann zu füttern. Der Brutkasten muß etwa 60 cm hoch sein und 30×30 cm Grundfläche haben, das Einschlupfloch 8 bis 9 cm Durchmesser. Das Weibchen neigt zur Legenot, was besonders zur kalten Jahreszeit möglich ist. Seine 3 bis 5 Eier werden auf eine Schicht Holzmulm, Torf oder Sägespäne gelegt. Im Freien aufgehängte Brutkästen werden leichter angenommen als die im Innenraum.
Die Jungtiere werden gern mit gekeimtem Hafer, Weizen, Maiskolben, Beeren und Obst gefüttert. Die jungen Vögel sind schon mit zwei Jahren zuchtreif, aber die Eier sind nicht immer befruchtet.
Die Alexandersittiche neigen zu Farbvarianten. Es sind gelbe, blaue und weiße Vögel gezüchtet worden. Die Lutinos (gelb mit roten Augen) sind goldgelb und haben weißliche Flügel (Abb. 69). Es gibt aber auch grüngelbe Alexander. Die Vererbung der Lutinos ist wie die der Albinos (s. Seite 58 unten) und die der blauen Variante wie die Vererbung der blauen Schwarzköpfchen (s. Seite 160).

Halsbandsittich *(P. krameri)* (Abb. 67)

W-Afrika, Sudan, Eritrea, N-Äthiopien, Pakistan, Indien, Burma, SO-China und Ceylon.

Kennzeichen: 42 cm groß. Männchen: Grün; schwarzes Halsband, welches am Kinn beginnt und sich mit einem rosafarbigen Nackenband vereinigt; schwarze Binde vom Nasenloch zum Auge. Schnabel rot oder schwärzlichrot. Weibchen: Ohne Hals- und Nackenband und ohne Augenstrich. Jungtiere: Wie Weibchen; frühestens mit Ende des 2. Lebensjahres ausgefärbt.
Durch die schwarze Binde vom Schnabel zum Auge ist dieser Sittich leicht vom Großen Alexander zu unterscheiden. Vier Rassen leben in Afrika (auf der Insel Mauritius wahrscheinlich schon ausgestorben) und zwei Rassen in Indien. Keine Papageienart hat ein so großes Wohngebiet. In Afrika ist sie der einzige Vertreter der Sittichfamilie. Die indischen Rassen werden viel häufiger eingeführt als die afrikanischen.

Haltung und Zucht: Auch der Halsbandsittich läßt sich gut züchten. Die 3 bis 4 Eier werden vom Weibchen in 24 bis 26 Tagen ausgebrütet. Nach etwa 6 Wochen verlassen die Jungen das Nest.
Es ist bekanntgeworden, daß ein Wellensittich einen Halsbandsittich großzog, doch mußte dieser nach dem Ausfliegen von seinem Pfleger zusätzlich gefüttert werden.
Es gibt Halsbandsittiche, die ein großes Nachahmungstalent besitzen. Das Nachsprechen von fast 100 Worten ist schon vorgekommen. Hierzu sind verständlicherweise nur ganz junge Vögel geeignet. Zahme Tiere machen nur wenig von ihrer kräftigen Stimme Gebrauch. Es treten bei diesem Sittich die gleichen Mutationen auf wie beim Großen Alexandersittich.

Bartsittich *(P. alexandri)*

Burma, Siam, Vietnam, Hainan, S-China, Java und Borneo.

Kennzeichen: 35 cm groß. Männchen: Grün; Kopf graublau, von der Stirn zum Auge ein schwarzer Streif. Ein breiter schwarzer Streifen vom Unterschnabel zur unteren Ohrengegend (Bart), Brust und Kropf rosa, Oberschnabel rot, Unterschnabel schwarz. Weibchen: Schnabel schwarz, Rosa der Brust kräftiger. Jungtiere: Grünliche Brust; erst nach einem Jahr ist die Brust rosa. Schnabel gelblich, erst später schwarz oder schwarzrot.
Bartsittiche werden im Handel seltener angeboten, so daß der Preis entsprechend höher liegt als bei vorigen Arten. Durch die verschiedene Schnabelfarbe sind die Geschlechter gut zu erkennen.

Haltung und Zucht: Obgleich sich der Bartsittich der Zähmung zugänglich erwiesen und auch Sprechtalent gezeigt hat, ist er mehr ein Vogel der Freivoliere, denn Frost kann ihm nicht schaden. Er ist auch schon gezüchtet worden. Das Gelege bestand aus 3 Eiern, und die Nestlingszeit der Jungen war 5 bis 6 Wochen.

Chinasittich *(P. derbyana)* (Abb. 71)

SO-Tibet, SW-China.

Kennzeichen: 44 cm groß. Männchen: Grün; Kopf graublau, schwarzer Strich von der Stirn zum Auge; breiter schwarzer Streif vom Unterschnabel zur unteren Ohrgegend, Bauch bläulichrosa, Nacken leuchtendes Grün, Schnabel schwarz, aber am Ende des 2. Lebensjahres Oberschnabel rot. Weibchen: Schnabel schwarz. Jungtiere: Zuerst rote Schnäbel, dann schwarze Schnäbel. Mit 2 Jahren endgültige Schnabelfarbe. Im 3. Lebensjahr ist das Gefieder völlig ausgefärbt.

Haltung und Zucht: Der Chinasittich ist seltener zu finden und kommt somit für die Stubenvogelhaltung kaum in Frage. Bei den Chinesen ist er allerdings ein recht beliebter Hausgenosse, wird sehr zahm und gibt Worte wieder, wenn auch nicht sehr deutlich.
Er ist selten gezüchtet worden, im Jahre 1933 erstmalig in England und 1963 erstmalig in Deutschland. Im April wurden 3 Eier gelegt, welche 28 Tage bebrütet wurden. Das Männchen ging zur Fütterung öfter in den Brutkasten. Nach 6 bis 7 Wochen verließen die Jungvögel ihr Nest.
Zur Zucht wurden zusätzlich vor allem Möhren, Äpfel, eingeweichtes Weizenbrot und Löwenzahnblätter gefressen.
Gegenüber Frost und Kälte ist der Chinasittich unempfindlich, da er in seiner Heimat bis zu einer Höhe von 3500 m vorkommt.

Abb. 70. Männl. Pflaumenkopfsittich. Abb. 71. Männl. Chinasittich.

Pflaumenkopfsittich *(P. cyanocephala)* (Abb. 70, Farbbild 9 Seite 114)

Indien, Assam, S-China und Ceylon.

Kennzeichen: 35 cm groß. Männchen: Oberseite olivgrün, Unterseite gelbgrün, Kopf pflaumenfarben, schwarzer Halsring, im Nacken ein blaugrünes Band, brauner Schulterfleck, Oberschnabel orangegelb, Unterschnabel schwärzlich. Weibchen: Graublau, Halsband gelblich, ohne braunen Schulterfleck, Oberschnabel hellgelb, Unterschnabel dunkelgrau. Jungtiere: Wie Weibchen. Endgültige Ausfärbung nach 2 Jahren.
Der Pflaumenkopf ist regelmäßig, aber nur in kleiner Zahl bei den Händlern zu finden. Der Preis ist günstig, aber teurer als bei den Alexander- oder Halsbandsittichen. Die frischen Importvögel sind zuerst anfällig und müssen zunächst mit der Futterumstellung fertig werden. Ein sehr vielseitiges Futter und gute Beobachtung sind in der ersten Zeit unbedingt notwendig.
Da im Handel Jung- und Alttiere sind, ist die Geschlechterfrage recht schwierig, denn Männchen und Weibchen sind im Alter unter zwei Jahren nicht zu unterscheiden. Erst einige rote Federn am Kopf lassen das junge Männchen erkennen.

Haltung und Zucht. Im Haus: Junge Pflaumenköpfe können zur Einzelhaltung sehr empfohlen werden. Sie werden bald ruhig und zutraulich, und ihre Stimme ist ein angenehmes Gezwitscher. Sie lernen auch einige Worte nachzuahmen, müssen aber unbedingt einziger Vogel im Zimmer sein.
Auch die Zucht in der Vogelstube oder in einem Käfig von mindestens 1,5 m Länge ist möglich. Der Käfig sollte in Augenhöhe an einem ruhigen Ort seinen Platz haben. Zuchtversuche in einem warmen Raum sind günstiger, da die Pflaumenköpfe bei uns Winterbrüter sind und sich nur selten mit ihrer Brut auf unsere warmen Monate umstellen. Zur Zucht ist darum Zimmertemperatur notwendig.
Pflaumenköpfe möchten keinen zu großen Nistkasten. Es genügt eine Grundfläche von 17 bis 20 cm und eine Nistkastenhöhe von 30 cm. Schlupflochdurchmesser 5 bis 6 cm. Der Vogel erscheint ja nur durch seinen 22 cm langen Schwanz so groß. In der Balz rennt der Hahn auf dem Ast auf und ab, macht Verbeugungen und läßt eine Art zwitschernden Gesang hören. Die 4 bis 6 Eier werden vom Weibchen 22 bis 23 Tage bebrütet. Nach fast 6 Wochen fliegen die Jungen aus

und werden dann vor allem vom Männchen noch längere Zeit gefüttert. Erst nach der zweiten Mauser ist es möglich, die Geschlechter zu bestimmen.
Zusätzliches Futter: Gekeimter Hafer, ausgedrücktes Weißbrot, Biskuit, gehacktes Hartei und Grünes.

Im Garten: Auch in der Freivoliere mit einem frostfreien Schutzraum sind Pflaumenköpfe gut zu halten. Sie können auch einige Grad Frost vertragen, aber bei höheren Kältegraden besteht die Gefahr von Fußerfrierungen.
Ein Nager oder Streitmacher ist der Pflaumenkopf nicht; mit Wellensittichen, Schmucksittichen, Glanzsittichen, Springsittichen oder Nichtpapageienarten haben sie sich gut vertragen.

Besonderheiten: Es ist eine gelbe Mutation bekannt geworden; der Kopf blieb rötlich. Ferner wurde eine blaue Variante gemeldet.

Gattung: Edelpapageien *(Lorius)*

Edelpapagei *(L. roratus,* 12 Rassen)

Herkunft und Lebensweise: Molukken, Ceram, Amboina, Sumba, Halmahera, Salomonen, Neuguinea und benachbarte Inseln, N-Queensland. In den dichten, hohen Urwäldern, auch in gebirgigen Gegenden, leben die Edelpapageien. Bis heute weiß man wenig über die Lebensweise in der Freiheit. Auf manchen Südseeinseln halten sie sich gern in den Kokospflanzungen auf, deren Früchte sie fressen. Auch graben sie nach den Taroknollen und gehen in die Maispflanzungen, wo sie von den Eingeborenen stark verfolgt und auch gegessen werden. Die Edelpapageien leben nicht gesellig; nur zur Brutzeit finden sich die Paare und brüten in sehr hohen, großen, hohlen Bäumen.

Allgemeines: Diese Papageien gaben früher den Wissenschaftlern und Liebhabern viele Rätsel auf. Man kannte sie schon fast 100 Jahre, bis erst 1874 Dr. A. B. Meyer, Direktor des Historischen Museums in München, klärte, daß die grünen Vögel die Männchen und die roten Vögel die Weibchen einer Art sind. Bis zu diesem Zeitpunkt galten die grünen und roten Vögel als zwei verschiedene Arten. Die Männchen der verschiedenen Rassen sind bis heute fast alle nicht zu bestimmen.

Seitdem die Papageieneinfuhr unter bestimmten Voraussetzungen wieder erlaubt ist, sind in Holland und auch bei uns wieder Edelpapageien im Handel aufgetaucht. Trotz der heutigen guten Transportverbindungen kommen diese Vögel oft recht anfällig in Europa an. Sie verweigern zuerst das Futter, und die Eingewöhnung ist nicht immer ganz leicht. Die Weibchen sind etwas empfindlicher und sollen auch laut HEINROTH in der Natur in der Minderheit sein. Die Preise sind recht unterschiedlich, aber billig sind Edelpapageien noch nie gewesen.
Diese wunderschönen Papageien haben einen ruhigen, stillen Charakter. Es ist nicht schwierig sie zu zähmen, selbst ältere Vögel werden mit einiger Geduld zahm. Nur in höchster Bedrängnis machen sie von ihrem kräftigen Schnabel Gebrauch. Die Stimme des Männchens hört man hauptsächlich in der Brutzeit. Es ist ein rabenartiger Ruf, welcher sich wie „kurrah" anhört. Das Weibchen hat einen anderen Ruf und läßt selten eine Art wieherndes Lachen hören; vor allem bei ungewohntem, plötzlichem Lärm (Radio, Staubsauger usw.). Die anderen Laute des Weibchens sind sehr leise Töne, welche nicht papageienartig klingen. Mein Edelpapagei-Weibchen „Papagena" ahmt heute eine ganze Reihe Worte nach, welche zum Teil deutlich, zum Teil undeutlich zu verstehen sind.

Ernährung: Frische Maiskolben, gekochter Mais und Reis zur Eingewöhnung, Sonnenblumenkerne, auch gekeimt. Reifes Obst verschiedener Art, Möhren, Zwieback (auch eingeweicht), Hagebutten, Weißdornbeeren, Ebereschenbeeren, Weintrauben und Vogelmiere, Salat, Löwenzahn, Spinat.

Haltung und Zucht. Im Haus: Frisch importierte Vögel müssen bei Zimmertemperatur gehalten werden. Entgegen der Meinung älterer Autoren hat der Verfasser nur gute Erfahrungen mit seinen Edelpapageien gemacht. Als Fruchtfresser haben sie sich völlig an Sonnenblumenkerne gewöhnt, so daß die Entleerungen fester werden. Selbstverständlich müssen Fruchtbeigaben und sonstige Abwechslung geboten werden, zumal wenn die Vögel zur Zucht schreiten sollen.
Der Käfig des Verfassers ist 115 cm lang, 115 cm hoch und 60 cm tief (Abb. 72). Er hat zwei Schubladen mit hohem Rand, um eine Verschmutzung des Zimmers zu verhindern. In die Schubladen kommt abwechslungsweise Papier oder Sand. Da die Tiere gern ein Sandbad nehmen, muß einmal in der Woche eine etwa 5 cm hohe Schicht eingefüllt werden. Es wird dann auch Sand gefressen, da der Vogel

diese Mineralien braucht. Das Graben nach Knollen in der Freiheit macht diesen Vorgang noch verständlicher. Wichtig ist ferner ein Kletterast, denn von ihren Flügeln machen die Tiere wenig Gebrauch. Der Schnabel wird als „drittes Bein“ benutzt, sowohl beim Hinauf- wie auch Herabklettern. Nach meinen Erfahrungen ist es am besten,

Abb. 72. Zuchtpaar Edelpapageien in einem Zimmerkäfig (Kistenkäfig). Rechts das Weibchen, links das grüne Männchen.

wenn die ganze Käfigfront geöffnet werden kann. Man kann dann alles besser säubern und leichter neue Äste anbringen. Edelpapageien lassen sich durch das Reinigen kaum stören, wenn man sie mit Ruhe und Geduld eingewöhnt hat. Die Futterschalen müssen schwer sein, damit die Vögel sie nicht umstoßen. Das Trinkbedürfnis ist bei diesen Papageien verhältnismäßig groß, zumal wenn die Tiere viel Sonnenblumenkerne oder Mais fressen. Eine wöchentliche Abbrausung mit lauwarmem Wasser sorgt für ein schönes Federkleid. Nach dem Brausebad dürfen die Edelpapageien nicht in Zugluft oder kühl stehen. Es ist darum zu empfehlen, diese Abduschungen nur bei warmer Temperatur durchzuführen.

Das Alter der Geschlechtsreife ist noch nicht bekannt, da der Edelpapagei bisher selten gezüchtet wurde. Die Schwierigkeit der Zucht besteht darin, daß sich Weibchen und Männchen vertragen müssen, denn in der Freiheit sind sie bis zum Bruttrieb Einzelgänger. Merkwürdigerweise ist beim Zuchtverlauf das Weibchen der aktivere Teil. Es dürfen darum keinesfalls zwei Weibchen mit einem Männchen zusammen gehalten werden. Versuche mit ausgestopften Vögeln ergaben, daß sich das Männchen um ein weiteres Männchen nicht kümmerte, das Weibchen sich aber auf ein weiteres ausgestopftes Weibchen voller Wut stürzte.

Nach eigenen Erfahrungen kann berichtet werden, daß das Gelege immer nur aus zwei Eiern besteht, welche vom Weibchen allein 28 Tage bebrütet werden. Der Hahn hält vor dem Kasten Wache und geht nachts mit in die Bruthöhle. Es wurde eine viereckige Bruthöhle mit den Maßen 45 cm hoch, Grundfläche 28×25 cm und einem Einschlupfloch von 10 cm Durchmesser angenommen. Die Eier müssen auf einer 8 cm dicken Holzmulmschicht liegen, da die schweren Vögel diese sonst zerdrücken. Die Eier sind 4,5 cm lang und 3,3 cm breit, weiß und glanzlos.

Der Balzruf des Hahnes klingt wie das langgezogene „Miau“ eines verliebten Katers. Danach schlägt der Hahn mit dem Schnabel an einen Ast oder gegen den Schnabel des Weibchens und läßt zischende Laute hören. Die Einleitung der Balz geht aber vom Weibchen aus. Manchmal hing sie an der Käfigdecke und gab einen schlecht zu beschreibenden Laut von sich. Auch bettelte sie beim Männchen viel um Futter und lief ihm nach.

Bis zu einem Alter von 10 Tagen sind die Jungen nackt, dann durchstoßen schwarze Dunenfedern die Haut. Mit 25 Tagen ist das dichte, völlig schwarze Dunenkleid fertig. Zwischen diesen kommen dann

am Kopf und an den Flügeln zuerst die Deckfedern, so daß man gleich das Geschlecht bestimmen kann. Mit 8 Wochen ist das Federkleid völlig ausgebildet und gleicht dem der Alttiere (bis auf Schnabel- und Irisfarbe). Das Rot der jungen Weibchen ist etwas dunkler und glanzlos, die Oberschnabelspitze noch gelb. Mit frühestens 13 Wochen fängt das Jungtier an, selbständig zu fressen.
Diese ganze Zucht trifft für die Rasse *L. r. pectoralis* zu.

Im Garten: Frisch importierte Edelpapageien müssen bei Zimmertemperatur gehalten werden. Dagegen sind dem Verfasser eingewöhnte Edelpapageien bekannt, die ohne Schaden kalt überwintert wurden; sie konnten sogar bei Frost in die Freivoliere. Nach diesen Erkenntnissen machen diese Vögel selbst in einer großen Flugvoliere wenig von ihren Flügeln Gebrauch. Sie ziehen das Klettern vor und bleiben immer in den oberen Regionen. Kletterbäume und starke Äste sind darum von großer Wichtigkeit, da die Edelpapageien sonst am Drahtgeflecht laufen würden und sich sämtliche Schwanzfedern zerstoßen.
Diese Papageien sind keine starken Nager; sie zerbeißen nur kleines, frisches Geäst. Aus diesem Grunde ist eine extra starke Verdrahtung der Voliere nicht notwendig.

Neuguinea-Edelpapagei *(L. roratus pectoralis)*
(Abb. 73, Farbbild 10 Seite 115)

Neuguinea und umliegende Inseln.

Kennzeichen: 39 cm groß. Männchen: Grün; Flanken und Unterflügel rot, Oberschnabel rosa bis fleischfarben, Unterschnabel schwarz, Flügelbug hellblau, Iris rotorange. Weibchen: Rot, Nackenband, Brust, Bauch und *Augenring* blau, Schwanzspitze helleres Rot, Schnabel schwarz, Iris gelb. Jungtiere: Mit 4 bis 5 Wochen im Nest geschlechtlich erkennbar. Fertiges Federkleid mit 8 Wochen. Nestlingszeit 11 Wochen. Selbständig ab 13 Wochen. Iris dunkel.

Halmahera-Edelpapagei *(L. roratus vosmaeri)*

Molukken, Halmahera und umliegende Inseln.

Kennzeichen: Weibchen wie *L. r. pectoralis,* aber *ohne blauen* Augenring, mit *gelblicher* Schwanzbinde.

Abb. 73. Neuguinea-Edelpapageien. Nähere Erläuterung siehe auf Seite 231 unten.

Aru-Edelpapagei *(L. roratus aruensis)*

Aru-Inseln.

Kennzeichen: Weibchen wie *L. r. pectoralis,* aber die äußeren Säume der Schwungfedern leicht grünlich.

Ceram-Edelpapagei *(L. roratus roratus)*

Ceram, Amboina und S-Molukken.

Kennzeichen: Weibchen Bauch violettblau, kein blauer Augenring, Unterschwanzdecken und Spitzen der Steuerfedern gelb.

Riedels Edelpapagei *(L. roratus riedeli)*

Tenimberinseln.

Kennzeichen: Weibchen *völlig rot* und gelbe, breite Schwanzspitzen (3 bis 4 cm). Männchen: Gelbe Schwanzbinde.

Cornelias Edelpapagei *(L. roratus cornelia)*

Insel Sumba.

Kennzeichen: Weibchen *völlig rot* und kein Gelb in den Schwanzfedern.

Abb. 73. Oben altes Weibchen, unten weiblicher Jungvogel „Koko" und rechts das Männchen. Bei dem Jungvogel ist die Schnabelspitze noch gelb, und die Iris ist schwarz.

Ungefähre Richtpreise der Papageienarten

(In Stück und DM, Stand 1975)

Adelaidesittich	350
Alexandersittich	30
– gelb	1500
– blau	5000
Amazone	200–500
Arara	350–1200
Aymarasittich	80
Barnardsittich	1700
Bartsittich	100
Bergsittich	600
Blaßkopfrosella	180
Blaukrönchen	50–70
Bourkesittich	30
Braunohrsittich	40
Brownssittich	6000
Chinasittich	300
Cloncurrysittich	7000
Edelpapageien	600–800
Elfenbeinsittich	80
Erdbeerköpfchen *(A. p. lilianae)*	125
Erzlori	250
Feinsittich	150
Felsensittich	150
Feuerflügelsittich	50
Frauenlori	250
Frühlingspapageien	50
Gebirgslori	175
Gelbbauchsittich	1500
Gelbhaubenkakadu	300–600
Gelbmantellori	150
Gelbsteißsittich	1500
Glanzsittich	70–80
Goldbauchsittich	3500
Goldschultersittich	7000
Goldsittich	1000
Goldstirnsittich	70
Grauköpfchen	125
Graupapagei	250–600
Grünflügelarara	400–500
Grünzügelpapagei	400
Halsbandsittich	40
Hoodedsittich	2500
Hyazintharara	1500
Inka-Kakadu	2000
Jendajasittich	100
Kanarienflügelsittich	50
Katharinasittich	70
Königssittich	1000–2000
Kragensittich	1500
Mönchssittich	35
– blau	2000
Mohrenkopfpapagei	50–80
Molukkenkakadu	450–700
Nymphensittich	25–40
– Albino	100
Orangeköpfchen *(A. pullaria)*	75
Pennantsittich	250
Pfirsichköpfchen *(A. p. fischeri)*	30–40
Pflaumenkopfsittich	60
Princess-of-Wales-Sittich	500
Rosellasittich	60–80
Rosenbauchsittich	25

Rosakakadu	1000	Schwarzohr-papagei	180
Rosenköpfchen (*A. roseicollis*)	20– 25	Singsittich	40
– gelb	1500	Soldatenarara	400– 800
– blau	200	Sonnensittich (*A. s. solstitialis*)	500
Rotflügelsittich	500	Sperlingspapagei	30– 100
Rostkappenpapagei	400	Springsittich	50
Rotlori	200	Stanleysittich	150
Rotsteißkakadu	800– 900	Strohsittich	1300
Rotsteißsittich	2500	Taranta-Papagei (*A. taranta*)	60
Rußköpfchen (*A. nigrigenis*)	80	Tovisittich	50–60
Schildsittich	500	Vielfarbensittich	250
Schmucklori	150	Weißohrsittich	125
Schmucksittich	50	Wellensittich (Männchen)	ab 20
Schönsittich	35	Ziegensittich	100
Schwalbensittich	2500	Zwergarara	300– 500
Schwarzköpfchen (*A. p. personata*)	40		
– blau	180		

Anmerkung: Da die Preise nach Einfuhr, Zahmheit, Begabung, Zucht, Alter, Geschlecht und Nachfrage **sehr** schwanken, können die hier zusammengestellten Zahlen nur als etwaige Anhaltspunkte angesehen werden!

Literatur

ASCHENBORN, C.: Die Papageien, Albrecht Philler Verlag, Minden 1967.

BARRETT, C.: Parrots of Australia. N. H. Seward Pty. Ltd., Melbourne 1949.

BEDFORD, DUKE OF: Parrots and Parrot-like Birds. All-Pets Books, Inc., Fond du Lac, Wisconsin 1954.

BERNDT/MEISE: Naturgeschichte der Vögel. Franckh'sche Verlagshandlung, Stuttgart 1966.

BOETTICHER, H. VON: Papageien. A. Ziemsen Verlag, Wittenberg Lutherstadt 1959.

CAYLEY, N. W.: What Bird is that? Angus and Robertson, Sydney and London 1954.

ENEHJELM, C. AF: Sittiche. Franckh'sche Verlagshandlung, Stuttgart 1967.

ENEHJELM, C. AF: Papageien. Franckh'sche Verlagshandlung, Stuttgart 1968.

GERBERT, H. und M.: Australische Sittiche in der Voliere. Deutscher Landwirtschaftsverlag, Berlin (Ost) 1968.

GROEN, H. D.: Australische Sittiche. Verlag J. Niemeijer, Groningen 1963 (?).

HAMPE, H.: Die Unzertrennlichen. Verlag Gottfried Helène, Pfungstadt 1957, 3. Aufl.

HENNICKE, C. R.: Der Graupapagei. Verlag E. M. Köhler, Gera 1895.

IMMELMANN, K.: Im unbekannten Australien. Verlag Gottfried Helène, Pfungstadt 1960.

IMMELMANN, K.: Die australischen Plattschweifsittiche. A. Ziemsen-Verlag, Wittenberg Lutherstadt 1966.

LENDON, A.: Australian Parrots in Captivity. The Avicultural Society, London 1951.

NEUNZIG, K.: Fremdländische Stubenvögel. Creutz'sche Verlagsbuchhandlung, Magdeburg 1921.

PRESTWICH, A.: Records of Parrots bred in Captivity. A. Prestwich, London 1952.

REICHENOW, A.: Vogelbilder aus fernen Zonen – Papageien. Verlag Gottfried Helène, Pfungstadt 1955.

RUSS, K.: Die Papageien. Creutz'sche Verlagsbuchhandlung, Magdeburg 1881.

RUSS, K.: Die sprechenden Papageien. Creutz'sche Verlagsbuchhandlung, Magdeburg 1896 (?).

RUSS, K.: Die Amazonen. Creutz'sche Verlagsbuchhandlung, Magdeburg 1914.

STEINBACHER, J.: Exotische Vögel in Farben. Verlag Jacob Helène, Pfungstadt 1965.

Zeitschriften

AZ-Nachrichten, Organ der Austauschzentrale der Vogelliebhaber und -züchter Deutschlands e. V., München (monatlich).

Die Gefiederte Welt, Verlag Jacob Helène KG, Pfungstadt (monatlich).

Geflügel-Börse, Verlag Jürgens KG, München (2mal monatlich).

Bildquellen

Alle Farb- und Schwarzweißfotos stammen vom Verfasser, mit Ausnahme der Abb. 26, 31, 38, die aus dem Buch von C. BARRETT, Parrots of Australia, 1949, entlehnt wurden. Die farbigen Amazonenköpfe (Farbbilder 11 und 12) malte WALTER PAPENFUSS, Hamburg.

Verzeichnis der deutschen Papageiennamen

* = Abbildung

Verzeichnis der wissenschaftlichen Papageiennamen

* = Abbildung

Sachregister

* = Abbildung